Überall zu Hause
und doch fremd

Römer unterwegs

KATALOGE DES LVR-RÖMERMUSEUMS
IM ARCHÄOLOGISCHEN PARK XANTEN

Band 5

herausgegeben von
Martin Müller und Charlotte Schreiter

Eine Veröffentlichung des LANDSCHAFTSVERBANDES RHEINLAND

LVR-Archäologischer Park Xanten / LVR-RömerMuseum

Dirk Schmitz und Maike Sieler (Hrsg.)

Überall zu Hause und doch fremd

RÖMER UNTERWEGS

Ausstellung

im LVR-RömerMuseum im Archäologischen Park Xanten
vom 7.6.2013 bis 3.11.2013

„Überall zu Hause und doch fremd – Römer unterwegs"

ist eine Ausstellung des Vindonissa-Museums im Auftrag der Kantonsarchäologie Aargau und in Kooperation mit dem Archäologischen Landesmuseum Baden-Württemberg, dem LVR-Archäologischen Park Xanten und dem Amt der Niederösterreichischen Landesregierung, Abteilung Kunst und Kultur, Archäologischer Park Carnuntum

AUSSTELLUNG	SCHAUPLATZ XANTEN
Gesamtleitung René Hänggi	**Gesamtleitung** Martin Müller
Konzept René Hänggi und Annina Wyss Schildknecht	**Kuratoren** Maike Sieler und Dirk Schmitz
Realisierung Annina Wyss Schildknecht	**Projektleitung** Charlotte Schreiter
Gestaltung Stauffenegger & Stutz, Visuelle Gestalter HFG, Basel	**Ausstellungsplanung und -realisierung** Petra Becker, Dirk Bütow, Norbert Damker, Mario Schiebold, Frank Termath, Volker Wärmpf und Jens Weinkath
Museumspädagogik Ruth Brand, Rahel Rauscher	
Wissenschaftliche Begleitung Christa Ebnöther, Regine Fellmann-Brogli, Christine Meyer-Freuler, Regula Frei-Stolba	**Museumspädagogisches Programm** Marianne Hilke und Kathrin Jaschke
	Kommunikation, Marketing, Presse Ingo Martell und Ursula Grote
Wissenschaftliche Mitarbeit Martin Bossert, Vanessa Haussener, Andrew Lawrence, Claudia Neukom	**Gestaltung weiterer Printprodukte** Sebastian Simonis Mediendesign

BEGLEITBUCH

Koordination und Redaktion
Dirk Schmitz und Maike Sieler

Fotoarbeiten
Stefan Arendt, LVR-Zentrum für Medien und Bildung, Düsseldorf

Grafische Bildbearbeitung
Horst Stelter

Katalogproduktion und -gestaltung
Anja Schneidenbach, Michael Imhof Verlag

Druck
Werbedruck GmbH Horst Schreckhase, Spangenberg

Umschlagabbildungen vorn: Grabstein des Helvetiers Rufus. Original und farbige Kopie: Reiss-Engelhorn-Museen Mannheim. Fotos: Jean Christen (Original) und Stefan Arendt (Kopie)

Umschlagabbildung hinten: Bronzefigur eines Barbaren. Land Niederösterreich – Archäologischer Park Carnuntum, Bad Deutsch-Altenburg. Foto: Stefan Arendt

Die Deutsche Nationalbibliothek verzeichnet diese Publikation in der Deutschen Nationalbibliographie; detaillierte bibliographische Daten sind im Internet über http://dnb.d-nb.de abrufbar.

© 2013 Landschaftsverband Rheinland / LVR-Archäologischer Park Xanten

© Michael Imhof Verlag GmbH & Co. KG
Stettiner Straße 25
D-36100 Petersberg
Tel.: 0661/2919166-0; Fax: 0661/2919166-9
www.imhof-verlag.com | info@imhof-verlag.de

Printed in Germany
Gedruckt auf säurefreiem und alterungsbeständigem Papier.

ISBN 978-3-86568-920-7

Grußwort

Migration gibt es seit Anbeginn der Menschheit. Von Afrika, der Wiege des Menschen, gelangte die Gattung Homo in mehreren Wanderungsbewegungen nach Europa und nicht zuletzt auch in das Gebiet, das wir heute als Rheinland kennen. Wenn man so will, ist das Rheinland also seit jeher von Zuwanderung geprägt. Mitten in Europa zählt das Rheinland heute zu den lebendigsten und ältesten Kulturregionen. Diese zentrale Region hat während der Geschichte immer wieder Fremde aufgenommen und ist durch sie geprägt worden. In römischer Zeit führten Migrationsprozesse im Grenzraum am Rhein innerhalb weniger Generationen zu einer völlig neuen, provinzialrömischen Bevölkerung. Ob während der industriellen Revolution im 19. Jahrhundert, durch die Vertreibungen nach dem Zweiten Weltkrieg oder den Wirtschaftsboom der 1960er und 1970er Jahre, auch in der jüngeren Vergangenheit kamen Fremde aus unterschiedlichen Gründen ins Rheinland, suchten hier ihr Glück und fanden eine neue Heimat. Das Ergebnis dieser Zuwanderungs- und Migrationsprozesse: Heute leben wir in einer pluralistischen Gesellschaft, die ihre unterschiedlichen Wurzeln nicht vergisst und zugleich ein Wir-Gefühl als Rheinländerinnen und Rheinländer entwickelt.

Der Landschaftsverband Rheinland hat es sich zur Aufgabe gemacht, die kulturelle Vielfalt des Rheinlandes zu erfassen, zu erforschen, zu bewahren und zu pflegen. Die Einrichtungen und Initiativen des LVR prägen diese Kulturlandschaft maßgeblich mit. Bürgerinnen und Bürger, Vereine, Kulturinstitute und Kommunen unterstützen den LVR aktiv bei dem Erhalt, der Pflege und der Verstetigung von Kultur im Rheinland. Dieses kulturelle Netzwerk vermittelt den Menschen in der Region ein besonderes Bewusstsein ihrer Identität. Darüber hinaus bietet das kulturelle Gedächtnis die Möglichkeit, einen neuen räumlichen Lebensmittelpunkt kennen zu lernen und darin heimisch zu werden. Heimat ist an Orte gebunden und die Kultur kann über die Pflege kultureller wie kulturhistorischer Orte Orientierung geben, diese Heimat zu finden. Wichtig ist dabei, die Perspektive von Menschen mit Migrationshintergrund einzubeziehen. Denn interkulturelle Kompetenz bedeutet auch, dass Einheimische wie Zugezogene aktiv und gleichberechtigt an gesellschaftlichen Prozessen partizipieren, dass beide zur Teilhabe am kulturellen Erbe ermutigt werden. Wir alle müssen uns dabei auf unterschiedliche und möglicherweise zunächst ‚fremde' Blickwinkel einlassen, dann kann etwas Neues, Gemeinsames entstehen.

Mit der Ausstellung „Überall zu Hause und doch fremd - Römer unterwegs" und dem gleichnamigen Begleitband hat der LVR-Archäologische Park Xanten ein damals wie heute aktuelles Thema aufgegriffen und zeigt, wie lohnend es ist, Phänomene der Gegenwart in einen historischen Kontext zu stellen. Das Römische Reich wusste in der Kaiserzeit die Potentiale der aus römischer Sicht zunächst fremden Menschen zum Wohle des Staates zu nutzen. Die römische Kultur bildete dabei eine einende Klammer. Die Verleihung des Bürgerrechtes war der sichtbare Abschluss der Integration von Nichtrömern, die fortan auf unterschiedlichen Ebenen dazu beitrugen, das Römische Reich zu gestalten.

Liebe Leserinnen und Leser, ich wünsche Ihnen bei der Lektüre dieses Buches zu einem Grundthema der Menschheit viele neue Erkenntnisse zur Mobilität, Migration, Heimat und zum Fremdsein in der römischen Antike und spannende Begegnungen mit Menschen, deren Schicksale auch nach fast 2.000 Jahren nachhaltig bewegen.

Milena Karabaic
LVR-Dezernentin für Kultur und Umwelt

Inhalt

ÜBERALL ZU HAUSE UND DOCH FREMD – EINE EINFÜHRUNG

Dirk Schmitz und Maike Sieler

Hinter dem Titel „Überall zu Hause und doch fremd – Römer unterwegs" verbergen sich unterschiedliche Aspekte der römischen Lebenswelt, die mit diesem Sammelband für die Epoche der Hohen Kaiserzeit (1.–3. Jahrhundert n. Chr.) in den Blick genommen werden. Mobilität und Migration, Fremdsein und Heimat sind stets aktuelle Schlagworte, die bereits für das Römische Reich wichtige gesellschaftliche Phänomene verkörperten. In vierzehn einführenden Artikeln und 37 kleineren Katalogbeiträgen werden diese Parameter einer globalisierten Welt näher beleuchtet. Den geografischen Bezugsrahmen bildet das Gebiet des Römischen Reiches. Aufgrund dessen Größe werden die Untersuchungen zumeist auf die Nordwestprovinzen, Mitteleuropa im Osten bis zum Rhein, im Norden bis Großbritannien und entlang der Donau bis ins heutige Rumänien, fokussiert.

Römer unterwegs – Mobilität

In der römischen Antike herrschte Reisefreiheit, der Mensch hatte die Möglichkeit, durch ein Gebiet zu reisen, das heute rund 50 unabhängige Staaten umfasst. Voraussetzung schuf ein gut ausgebautes Straßennetz (Beitrag Th. Becker). Die Beweggründe, sich auf Reisen zu begeben, waren vielfältig (Beitrag A. Kieburg). Zwar konnten Wegelagerer und Räuberbanden durchaus für ein abruptes Ende der Reise sorgen – vor allem in Zeiten, in denen Rom die Sicherheit auf den Straßen nicht entsprechend gewährleisten konnte – doch insgesamt ist von einem vergleichsweise hohen Maß an persönlicher Sicherheit für den Einzelnen auszugehen, zumal empfohlen wurde, in Gruppen zu reisen (Beitrag K. Geus).

Doch wer waren diese Menschen bzw. Gruppen, die aus unterschiedlichen Gründen ihre Heimat verließen, um an anderen Orten im Imperium Romanum zumindest einen Teil ihres Lebens zu verbringen? Legionen und Hilfstruppen wurden über zum Teil weite Entfernungen an neue Standorte oder in Krisengebiete verlegt (Beiträge M. Kemkes und D. Schmitz), der Handel sorgte kleinräumig wie auch auf überregionaler Ebene für Bewegung von Menschen und auch Handwerker begaben sich auf den Weg, um neue Absatzmärkte zu erschließen (Beiträge M. Sieler und F. Schimmer). Mit den Menschen reisten ihre religiösen Vorstellungen (Beitrag M. Clauss). Mobilität konnte auch erzwungen sein, wenn der römische Staat Umsiedlungen ganzer Stämme vornahm, oder Menschen als Sklaven aus ihrem Lebensumfeld gerissen und in die Fremde verkauft wurden (Beiträge P. Jung und L. Schumacher).

Überall zu Hause … – Romanisierung und die Bedeutung des Bürgerrechtes

Das Imperium Romanum entstand durch Eroberung und war Lebensraum unterschiedlichster, ehemals unabhängiger Völker und Stammesgruppierungen. Das Aufeinandertreffen dieser Menschen mit der Besatzungsmacht Rom und ihren Vertretern setzte vielschichtige und wechselseitige Prozesse des Kulturwandels (Akkulturation) in Gang, die mit dem Begriff der Romanisierung zusammengefasst werden. Bei entsprechender Kompatibilität der jeweiligen Kulturbereiche hinsichtlich Siedlungs- und Wirtschaftsweise, gesellschaftlicher Strukturierung und Religionsvorstellungen führten sie zu Integrationsprozessen und einer stabilen, eigenen Mischkultur, so zum Beispiel in weiten Teilen Galliens. In anderen Fällen, wie bei den germanischen Stämmen am Niederrhein, scheiterte die Romanisierung und mündete in regelrechte Vernichtungskriege Roms und in die Entvölkerung ganzer Landstriche[1]. So unterschiedlich die Provinzialisierungs- und Romanisierungsprozesse in den jeweiligen Gebieten des Römischen Reiches auch verliefen, einendes Instrument der Herrschaftssicherung wie auch der kulturellen Verankerung Roms war die Verleihung des Bürgerrechtes (Beitrag O. Schipp). Der Rhetor Aelius Aristides, selber ein Neubürger der Mitte des 2. Jahrhunderts n. Chr. aus dem stark urbanisierten Osten des Reiches, würdigte in seiner Lobrede auf Rom dieses Bürgerrecht als konstruktives Element der Reichsbildung. Für ihn teilte sich die Bevölkerung in zwei Gruppen – in die „Gebildeten, Edlen und Mächtigen", die zu römischen Bürgern gemacht wurden, und in die „Untertanen und Beherrschten", die Peregrinen[2]. Mit der Verleihung des Bürgerrechtes an Menschen und Gebietskörperschaften außerhalb Stadtroms wurden dessen Geltungsbereich und die Herrschaft des römischen Volkes dorthin erweitert. Die Neubürger partizipierten an der Macht, zugleich war dies ein Ausdruck gelebter römischer Kultur[3]. Vor allem der Römer, aber auch die Römerin war demnach rechtlich überall im Imperium Romanum zu Hause. So konnte der Bürger einer spanischen Colonia davon ausgehen, in einer Stadt römischen Rechtes entlang der Donau die gleichen rechtlichen, sozialen und kulturellen Bedingungen vorzufinden. Andererseits galt nun ein germanischer Cannanefate, der in seinem Stammesgebiet auf römischem Boden geboren worden war, in der eigenen Heimat als fremd (peregrinus). Doch hatte auch er die Möglichkeit, irgendwann römischer Bürger zu werden.

Integration I: Die lokalen Eliten

Bei aller Brutalität und Gewalt, mit der der römische Staat bisweilen seine Ziele durchsetzte, vollbrachte er dennoch eine erhebliche Integrationsleistung, indem er in der Lage war, Fremde aus den im Laufe der Zeit unterworfenen und zu Provinzen umgewandelten Gebieten Gewinn bringend in das Imperium Romanum einzubinden. Dies geschah auf unterschiedlichen Ebenen, begann bei den Führungsschichten und setzte sich bei der einfachen Bevölkerung unterworfener Stämme fort.

Weitreichende Integrationsprozesse fanden in den römischen Städten statt. Die Verleihung des Bürgerrechtes an Angehörige der lokalen einheimischen Eliten oder an dem Kaiser gegenüber loyal gesinnte Gruppen garantierte diesen eine privilegierte Position in den urbanisierten Zentren möglichst römischer Rechtsstellung (*coloniae, municipia*) und ging einher mit der Verbreitung des römischen Wertesystems. In ihrer Stadt bestimmten diese Neubürger als gewählte Mitglieder des städtischen Rates (*ordo decurionum*) die Richtlinien der Politik und vertraten zugleich die Interessen Roms. Aristides kommentierte dies mit den Worten: „…Keiner ist ein Fremder, der sich eines Amtes oder einer Vertrauensstellung würdig erweist"[4]. Auf Reichsebene gelangten sie über patronale Kontakte in die Zirkel der Herrschenden, den etablierten und vom Kaiser geförderten Führungskräften. So wurden über Generationen stets neue Römer aus den führenden provinzialen Familien in den stadtrömischen Senat und in den Ritterstand eingebunden. Aus beiden *ordines* schöpfte der Kaiser das Leitungspersonal des Reiches. Mitglieder des Senatorenstandes besetzten bis ins 3. Jahrhundert n. Chr. die wichtigsten Positionen in Rom, in den Legionen und in der reichsweiten Provinzverwaltung. Dem Ritterstand waren die Leitung der Provinz Aegyptus sowie der Personenschutz des Kaisers anvertraut, darüber hinaus bekleideten die *equites* bedeutsame Posten in Armee und kaiserlicher Verwaltung sowie Rechtsprechung[5]. Waren zu Beginn der Kaiserzeit zunächst Italiker im Senat bestimmend, kamen schon bald die Eliten aus Italien jenseits des *Padus* (Gallia Cisalpina, Transpadana), aus der Gallia Narbonensis, aus *Lugdunum* (Lyon) und Spanien hinzu. Diese Entwicklung hatte bereits mit Caesar eingesetzt und im Laufe des 1. Jahrhunderts n. Chr. wuchs der Anteil an Senatoren aus diesen Provinzen[6]. Ab dem späten 1. Jahrhundert und verstärkt im 2. Jahrhundert n. Chr. gelangten zunehmend Personen aus der östlichen, griechischsprachigen Reichshälfte und schließlich aus Afrika in den Senat[7]. Bis zum Ende des 2. Jahrhunderts n. Chr. stieg der Anteil an Provinzialen im Senat schließlich auf bis zu 60 Prozent. Bezeichnend für diese Entwicklung ist auch die Herkunft mancher Kaiser. Traian (98–117 n. Chr.) war der erste Herrscher aus einer spanischen Koloniestadt und Septimius Severus (193–211 n. Chr.) stand am Anfang einer Dynastie aus Herrschern, die aus Metropolen in Afrika stammten. Der Ritterstand wurde im Vergleich zum Senat noch schneller und stärker mit Provinzialen durchsetzt.

Integration II: Die Nordwestprovinzen – Eine neue Bevölkerungsschicht entsteht
Nimmt man den Nordwesten des Römischen Reiches als Beispiel, so wirkte sich in diesen militärisch geprägten Grenzprovinzen die Mobilität von Menschen in hohem Maß auf die Zusammensetzung der Gesamtbevölkerung aus[8]. Die Sicherung der Grenzregionen löste eine ungeheure Migrationswelle aus. Zigtausende römische Bürger insbesondere aus Norditalien und Südfrankreich oder Spanien kamen als Legionäre in die Nordwestprovinzen und wurden dort heimisch (Beitrag M. Kemkes). Im Zug der Eroberung war es zuvor im ostgallisch-germanischen Bereich zunächst noch unter Caesar zu einer gewaltsamen Entvölkerung, dann unter Augustus zu freiwilligen wie erzwungenen Umsiedlungen germanischer Stämme in das frei gewordene Siedlungsland gekommen; sie richteten sich in den zugewiesenen Gebieten unter römischer Oberhoheit ein (Beitrag P. Jung). Aus solchen Stämmen schöpfte der römische Staat bisweilen über Zwangsrekrutierungen Soldaten, sogenannte Auxiliare, die in unterschiedlichen Regionen des Reiches eingesetzt und selbst zu römischen Bürgern wurden (Beitrag D. Schmitz)[9]. Die Mobilität

von Soldaten, seien es Legionäre oder Auxiliare, wirkte sich auf deren Umfeld aus. Familien folgten dem Militär oder neue Lebensgemeinschaften entstanden und verblieben nach der Entlassung des Soldaten an den Standorten oder in benachbarten Provinzen[10]. Die Erweiterung und Sicherung des Herrschaftsbereiches schuf wiederum Wirtschaftsräume, die zu weiterer Migration führten. Die Militärlager und zivilen Siedlungen lockten als Zentren römischer Kultur Händler, Handwerker oder Gewerbetreibende an (Beiträge M. Sieler und F. Schimmer). Diese Migrationsdynamik führte zu einer neu formierten provinzialrömischen Bevölkerung und nahm schließlich mit dem späten 1. Jahrhundert n. Chr. spürbar ab, als Rom die Rekrutierung für die Legionen von Italien und der Narbonensis nach Spanien, Gallien und in die Stationierungsprovinzen verlagerte, weil der Anteil an römischen Bürgern dort entsprechend gestiegen war[11]. Bürgerrechtsverleihungen an Veteranen der Hilfstruppen stärkten das römische Element in den Provinzen zusätzlich. Auch für viele der ursprünglich in ethnischen Verbänden formierten und dann weit entfernt ihrer Stammesgebiete stationierten Auxiliareinheiten wurden ab dem späten 1. Jahrhundert n. Chr. zunehmend Soldaten direkt am jeweiligen Truppenstandort rekrutiert. Wie die Zeugnisse aus späterer Zeit zeigen, riss der Zustrom fremder Menschen aber nie gänzlich ab (Beitrag G. Bauchhenß).

Im Sinne einer Integration von Menschen wirkten auch die sozialen Aufstiegsmöglichkeiten in der römischen Armee förderlich. Nichtrömern bot das Militär u. a. über regelmäßigen Sold und die Aussicht auf Erlangung des Bürgerrechtes nach der 25-jährigen Dienstzeit Anreize, sich zu verpflichten und damit zu Trägern der römischen Kultur zu werden[12]. Insgesamt war es tüchtigen Soldaten über die hierarchische Struktur möglich, in den Funktionsverwendungen innerhalb einer Einheit aufzusteigen. Römer, die zumeist zwischen 17 und 20 Jahren in die Legion eintraten, konnten es durchaus bis in den Centurionat schaffen, einer von 60 Offiziersstellen der Legion; sie befehligten ca. 80 Soldaten und bildeten das Rückrat einer Legion. Lateinisch lesen und schreiben können war Voraussetzung, zusätzlich wurde neben der persönlichen Eignung und notwendiger Kontakte ein hohes Maß an Mobilität verlangt, denn zum Aufstieg gehörten Versetzungen in militärische Einheiten, die in verschiedenen Teilen des Reiches stationiert waren. In Einzelfällen konnte der Aufstieg in den Ritterstand gelingen, was wiederum nachfolgenden Generationen der Familie neue Möglichkeiten bot, den Aufstieg fortzusetzen.

... und doch fremd – Grenzen der Integration?

Im Jahr 48 n. Chr. befürwortete Kaiser Claudius (41–54 n. Chr.) die Aufnahme von *primores* aus den erst in der zweiten Hälfte des 1. Jahrhunderts v. Chr. ins Reich einbezogenen gallischen Provinzen[13], führende Aristokraten und Inhaber des römischen Bürgerrechtes, auf deren Bitten hin in den senatorischen Stand. Die Rede, die er im Senat hielt, ist auf einer Bronzetafel aus Lyon zum größeren Teil erhalten (Abb. 1)[14]. Nach einer parallelen Überlieferung verarbeitete Tacitus das Geschehen in einer fiktiven Rede und Gegenrede[15]. Die Argumente der Gegner einer Aufnahme in den Senat appellierten an Vorurteile gegen alles Fremde und Neuartige und ver-

1 Bronzetafel aus Lyon mit der Rede des Kaisers Claudius zur Aufnahme von Galliern in den Senat.

klärten die Vergangenheit[16]. Die Gallier seien Fremde und nichts anderes als die Nachkommen der Feinde Roms. Ihre Vorfahren waren es, die Rom erobert hatten. Claudius argumentierte, solche Leute würden erfolgreiche Mitglieder des Senates, weil sich die Bürgerschaft durch die Aufnahme ambitionierter Geschlechter von auswärts auch in früheren Zeiten erneuert hatte. Zudem wurde betont, dass die Kandidaten schon lange das römische Bürgerrecht besaßen. Das Argument des Claudius, die römische Gesellschaft habe stets zum Wohle des Staates für Fremde offen gestanden, traf auf die Gegenposition, dass nur eine Abschottung vor den Fremden und ein Rückbezug auf die bewährten eigenen Kräfte den weiteren Verfall verhindern könnten. Zwanzig Jahre nach der Rede des Claudius gab Iulius Vindex, Nachkomme eines gallischen Adelsgeschlechts und römischer Ritter, als Statthalter der Provinz Lugdunensis den Anstoß für den Fall Neros und dennoch wurde seine Initiative als gallischer Aufstand aufgefasst und vom Statthalter des obergermanischen Militärbezirkes niedergemacht. Auch wenn die Entwicklung, neue Leute in den Senat aufzunehmen, nicht mehr aufzuhalten war, stiegen in den nächsten Jahrzehnten kaum Honoratioren aus den gallischen Provinzen in dieses traditionsreiche Gremium des Staates auf[17].

Ähnliches ist für die germanischen Provinzen zu konstatieren. Eine Suche nach Personen, die aus Niedergermanien stammen und auf Reichsebene zu Bedeutung gekommen waren, führt zu einem mageren Ergebnis: Ein Flottenkommandeur aus *Noviomagus* (Nijmegen) und ein Finanz-

DEAE
VAGDAVERCVSTI
TITVS FLAVIVS
CONSTANS PRAEF
PRAET EMV

2 Weihung des T. Flavius Constans an die germanische Göttin Vagdavercustis. Ein Kölner als wichtigster Personenschützer des römischen Kaisers?

fachmann aus der Colonia Claudia Ara Agrippinensium (Köln) lassen sich als ritterliche Funktionsträger identifizieren, daneben könnte ein *praefectus praetorio* namens Titus Flavius Constans, der wichtigste Personenschützer des Kaisers, mit einer gewissen Wahrscheinlichkeit ebenfalls aus Köln stammen (Abb. 2). Ein Marcus Macrinius Vindex, Consul und Statthalter der Pannonia Inferior, ist demgegenüber mit großen Unsicherheiten behaftet[18]. Die Quellenlage erweckt demnach den Eindruck, dass Gallier und Germanen im Reich ein Stück weit fremd geblieben seien, auch wenn sie das römische Bürgerrecht besessen hatten. Sie partizipierten nicht im selben Umfang an der Macht wie andere Teile des Imperium Romanum. Es sind vor allem die stark urbanisierten und schon länger von griechisch-römischer Kultur durchdrungenen Regionen, die das Gesicht des Senatoren- und Ritterstandes prägten. Ob aber die gallischen und germanischen Römer dem Reich fremd blieben oder das Reich den romanisierten Einheimischen, bleibt offen[19].

Integration III: Die Sprache

Ausdruck des Imperium Romanum als politischem und kulturellem Raum war die Präsenz der lateinischen Sprache. Sie war reichsweit offiziell beim Militär, in der Verwaltung sowie in der Rechtsprechung gebräuchlich, im Osten des Reiches begleitet vom Griechischen als administrativem Medium[20]. Wer Karriere machen wollte, der musste Latein sprechen und schreiben können; insbesondere im Militär war dies unerlässlich (s. o.). Hierin lag für Nichtrömer ein zusätzlicher Impuls begründet, die auch über die Sprache transportierte römische Kultur anzunehmen. Daneben lebten die jeweiligen einheimischen Idiome – verschriftlicht oder nicht – im privaten und manchmal auch im öffentlichen Bereich teils noch lange Zeit nach der Provinzialisierung ihrer zugehörigen Sprachräume weiter. Wie unterschiedlich die Ausgangssituationen hierfür sein konnten, zeigt das Beispiel der gallischen und germanischen Provinzen: Während im gallischen Raum die keltische Sprache zum Zeitpunkt der Eroberungen Caesars bereits den Stand der Schriftlichkeit erreicht hatte, sind in den beiden Germaniae nur genuin lateinische Schriftzeugnisse überliefert[21].

Belege für einheimische Personen- und Stammesnamen halten sich in den Provinzen unvermindert über die Jahrhunderte und demonstrieren ein Fortleben der jeweiligen Traditionen und Gruppenzugehörigkeiten auch bei Neurömern. Die Nachweise für tatsächlich gelebten vorrömischen Sprachgebrauch verlieren sich jedoch – er wurde im Laufe der Zeit vom Lateinischen überprägt, ohne dass von Seiten des römischen Staates eine gezielte Sprachpolitik betrieben worden wäre[22]. Bisweilen schafften einzelne einheimische Worte die Aufnahme in den lateinischen Sprachschatz wie die gallische Entfernungsangabe *leuga*. Die Fülle unterschiedlicher Sprachen auf dem Gebiet des Imperium Romanum blitzt schlaglichtartig auf, wenn verbannte Römer aus ihrem Exil in den Provinzen berichten: So störte Seneca, der von 41–49 n. Chr. auf der ihm verhassten Insel Korsika weilte, das „rohe und lästige Geschnatter der Barbaren", das ihn umtönte. Ähnlich erging es zuvor dem unter Augustus verbannten Ovid, der in Tomis unter Griechen, Sarmaten und Geten lebte. Er klagte darüber, dass niemand Latein spreche, und lernte schließlich zwei Fremdsprachen: Getisch und Sarmatisch. Zumeist kommunizierte er auf Sarmatisch, dichtete und rezitierte sogar auf Getisch, sodass er nach eigener Aussage allmählich sein Latein verlernte[24].

Römer unterwegs – Zurückgelassene Heimat?

Abschließend soll ein kurzer Blick auf das geworfen werden, was Römer zurückließen, wenn sie unterwegs waren: Ihre Heimat. „Wer hätte auch (...) Asien oder Afrika oder Italien verlassen und Germanien aufsuchen wollen, landschaftlich ohne Reiz, mit rauem Klima, wenig ertragreich und trostlos im Anblick, es sei denn, es ist seine Heimat?"[25]. Für Stadtrömer wie Tacitus war die Lage völlig klar. Sie fühlten sich außerhalb Roms aufgrund der griechisch-römischen kulturellen Prägung eher in Griechenland zu Hause, im Gegensatz zu Germanien galten aber auch Italien, Asia oder Afrika als urbanisierte und – aus römischer Sicht – kulturell stärker durchdrungene Gebiete.

Die Sichtweise der Germanen ist indes literarisch nicht überliefert. Die Entlassungsurkunden ehemaliger Hilfstruppensoldaten gewähren einen kleinen Einblick in das Verhältnis der Germanen zu ihrer Heimat. Dabei sind durchaus Fälle überliefert, wo diese Neubürger tatsächlich viele hundert Kilometer zurücklegten, um ihre Heimat wiederzusehen. Die Mehrzahl verblieb jedoch am letzten Stationierungsort, sei es in Britannien oder an der Donau, insbesondere wenn sich zwischenzeitlich neue familiäre Bande ergeben hatten. Möglicherweise hatte sich durch den langen Dienst in der Fremde und die anhaltende Prägung durch die römische Denk- und Lebensweise die Verbindung zur Heimat gelöst[26]. In solchen Fällen wurde „Heimat" vermutlich eher über Personen definiert (Beitrag D. Schmitz; zur heutigen Sichtweise bei Jugendlichen vgl. den Beitrag von G. Dafft).

Die römische *patria* als Heimatbegriff ist weit gefasst[27]. Sie muss nicht mit dem Geburtsort übereinstimmen und kann – je nach philosophischem Blickwinkel – zwei Orte oder die ganze Welt umfassen. Bisweilen wird die *patria* als ein hohes kollektives Gut beschrieben, insbesondere wenn von der Hauptstadt Rom die Rede ist, und beinhaltet eine starke emotionale Bindung zu dem entsprechenden Ort. Kaiser Hadrian (117–138 n. Chr.) wurde beispielsweise in Rom geboren, als seine *patria* galt offensichtlich aber Italica, die Stadt seiner unmittelbaren Vorfahren in der Provinz Baetica (heute Portugal)[28].

1   D. Krausse, Das Phänomen Romanisierung. Antiker Vorläufer der Globalisierung? In: G. Uelsberg (Hrsg.), Krieg und Frieden. Kelten – Römer – Germanen. Ausst.-Kat. Bonn (Darmstadt 2007) 14–24; vgl. auch grundlegend G. Alföldy, Romanisation – Grundbegriff oder Fehlgriff? Überlegungen zum gegenwärtigen Stand der Erforschung von Integrationsprozessen im römischen Weltreich. In: Z. Visy (Hrsg.), Limes XIX. Proceedings of the XIXth International Congress of Roman Frontier Studies (Pécs 2005) 25–56.

2   Aristeid. or. 26,59 f. 63.

3   M. Stahl, Imperiale Herrschaft und provinziale Stadt. Strukturprobleme der römischen Reichsorganisation im 1.-3. Jh. der Kaiserzeit. Hypomnemata 52 (Göttingen 1978) 21 [= Stahl 1978]; W. Eck, Römer werden – als Römer herrschen. Bürgerrechtserwerb und Integration. In: G. Uelsberg (Hrsg.), Krieg und Frieden. Kelten – Römer – Germanen. Ausst.-Kat. Bonn (Darmstadt 2007) 29 [= Eck 2007].

4   Aristeid. or. 26,59 f.

5   Zu Senat und Ritterstand beispielsweise Stahl 1978, 25 ff. 33 ff.; Grundsätzlich W. Eck, Aristokraten und Plebs – Die geographische, soziale und kulturelle Herkunft der Angehörigen des römischen Heeres in der Hohen Kaiserzeit. In: H. v. Hesberg, Das Militär als Kulturträger in römischer Zeit. Schr. Arch. Institut Universität zu Köln (Köln 1999) 15–35 [= Eck 1999], 29–31.

6   Zur Entwicklung vgl. R. Syme, The new Romans. The rise of the Provincials. In: Ders., Tacitus (Oxford 1958) 585–597.

7   M. Hammond, Composition of the Senate A.D. 68-235. Journal Roman Stud. 47, 1957, 74–81; hier 77 ff.; W. Eck, Sozialstruktur des römischen Senatorenstandes und statistische Methode. Chiron 3, 1973, 375–394, hier 377; Eck 2007, 46.

8   Grundsätzlich Eck 1999; O. Stoll, Legionäre, Frauen, Militärfamilien. Untersuchungen zur Bevölkerungsstruktur und Bevölkerungsentwicklung in den Grenzprovinzen des Imperium Romanum. Jahrb. RGZM 53, 2006, 217–344 [= Stoll 2006] und H. E. Herzig, *Novum genus hominum*: Phänomene der Migration im römischen Heer. In: E. Olshausen/H. Sonnabend (Hrsg.), „Troianer sind wir gewesen“ – Migration in der antiken Welt. Geographica Historica 21 (Stuttgart 2006) 324–328 (mit Bezug auf die republikanische Zeit) [= Olshausen/Sonnabend 2006]; vgl. auch M. Reuter, Fremde kommen ins Land. Mobilität und ethnische Vielfalt im römischen Südwestdeutschland. In: Imperium Romanum. Roms Provinzen an Neckar, Rhein und Donau. Kat. Landesausstellung Baden-Württemberg (Esslingen 2005) 97–101 (Schwerpunkt Südwestdeutschland) und C. Schucany, Romanisierung. In: G. Uelsberg (Hrsg.), Krieg und Frieden. Kelten – Römer – Germanen. Ausst.-Kat. Bonn (Darmstadt 2007) 34–36 (Niederrhein) [= Schucany 2007].

9   Eck 2007, 41–44.

10 Stoll 2006, 219 f.

11 Stoll 2006, 220. 228 ff. 234.

12 M. Kemkes, Integration oder Vernichtung? Das römische Heer als Herrschaftsinstrument. In: Imperium Romanum. Roms Provinzen an Neckar, Rhein und Donau. Kat. Landesausstellung Baden-Württemberg (Esslingen 2005) 117–122, bes. 120.

13 Gemeint sind die drei auch als Gallia comata bezeichneten Provinzen Aquitania, Lugdunensis und Belgica; zum zeitlichen Ablauf der Romanisierung vgl. Schucany 2007, 26 f.

14 CIL XIII 1668 = ILS 212.

15 Tac. ann. 11,23–25,1; vgl. auch Suet. Iul. 80 (Aufnahme von Galliern unter Caesar, vermutlich aus der Cisalpina, Transpadana und Narbonensis).

16 U. Schillinger-Häfele, Claudius und Tacitus über die Aufnahme von Galliern in den Senat. Historia 14, 1965, 443–454, hier 450 f.; R. Syme, Tacitus on Gaul. In: Ders., Ten studies in Tacitus (Oxford 1970) 19–29, hier 27.

17 Syme 1970, 26 f.

18 W. Eck, Ubier, Römer und Soldaten. Köln – eine 'römische' Stadt an der germanischen Grenze. In: Universität im Rathaus 2. Veranstaltungen im akademischen Jahr 1993/94, 9–27, hier 24–26 [= Eck 1993/94]; vgl. auch Eck 1999, 31 f.; Eck 2007, 44–47.

19 Gründe werden bei ECK 1993/94, 25 f. und ECK 2007, 46 f. diskutiert.

20 Höhere römische Amtsträger auf Leitungsebene im griechischsprachigen Osten dürften also mindestens zwei-, bisweilen gar mehrsprachig gewesen sein, vgl. zusammenfassend W. Eck, Mehrsprachigkeit in der Reichsaristokratie Roms. In: D. Boschung/C. M. Riehl (Hrsg.), Historische Mehrsprachigkeit. ZSM-Studien Vol. 4 (Aachen 2011) 87–103.

21 Vgl. J. Untermann, Die Sprache in der Provinz. In: H. von Hesberg (Hrsg.), Was ist eigentlich Provinz? Zur Beschreibung eines Bewußtseins. Schr. Arch. Institut Universität zu Köln (Köln 1995) 73–92, hier 77–79 [= UNTERMANN 1995] und T. Meißner, Sprachen und Namen im römischen Germanien. In: D. Boschung/C. M. Riehl (Hrsg.), Historische Mehrsprachigkeit. ZSM-Studien Vol. 4 (Aachen 2011) 105–124.

22 Vgl. grundlegend G. Neumann/J. Untermann (Hrsg.), Die Sprachen im Römischen Reich der Kaiserzeit (Köln 1980) und zusammenfassend UNTERMANN 1995; an wenigen Randzonen überlebten vorrömische Sprachen wie das Baskische, das Wallisische, das Bretonische, das Albanische oder die Berbersprache im Atlasgebirge (ebd. 83).

23 Sen. ad Polyb. 18,9; dazu P. Frisch, Das Leiden unter der Lebenssituation des Exils in der Provinz. In: H. von Hesberg (Hrsg.), Was ist eigentlich Provinz? Zur Beschreibung eines Bewußtseins. Schr. Arch. Institut Universität zu Köln (Köln 1995) 93–105 [= FRISCH 1995]; Übersetzung ebd. 98.

24 FRISCH 1995, 102 f. (mit Quellenangaben).

25 Tac. Germ. 2.

26 ECK 1999, 24.

27 E. Olshausen, *Patria* als Heimatbegriff. In: OLSHAUSEN/SONNABEND 2006, 316–324.

28 Hist. Aug. Hadr. I 1–3. II 1.

DIE INFRASTRUKTUR DES RÖMISCHEN REICHES ALS GRUNDLAGE FÜR MOBILITÄT

Thomas Becker

Im Römischen Reich war Mobilität ein Schlüssel für die Entwicklung in militärischer, politischer, gesellschaftlicher und wirtschaftlicher Hinsicht. Diese Mobilität basierte auf einem ausgebauten Verkehrswegenetz, darauf abgestimmten Verkehrsmitteln, entsprechender Infrastruktur entlang der Straßen und regelmäßiger Instandhaltung. Für das funktionierende Straßensystem wurden die Römer bereits in der Antike gerühmt. Ihre Spuren prägen noch bis heute unser Landschaftsbild und lassen faszinierende Parallelen zum modernen Verkehrswesen erkennen (Abb. 3).

Vorrömische Infrastruktur

Ein funktionierendes Wegenetz zwischen den einzelnen Siedlungen existierte bereits vor der Ausdehnung des Römischen Reiches in den mitteleuropäischen Raum. Es fällt allerdings schwer, diese Verbindungen archäologisch zu fassen. Ihr Nachweis gelingt zumeist nur indirekt über den Beleg der Verkehrsmittel (Wagen, Boote) oder über Funde von Handelsgütern, die für den Transport entsprechende Verkehrswege voraussetzen. In Ausnahmefällen belegen entsprechende Erhaltungsbedingungen künstliche Einbauten im Wegesystem, die der Überwindung natürlicher, nicht zu umgehender Hindernisse dienten. Ein Beispiel hierfür sind die sogenannten Bohlenwege, hölzerne Unterbauten für die Überquerung von feuchtem Gelände, die ab der ausgehenden Stein- bzw. frühen Bronzezeit nachzuweisen sind[1]. Auch Brücken wurden in der vorrömischen Eisenzeit über Flüsse geschlagen, sofern die Flussgröße bzw. -tiefe eine Überquerung über Furten verhinderte. Entsprechende Grabungsbefunde geben Hinweise auf die Konstruktionsart, die Holzerhaltung auf den Bauzeitpunkt der Anlagen[2]. In den Bereichen dazwischen scheint aber weitgehend von Naturwegen auszugehen zu sein, die keine Spuren im Boden hinterlassen haben.

Straßenbau als Grenzetablierung und Provinzeinrichtung

Das bestehende Wegesystem, auf das die Römer im Zuge ihrer Eroberungen trafen, entsprach nicht immer den Anforderungen der eigenen Militärlogistik. Sehr gut lässt sich dieser Umstand an der Inbesitznahme des heutigen Rheinlandes und Westfalens während der Regierung des Kaisers Augustus (27 v. – 14 n. Chr.) ablesen. Nach Darstellung der antiken Schriftsteller mussten die Römer vor allem bei den Zügen im rechtsrheinischen Germanien die Wege für ihren Vormarsch durch Baumfällarbeiten und andere Maßnahmen trassieren. Es ist aber davon auszugehen, dass das Militär über Grundkenntnisse der Topographie im jeweiligen Operationsgebiet verfügte, da gezielte Feldzüge ansonsten nicht möglich gewesen wären[3].

3 Straße und Fluss als Verkehrsweg. Der Rhein bei Xanten in römischer Zeit.

Archäologisch ist diese Überlieferung bislang nicht zu belegen und daher auch als Topos für die Leistungen von Feldherr und Militär anzusehen. So fand sich auf dem augusteischen Schlachtfeld von Kalkriese kein Hinweis auf eine Vorbereitung der Wegeverbindung durch die Römer[4]. Höher scheinen die Flussverbindungen als Transportweg zu werten zu sein. Die meisten Lager dieser Zeit östlich des Rheins sind im direkten Umfeld eines schiffbaren Flusses positioniert und mindestens für den Militärplatz Haltern ist mit dem Uferkastell auch eine Hafenanlage belegt. In Haltern ist auch die einzige Straße aus diesem Zeithorizont anhand zweier Straßengräben nachweisbar, welche oberhalb des Lippeufers entlang des gesamten genutzten Bereiches verlaufen[5]. Diese Straße steht im Zusammenhang mit dem permanenten Ausbau des antiken Haltern als Militär- und Siedlungsplatz.

Derartige Beobachtungen bezüglich des Zeitpunkts von Straßenbaumaßnahmen können auch andernorts nachvollzogen werden: So wurde erst nach dem Ende der Eroberungsbemühungen um die *Germania Magna* im Jahr 16 n. Chr. damit begonnen, die entlang des linken Rheinufers führende Straße zwischen den einzelnen Militärlagern auszubauen. Diese Verbindung hatte sicherlich bereits früher bestanden, jedoch noch nicht als fest angelegter Straßenkörper mit begleitenden Gräben[6]. Aufgrund der rechtsrheinischen Eroberungsfeldzüge war ein dauerhafter Straßenbau links des Rheins zunächst als nicht notwendig angesehen worden.

Vergleichbare Abläufe lassen sich auch für andere Reichsteile belegen, angefangen mit dem historischen Straßenbau durch Marcus Vipsanius Agrippa im Rahmen seiner Statthalterschaft in Gallien 39/38 und 20–18 v. Chr., der archäologisch durch die Fälldaten der ersten römischen Brücke über die Mosel in Trier 18/17 v. Chr. bestätigt wird[7]. Dieses Datum ist auf den ersten Straßenbau im Rheinland übertragbar, denn es ist von einer Fortführung der Trasse durch die Eifel bis an den Rhein bei Köln oder – aufgrund der früheren militärischen Präsenz – bis Neuss auszugehen[8]. Der Bau der Kinzigtalstraße von Offenburg nach Rottweil im Jahr 74 n. Chr. durch den Statthalter Gnaeus Pinarius Clemens steht wiederum am Abschluss der Eroberung des nördlichen Schwarzwaldes bis zum Neckar[9]. Bei all diesen Straßen wird vom römischen Militär als Erbauer ausgegangen.

Hierarchisches Straßensystem

Im Zuge der Integration eines Territoriums ins Römische Reich wuchs ein verzweigtes Straßensystem, um die Bewegungs- und Transportbedürfnisse verschiedener Teile der Gesellschaft zu befriedigen. Ist es zunächst die Militärlogistik, die den Straßenverlauf bestimmt, wechselt dies schon bald auf die Notwendigkeiten der Staatsverwaltung, der Provinzbevölkerung und des wirtschaftlichen Handelns bis hin zu privaten Interessen.

Daraus ergibt sich eine Hierarchie für die verschiedenen Straßen, welche auf der Zuständigkeit für die Errichtung, vor allem aber auch für ihre Instandhaltung beruht. Man unterschied zunächst die *viae publicae*, welche in ihrer Funktion als Reichs- oder Staatsstraßen zu verstehen sind. Identifizierbar sind diese Straßen durch verschiedene Kriterien: Benennung mit einem Gentiliz nach dem erbauenden Kaiser oder Beamten, Aufnahme in Reisebeschreibungen (Itinerarium Antonini)

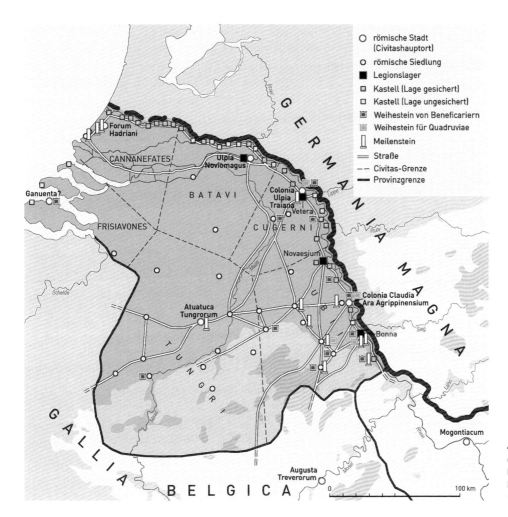

4 Überlandstraßen in der Provinz Germania Inferior mit Kriterien zur Identifizierbarkeit von *viae publicae.*

oder Karten (Tabula Peutingeriana), Aufstellung von Meilensteinen oder Weihungen an die Göttinnen der Straßenkreuzungen (*biviae, triviae, quadruviae*) (Abb. 4)[10]. Ihre Erbauung erfolgte auf Veranlassung aus Rom und sie dienten dem *cursus publicus* (Beitrag A. Kieburg in diesem Band) als Reisewege. Die erste Errichtung solcher Straßen dürfte in vielen Fällen durch das Militär erfolgt sein. Während der Bau eine Staatsangelegenheit war, ging die Instandhaltung sehr schnell auf die regionale Ebene über. Hier zeichneten dann die jeweilige Civitas oder anliegende Orte verantwortlich.

Die *viae vicinaliae* sind öffentliche Straßen, die allerdings als untergeordnete Verbindungen anzusehen sind und eigentlich keines der genannten Kriterien aufweisen. Sie entstanden aus regionalen Notwendigkeiten, z. B. als Querverbindung zwischen zwei Reichsstraßen oder zur Anbindung einer abseits des Reichsstraßenverlaufes bestehenden Siedlung. Der Beschluss zur Erbauung und Finanzierung war eine Angelegenheit der Bürgerschaft, in der die Straße verlief. Auch für diese Kategorie lässt sich an einigen Stellen die Aufstellung von Meilensteinen belegen, die in erster Linie die Leistung der Bürgerschaft oder eines Magistraten hervorheben sollen[11]. Schließlich finden sich die *viae privatae*, auf die Initiative Einzelner entstandene Straßenabschnitte, die meist zur Anbindungen eines privaten Anwesens oder eines Wirtschaftsbetriebes an das Verkehrsnetz dienten.

Das Militär als Bauherr der Reichsstraßen lässt sich auch durch die Benennung von *viae publicae* in Schriftquellen oder Inschriften als *viae militares* belegen. In der Forschung ist umstritten, ob diese Bezeichnung den gleichen Rechtsstatus wie für *viae publicae* impliziert, da die Verwendung des Begriffs räumlich und zeitlich stark variiert[12].

Straßenbau und -pflege in römischer Zeit

Der Aufbau einer römischen Straße wird von den antiken Autoren in drei Typen unterteilt: *via terrena* (Erddamm), *via glarea strata* (Schotter-/Kiesstraße) und *via lapide strata* (gepflasterte Straße)[13]. In den Nordwestprovinzen verkörpern die *viae glarea strata* die Hauptbauform, da sich gepflasterte Straßen nur im Bereich von Siedlungen belegen lassen und reine Erddämme aufgrund der Witterungsbedingungen höchstens für wenig befahrene Abschnitte geeignet waren. Der direkte Aufbau richtete sich nach den lokal oder regional vorhandenen Baumaterialien. Während in den Mittelgebirgen häufig das anstehende Gestein Verwendung fand, bestand der Unterbau in Flussnähe aus Kies (Abb. 5). Aufgebaut war der Straßenkörper aus einer untersten Schicht groben Steinmaterials, auf das je nach Höhe des Damms verschiedene Schichten feineren Materials aufgetragen waren. Den Abschluss nach oben bildete eine Schicht aus Sand, die verdichtet bzw. mit Kalk gebunden war und die Fahrbahnoberfläche bildete. Im Querschnitt ist der Straßenkörper gewölbt, um das Wasser von der Fahrbahn in die begleitenden Gräben zu leiten und so die Oberfläche trocken zu halten (Abb. 6).

5 Schnitt durch die römische Straße Xanten – Köln unter der modernen Straße in Alpen-Millingen, Kreis Wesel. Deutlich ist der Kieskörper der römischen Straße zu erkennen.

6 Damm der römischen Straße Trier-Andernach mit begleitenden Gräben im Wald bei Kaisersesch/Eifel.

Neben dem Straßenkörper (*agger*) konnte bei größeren Straßen vor dem Graben ein unbefestigtes Bankett liegen, das im Sommer als Ausweichweg für Fußgänger und Packtiere genutzt wurde. Insgesamt schwankt die Breite römischer Straßen beträchtlich, was weniger mit der Bedeutung der jeweiligen Straße, sondern eher mit den finanziellen Möglichkeiten des Bauträgers zu tun hat. Die Mindestbreite bei Fernstraßen hat wohl bei 4 bis 5 m gelegen, um Gegenverkehr zu ermöglichen. Nach oben lassen sich Werte bis zu 10 m ermitteln, die intentionell, aber auch durch die Ausfahrungen und häufigen Ausbesserungen entstanden sein können.

Der Verlauf der jeweiligen Verbindung ist stark abhängig vom Aussehen der Landschaft, durch die sie führte. Grundsätzlich waren die Römer an einem gradlinigen Verlauf der Straße interessiert (Abb. 7), um den Arbeitsaufwand beim Bau nicht unnötig zu erhöhen. Abweichungen waren vor allem im bergigen Gelände möglich, um beispielsweise Steigungen zu überwinden und Hindernisse zu umgehen. So findet sich die im Hochgebirge in den Felsen gearbeitete Trasse mit Spurrillen für die Wagenräder (Geleisestraße) ebenso wie der hangdiagonale Aufstieg samt variierender Wegeführung für den Gegenverkehr im Mittelgebirge[14].

7 Römerstraße zwischen den Kastellen Butzbach und Friedberg/Hessen. Im Norden nimmt die moderne Bundesstraße den römischen Straßenverlauf auf.

Die antiken Instandhaltungsmaßnahmen lassen sich durchaus mit dem modernen Vorgehen bei der Straßenpflege vergleichen. War der Straßenkörper nicht völlig marode, wurde einfach eine neue Deckschicht aufgetragen und verdichtet. Ein Austausch dieser Schicht fand dabei nicht statt, so dass eine kontinuierliche Erhöhung der Straße zu beobachten ist. Zum Teil wurden größere Löcher auch mit gröberem Steinmaterial gefüllt und erst dann die Überdeckung aufgetragen.

Verschiedene Straßenbauwerke setzten die Römer ein, um topographisch widrige Bereiche für den Verkehr zugänglich zu machen. So finden sich bei Abschnitten mit feuchtem Untergrund

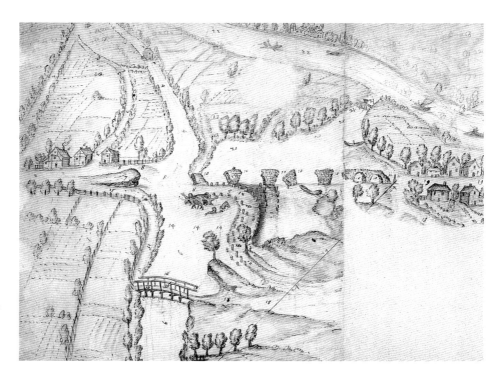

9 Ein Wagen mit vier Rädern aus Augsburg. Beladen ist er mit einem großen Fass.

bisweilen aufwendige Unterbauten aus Holz unter dem eigentlichen Straßenkörper[15]. Musste ein Bach oder Fluss gequert werden, bestand bei geringer Fließgeschwindigkeit die Möglichkeit der Anlage einer Furt. Doch nicht immer konnte im Querungsbereich eine geeignete Stelle für eine Überführung gefunden werden oder die Strömung des Flusses war so stark, dass Brückenbauwerke errichtet werden mussten. Deren Konstruktionstechnik und Baumaterial war sehr unterschiedlich (Abb. 8) und immer an die jeweiligen Gegebenheiten angepasst. Man erhöhte beispielsweise die Anzahl der Bögen gegen gestiegenen Wasserdruck bei Hochwasser[16] oder konstruierte spezielle Abweiser gegen Treibgut vor den Brückenpfeilern. Sowohl reine Holz- oder Steinarchitektur wie auch Mischbauweisen waren möglich.

Straßennutzung

Auf den römischen Straßen herrschte unterschiedlicher Verkehr. Zwar ist bislang umstritten, ob Links- oder Rechtsverkehr galt, doch wurden die eigentlichen Straßenkörper vornehmlich von Wagen und Reitern verwendet, da die Fußgänger im Interesse der eigenen Sicherheit den Seitenstreifen bevorzugt haben werden.

10 Briefe wurden in römischer Zeit auf hölzernen Schreibtafeln geschrieben, mit Siegelkapseln verschlossen und zum Empfänger transportiert.

Fahrzeuge finden sich in römischer Zeit in verschiedenster Ausführung. Generell sind Reise- von Transportwagen zu unterscheiden, was vor allem durch den Aufbau und die Ausstattung gelingt. Waren die Transportfahrzeuge aufgrund ihrer Nutzung pragmatisch konstruiert, finden sich bei den Reisewagen Ausstattungselemente, die dem Komfort des Reisenden dienen sollten. Hierzu ist mit der Überdachung der Sitzfläche zum Schutz vor der Witterung ebenso zu rechnen wie eine Federung durch Aufhängung der Kabine an Lederriemen. Generell können in beiden Bereichen sowohl zwei- wie auch vierrädrige Verkehrsmittel nachgewiesen werden (Abb. 9), die mit zwei oder auch vier Zugtieren gezogen wurden[17].

Als Reit- oder Zugtiere fanden sowohl Pferde wie auch Esel und deren Kreuzungen Muli und Maultier Verwendung. Rinder, vor allem Ochsen, werden hauptsächlich als Zugtiere genutzt worden sein, während sie nur in Ausnahmefällen geritten wurden. Die genannten Tiere konnten auch zum Tragen von Lasten eingesetzt werden. Verschiedene historische Darstellungen belegen, dass unterschiedlichste Waren auf den Straßen befördert wurden (Abb. 9). Da der Transport auf der Straße gegenüber dem zu Schiff aufwendiger und damit teurer war (s. u.), wird sich die Beförderung von größeren Warenmengen auf der Straße auf die Zulieferung vom Hafen zum Bestimmungsort und auf Bereiche ohne schiffbare Flüsse beschränkt haben. So ist beispielsweise durch Darstellungen der Transport von großen Fässern ebenso belegt wie von großen Stoffballen. Auf den Straßen fand auch die Beförderung der öffentlichen wie privaten Post (Abb. 10) statt, letztere wurde hauptsächlich von Reisenden mitgenommen.

Nachnutzung im Mittelalter

Die römischen Straßen fanden häufig nach dem Ende des römischen Reiches weiter Verwendung. Dies ist in der beständigen Bauweise der Straßen ebenso begründet wie in der Notwendigkeit, die ebenfalls aus der Antike kontinuierlich weiterbesiedelten Städte und Orte miteinander zu verbinden. Dort, wo mittelalterliche Stadtgründungen abseits der antiken Strukturen stattfanden, gerieten die ehemaligen Straßen außer Nutzung. Eine solche Weiterverwendung wird heute insbesondere bei gradlinigen Straßenverbindungen zwischen römischen Orten postuliert. Unter den modernen Straßen finden sich bisweilen noch die Reste des antiken Straßenkörpers (Abb. 5) oder Luftbildbefunde lassen vermuten, dass ein Teil der Straße antiken Ursprungs ist (Abb. 7). In jedem Fall haben die römischen Straßen unsere moderne Landschaftsgliederung nachhaltig geprägt wie kaum ein anderes Element der antiken Besiedlung.

Infrastruktur entlang der Straße

Im Verlauf einer römischen Straße fanden sich verschiedene Elemente, die zur Funktion des Verkehrsweges gehörten. Meilen- oder Leugensteine standen im definierten Abstand der Meile (1,48 km) oder Leuge (2,22 km) voneinander entfernt und gaben dem Reisenden die Entfernung von bzw. zu einem Ort an[18]. Sie nannten im Schriftformular eingangs den Kaiser, unter dessen Herrschaft die Straße errichtet oder repariert wurde. Aufgestellt zunächst von den Provinzstatthaltern, ging die Verantwortung dafür später auf die Gemeinde über, die den jeweiligen Straßenabschnitt instand halten musste. Ab dem 2. Jahrhundert n. Chr. wurden Meilensteine vor allem aufgestellt, um den Kaiser durch die ausführliche Titulatur zu ehren und die Leistung der Kommune herauszuheben. Dabei wurden die alten Meilensteine nicht ersetzt, so dass sich an einem Platz mehrere nebeneinander befunden haben konnten[19].

Ebenfalls in regelmäßigen Abständen sind Stationen an der Straße zu beobachten. Die antike Literatur unterscheidet hauptsächlich *statio* (Raststätte), *mansio* (Übernachtung) und *mutatio* (Wechselstation). Eines ist den verschiedenen Raststätten an den Fernverbindungen gemeinsam: Die räumliche Nähe zur Straße. Damit enden aber die augenfälligen Gemeinsamkeiten, denn im Vergleich der Bauformen lassen sich keine Übereinstimmungen feststellen. So reicht die Bandbreite vom Einzelgebäude (z. B. Neuss) über Kleinanlagen in Fachwerkbauweise (z. B. Friesenheim/Ortenaukreis) bis hin zu großen repräsentativen Baukomplexen im städtischen Umfeld (z. B. Augst, Xanten). Auch Anlagen, deren Funktion nicht ausschließlich in der Versorgung und Unterbringung von Reisenden lagen, lassen sich belegen (z. B. Sontheim/Ostalbkreis)[20]. Alle dienten sie im Rahmen des *cursus publicus* der Unterbringung von Reisenden sowie dem Pferdewechsel und boten sicherlich auch anderen Reisenden Unterkunft und Verpflegung. Die variierenden Bauformen resultieren aus unterschiedlichen Wirtschaftsgrundlagen – so konnten beispielsweise ein landwirtschaftlicher Betrieb oder andere Funktionen angegliedert sein. Da die Anlagen von Privatpersonen errichtet wurden, brauchten sie nur den funktionellen Anforderungen der Versorgung von Mensch und Tier zu genügen, ohne baulichen Normen zu unterliegen. Im ländlichen Raum waren die Anlagen oftmals mit einem Zaun oder einer Mauer um-

11 Konservierter Grundriss der Straßenstation von Friesenheim/Ortenaukreis an der östlichen Rheintalstraße. Rechts der Straße befinden sich die Gebäude der Straßenstation, links das kleine Heiligtum der Diana Abnoba.

geben, um dem Reisenden und den Fuhrwerken Schutz über Nacht bieten zu können. Oftmals gehörten große Freiflächen dazu, die dem Abstellen der Verkehrsmittel dienten.

An den Straßen fanden sich zudem in unregelmäßigen Abständen Heiligtümer, die dem Reisenden zur Bitte oder zum Dank für einen guten Reiseverlauf bei verschiedenen Göttern dienten. Hier sind im Straßenkontext spezialisierte (*biviae, triviae, quadruviae*), lokale (Diana Abnoba in Friesenheim; Abb. 11) oder besonders mit Reisen und Handel verbundene Gottheiten (z. B. Merkur) anzutreffen. Eindrucksvolles Beispiel mag das Heiligtum auf dem Großen St. Bernhard in der Schweiz sein, in dem die Reisenden ihre Opfer als Dank für das Erreichen der Passhöhe darbrachten[21].

Flüsse als Verkehrsweg

Die Bedeutung der Flüsse als Verkehrswege in der Antike ist schwer einzuordnen, da die archäologischen Belege hierfür ungleich geringer ausfallen als bei den Straßen[22]. Die nachgewiesen wasserbaulichen Befunde wie auch die wenigen Schiffsfunde aus Binnengewässern deuten aber schlaglichtartig an, dass die Römer Flüsse als Reise-, vor allem aber als Transportrouten intensiv nutzten. Die Bedeutung der Flusswege lässt sich auch daran ablesen, dass das römische Militär mit der *classis Germanica* bereits in der Frühzeit eine eigene Flotteneinheit für die Überwachung des Rheins stationierte. Einige Baumaßnahmen ergänzen dieses Bild. Zum einen sind dies die beiden großen Kanalbauprojekte: Die Fossa Drusiana war ein Verbindungskanal zwischen dem

Alten Rhein und dem Flevomeer, der am Ende des 1. Jahrhunderts v. Chr. angelegt worden war[23]. Gut fünfzig Jahre später wurde die Fossa Corbulonis errichtet, ein Kanal zwischen dem alten Rhein und der Maas. Dessen Entstehung ist nicht nur historisch überliefert, sondern auch im Rahmen von Ausgrabungen dendrochronologisch in das Jahr 50 n. Chr. datiert[24]. Beide Kanäle dienten der Verkürzung von Verbindungen und zur Vermeidung der deutlich schwierigeren und gefährlichen Fahrt auf offenem Meer.

Die Römer standen auch vor dem Problem, die natürliche Flussverlagerung mit ihren negativen Einflüssen auf den Schiffsverkehr und den Eingriffen in ufernahe Landnutzung zu bändigen. Manchmal wurde versucht, diesem Effekt mit wasserbaulichen Maßnahmen entgegenzuwirken. So finden sich bisweilen hölzerne Uferbefestigungen über die eigentlichen Hafenanlagen hinaus, die das Abschwemmen eines Flussabschnittes verhindern sollten[25]. Zudem wurden außer Dienst gestellte Schiffskörper mit Steinen gefüllt und in der Funktion von Buhnen im Fluss versenkt, um den Wasserdruck von Uferabschnitten zu nehmen[26].

Die an verschiedenen Stellen gemachten Schiffsfunde lassen funktional zwei Klassen unterscheiden. Zum einen finden sich Boote mit ausgeprägtem Kiel, die der römischen Flotte als Patrouillenboote dienten und deren „Bewaffnung" aus einem Rammsporn am Bug sowie der Kampfkraft der Ruderbesatzung bestand[27]. Sie wurden als *lusoria* bezeichnet und konnten bis zu 22 m lang werden. Rümpfe dieser Gattung konnten beispielsweise aus dem Rhein bei Mainz geborgen werden[28]. Hauptsächlich dürften auf den Flüssen in den Nordwestprovinzen allerdings Transportschiffe unterwegs gewesen sein. Hiervon sind Bautypen mit flachem Rumpf bekannt (Abb.

12 Prahm (Transportschiff) von Xanten-Lüttingen während der Freilegung.

12 und 55), sogenannte Plattbodenschiffe, die in der Grundform über das Mittelalter hinweg bis in die Neuzeit nachgewiesen werden können[29]. Charakteristisch ist neben ihrer Rumpfform der rampenförmig auslaufende Bug und der Mast im vorderen Schiffsdrittel, der als Segelbefestigung, in der Hauptsache aber als Treidelmast für die Befestigung der Zugseile diente. Hinweise, dass die Lastschiffe gerudert wurden, bilden die Ausnahme. Getreidelt wurde mit menschlicher Muskelkraft, was verschiedene antike Darstellungen nahe legen. Der Einsatz von Zugtieren konnte bislang nicht nachgewiesen werden. Gesegelt wurden die Bote eher in Ausnahmefällen, da das notwendige Steuern des Bootes aufgrund des flachen Kieles schwierig war. Die Rumpfform bot auch den Vorteil, seichte Flussabschnitte bzw. kleinere Flüsse befahren zu können.

Personen scheinen auf den Flüssen ebenfalls gereist zu sein. Es gab aber keine ausgewiesenen Personenfähren – die Reisenden fanden offensichtlich Platz auf den Lastschiffen, wie es beispielsweise noch heute in der traditionellen Schifffahrt auf dem Nil zu beobachten ist. Hinweise auf diese Mitreisenden bieten einige Weihungen, in denen die Götter für eine sichere Reise um Schutz gebeten oder ihnen nach einem Schiffsunglück auf dem Fluss für die glückliche Rettung gedankt wurde[30].

Der Handelsverkehr auf den Flüssen war stark durchorganisiert. Aus Inschriften sind *nautae* als Schiffsführer und auch Eigner belegt, wobei das Transportwesen in den Rheinprovinzen von Händlern (*negotiatores*) dominiert wurde. Überlieferte Privilegien von Schiffsführern und Händlern deuten in diesen Fällen auf eine Einbindung in das staatliche Transportnetzwerk, das vor allem den Nachschub für die entlang der Grenze stationierten Truppen betraf[31]. Die Kosten für den Warentransport zu Wasser lagen offensichtlich um das vier- bis sechsfache niedriger als zu Lande, sodass diese Art der Beförderung von Waren für weite Strecken bevorzugt wurde und damit die Flussschifffahrt als etablierter Wirtschaftszweig gelten muss.

Zur Flussschifffahrt gehört notwendigerweise die Möglichkeit für die Schiffe, ihre Fahrt zu unterbrechen und die transportierten Güter an Land zu schaffen. Solche Anlagen, im heutigen Sprachgebrauch als Häfen klassifiziert, gab es in römischer Zeit in verschiedenster Ausprägung. Vollständig ausgebaute Hafenanlagen mit regulierten Fahrrinnen und Kaimauern lassen sich am Rhein für die Kolonien Xanten und Köln sowie für das Legionslager Bonn nachweisen[32]. Auch spezialisierte Transporthäfen sind am Rhein belegt, beispielsweise unterhalb der Trachytsteinbrüche des Drachenfels. Es muss aber auch weniger aufwendige Anlegestellen gegeben haben. Solche Konstruktionen fordern die flussnah positionierten Kastelle oder Siedlungen, die über eine Anbindung an den Fluss verfügt haben müssen, ohne dass dies in den meisten Fällen archäologisch belegbar ist[33].

Häufig ist eine direkte Nachbarschaft von Fluss- und Landweg zu beobachten (Abb. 3). Die Ufer begleitenden Straßen dienten gleichzeitig als Treidelweg für die Lastschifffahrt. Außerdem wurde so die unkomplizierte Heranführung von Wagen an den Fluss zur Umladung von Menschen und Gütern gewährleistet. Fluss und Straße bildeten somit ein ineinander verwobenes Verkehrsnetz, das in beidseitiger Abhängigkeit stand und nur zusammen funktionieren konnte.

1 H. Hayen, Bau und Funktion der hölzernen Moorwege. Einige Fakten und Folgerungen. In: H. Jankuhn u. a. (Hrsg.), Untersuchungen zu Handel und Verkehr der vor- und frühgeschichtlichen Zeit in Mittel- und Nordeuropa V. Der Verkehr: Verkehrswege, Verkehrsmittel, Organisation. Abhandl. Akad. Wiss. Göttingen, Phil.-Hist. Kl. 3, Folge 180 (Göttingen 1989) [= JANKUHN U. A. 1989] 11–62.

2 H. Cüppers, Vorrömische und römische Brücken über die Mosel. Germania 45, 1967, 60–69; C. Meiborg, Überreste einer keltischen Brücke in der Kiesgrube von Kirchhain-Niederwald. HessenArchäologie 2009 (Wiesbaden 2010) 66–70.

3 D. Timpe, Wegeverhältnisse und römische Okkupation Germaniens. In: JANKUHN U. A. 1989, 83–107; ders., Römische Geostrategie im Germanien der Okkupationszeit. In: J.-S. Kühlborn (Hrsg.), Rom auf dem Weg nach Germanien: Geostrategie, Vormarschtrassen und Logistik. Kolloq. Delbrück-Anreppen 4.–6. November 2004. Bodenaltertümer Westfalens 45 (Mainz 2008) [= KÜHLBORN 2008] 199–236.

4 A. Rost/S. Wilbers-Rost, Das Schlachtfeld von Kalkriese. Vom Umgang mit den Toten und der Beute. In: G. Uelsberg (Hrsg.), Krieg und Frieden. Kelten – Römer – Germanen. Ausstellungskat. Bonn 2007 (Darmstadt 2007) [= AUSSTELLUNGSKAT. BONN 2007] 223–227.

5 J.-S. Kühlborn, Die Lippetrasse – Stand der archäologischen Forschungen während der Jahre 1996 bis 2006 in den augusteischen Lippelagern. In: KÜHLBORN 2008, 10–15.

6 Th. Becker, Straßenbau als Grenzetablierung – Neue Erkenntnisse zur Anfangsdatierung der Limesstraße in Niedergermanien. In: A. Morillo/N. Hanel/E. Martin (Hrsg.), Limes XX. Proceedings of the XXth International Congress of Roman Frontier Studies. Gladius 13.1 (Madrid 2009) 931–943.

7 J. Morscheiser-Niebergall, Augusta Treverorum (Trier). Zum Beginn des Hauptortes der Treverer. In: AUSSTELLUNGSKAT. BONN 2007, 250 f.

8 M. Gechter, Die Militärgeschichte am Niederrhein von Caesar bis Traian. In: AUSSTELLUNGSKAT. BONN 2007, 89 f.

9 CIL XIII 9082.

10 T. Pekáry, Untersuchungen zu den römischen Reichsstraßen. Antiquitas 1. Abhandl. Alte Gesch. 17 (Bonn 1968); M. Rathmann, Untersuchungen zu den Reichsstraßen in den westlichen Provinzen des Imperium Romanum. Bonner Jahrb. Beih. 55 (Mainz 2003) [= RATHMANN 2003] 16–20; H. U. Nuber, Zu Wasser und zu Lande. Das römische Verkehrsnetz. In: Imperium Romanum. Roms Provinzen an Neckar, Rhein und Donau. Kat. Landesausstellung Baden-Württemberg (Esslingen 2005) 410–419 [= NUBER 2005].

11 RATHMANN 2003, 120–134.

12 RATHMANN 2003, 23–41 sieht darin einen temporären, regional beschränkten Einsatz des Militärs beim Straßenbau. Anders verstehen den Begriff NUBER 2005, 412–413 und M. Klee, Lebensadern des Imperiums. Straßen im Römischen Weltreich (Stuttgart 2010) [= KLEE 2010] 23.

13 KLEE 2010, 36–38.

14 K. Grewe, Alle Wege führen nach Rom – Römerstraßen im Rheinland und anderswo. In: „Alle Wege führen nach Rom …". Kolloq. Bonn. Mat. Bodendenkmalpflege Rheinland 16 (Bonn 2004) [= KOLLOQ. BONN 2004] 31 f.

15 G. Grabherr, Methodische Ansätze der Römerstraßenforschung im Alpenraum am Beispiel der Via Claudia Augusta. In: KOLLOQ. BONN 2004, 119–121.

16 M. Stitz/C. Pause, Die römische Erftbrücke in Neuss-Grimlinghausen. VDVmagazin 61, 2010, 190–195.

17 C. W. Röring, Untersuchungen zu römischen Reisewagen (Koblenz 1983); Ch. Simon, Die Rekonstruktion von römischem Zuggeschirr mit Halsjoch und Unterhalsbügel: die neue kummetartige Schirrung der römischen Kaiserzeit. In: Xantener Ber. 15 (Mainz 2009) 85–128.

18 RATHMANN 2003, 115–120; KLEE 2010, 72–76; NUBER 2005, 416.

19 J. A. Waasdorp, IIII M. P. naar M. A. C. Romeinse mijlpalen en wegen. Haagse Oudheidkde. Publicaties 8 (Den Haag 2003).

20 H. Bender, Archäologische Untersuchungen zur Ausgrabung Augst-Kurzenbettli: ein Beitrag zur

Erforschung der römischen Rasthäuser. Antiqua 4 (Frauenfeld 1975); G. Seitz, Straßenstationen – Infrastruktur für die Weltherrschaft. In: Imperium Romanum. Roms Provinzen an Neckar, Rhein und Donau. Kat. Landesausstellung Baden-Württemberg (Esslingen 2005) 420–425; S. Sauer, Eine Herberge in der römischen Zivilsiedlung von Neuss. Arch. Rheinland 2005, 71–73; P. Kienzle, Die zivile Wohnbebauung in der CUT. In: M. Müller/H.-J. Schalles/N. Zieling (Hrsg.), Colonia Ulpia Traiana. Xanten und sein Umland in römischer Zeit. Sonderbd. Xantener Ber. = Gesch. Stadt Xanten 1 (Mainz 2008) [= MÜLLER U. A. 2008] 427.

21 H. Bender, Drei römische Strassenstationen in der Schweiz: Grosser St. Bernhard – Augst – Windisch. Arch. Schweiz 10, 1979, 2–5; M. Kotterba, Diana Abnoba – Göttin des Schwarzwaldes und seiner Straßen. Arch. Nachr. Baden 55, 1996, 8 f.

22 O. Höckmann, Schiffahrt zwischen Alpen und Nordsee. In: L. Wamser (Hrsg.), Die Römer zwischen Alpen und Nordmeer. Kat. Landesausstellung (Mainz 2000) 264–268; NUBER 2005, 418 f.; U. Teigelake, Schiffsverkehr auf dem Niederrhein. In: MÜLLER U. A. 2008, 495–506.

23 Suet. Claud. 2–4; Tac. ann. 2,8.

24 J. W. de Kort, Het kanaal van Corbulo. In: R. L. Hirschel, Forum Hadriani: Romeinse stad achter de Limes (Voorburg 2009) 24–28.

25 M. C. M. Langeveld, Het tracé van de limesweg op De Balije. In: M. C. M. Langeveld/A. Luksen-IJtsma/E. P Graafstal, Wegens Wateroverlast. LR 39 De Balije II: wachttorens, rivierdynamiek en Romeinse infrastructuur in een rivierbocht van de Heldammer Stroom. Basisrapportage archeologie 11 (Utrecht 2010) [= LANGEVELD U. A. 2010] 81–101.

26 E .P. Graafstal, Het schip De Meern 4. In: LANGEVELD U. A. 2010, 103–116.

27 Ch. Schäfer, Lusoria. Ein Römerschiff im Experiment. Rekonstruktion, Tests, Ergebnisse (Hamburg 2008).

28 R. Bockius, Die spätrömischen Schiffswracks aus Mainz. Schiffsarchäologisch-technikgeschichtliche Untersuchungen spätantiker Schiffsfunde vom nördlichen Oberrhein. Monogr. RGZM 67 (Mainz 2006).

29 J. Obladen-Kauder, Spuren römischer Lastschifffahrt am Unteren Niederrhein. In: MÜLLER U. A. 2008, 507–523.

30 AE 1969/70, 436; NUBER 2005, 419 Abb. 560.

31 T. Schmidts, Akteure und Organisation der Handelsschifffahrt in den nordwestlichen Provinzen des Römischen Reiches. Monogr. RGZM 97 (Mainz 2012).

32 H. G. Hellenkemper, Der römische Rheinhafen und die ehemalige Rheininsel. Führer vor- u. frühgesch. Denkmäler 38/1 (Mainz 1980) 126–128; S. Leih, Der Hafen der Colonia Ulpia Traiana. In: MÜLLER U. A. 2008, 447–469. Legionslager Bonn: M. Gechter, Das Legionslager. In: M. van Rey (Hrsg.), Geschichte der Stadt Bonn 1. Bonn von der Vorgeschichte bis zum Ende der Römerzeit (Bonn 2001) 154 f.

33 Eine Ausnahme bildet die mögliche Uferbefestigung und Anlegestelle bei Moers-Asberg: C. Bridger, Eine römische Anlegestelle bei *Asciburgium*. Arch. Rheinland 1993, 53 f.

WENN EINER EINE REISE TUT – BEWEGGRÜNDE FÜR DAS REISEN IN RÖMISCHER ZEIT

Anna Kieburg

„Obwohl euer Reich so groß und umfassend ist, ist es doch weit größer durch seine vollendete Ordnung als die Ausdehnung seines Gebiets. (…) Jetzt ist es sowohl dem Griechen als auch dem Barbaren möglich, mit oder ohne Habe ohne Schwierigkeiten zu Reisen, wohin er will, gerade als ob er von einer Heimatstadt in die andere zöge. Es schrecken ihn weder die Kilikischen Tore noch die schmale und sandige Durchgangsstraße durch das Land der Araber nach Ägypten, nicht unwegsame Gebirge, nicht unermesslich große Flüsse. (…) Ihr habt den gesamten Erdkreis vermessen, Flüsse überspannt mit Brücken verschiedener Art, Berge durchstochen, um Fahrwege anzulegen, in menschenleeren Gegenden Stationen installiert und überall eine kultivierte und geordnete Lebensweise eingeführt. (…).“ [1]

Mit diesen Worten betont der Redner Aelius Aristides um 140 n. Chr. die Leichtigkeit des Reisens als einen der größten Triumphe Roms. In der Tat verschaffte die Ausbreitung des Römischen Reiches seit der Kaiserzeit den Reisenden ungeheure Freiheiten (Abb. 13)[2]. Nicht nur mussten sie von Schottland bis Nordafrika, von Spanien bis Syrien keine einzige Grenze überqueren. Es reichte zudem ein Beutel voll Münzen, um überall im Römischen Reich Unterkunft und Verpflegung zu finden, denn die Währung war allerorten dieselbe. Gewässer konnten befahren werden, ein gut ausgebautes Straßensystem führte zu den wichtigen Städten und von dort in die abgelegenen Gebiete. Für Sicherheit sorgten militärische Patrouillen zu Wasser und zu Lande, wenngleich das Unwesen der Wegelagerer und Räuberbanden auch in der Hohen Kaiserzeit nicht völlig zu beseitigen war[3]. Nur zwei Sprachen wurden offiziell gesprochen, Griechisch von Mesopotamien bis Serbien, Latein von Serbien bis Britannien.

Die Wege führten auch über das Römische Reich hinaus. Die bekannte Welt erstreckte sich im Norden bis ins äußerste Schottland, im Westen bis zu den Kanarischen Inseln, im Süden bis nach Sansibar und im Osten bis nach Indonesien. Handelsrouten wie die Seidenstraße bieten nur ein Beispiel für die enorme Entfaltung der Reisemöglichkeiten im Römischen Reich der Kaiserzeit. Die mediterrane Welt war in den ersten zwei Jahrhunderten unserer Zeitrechnung weitläufiger als jemals zuvor und bot in ihrer größten Ausdehnung unter Kaiser Trajan (98–117 n. Chr.) ideale Bedingungen für Reisende. Und so wurde auch die unglaubliche Menge an *viatores* oder *peregrinatores* – der Reisenden – dieser Zeit erst wieder in der jüngsten Moderne erreicht. Die Selbstverständlichkeit, mit der wir unsere heutige Mobilität betrachten, war nicht einmal vor 50 Jahren gegeben. Doch schon Plinius d. Ä. beschreibt die menschliche Natur (und damit auch sich selbst) als „reiselustig und nach Neuem begierig“[4].

13 Darstellung einer Reise über ein Gebirge mit beladenen Last- tieren von einer Station zur nächsten; oben auf dem Pass ist eine weite- re Station zu sehen.

Doch aus welchen Gründen machten sich die Menschen auf die langen beschwerlichen Wege durch ein so riesiges Reich oder auch nur von Stadt zu Stadt? Die gut ausgebauten Straßen und viel befahrenen Seewege wurden von Händlern, Militäreinheiten, Bürokraten, Kurieren oder Orts-ansässigen, die der Sommerhitze in den überfüllten Städten entrinnen wollten, genutzt. Studenten reisten zu berühmten Akademien, Patienten besuchten Heilbäder, Künstler waren ständig in Be-wegung auf der Suche nach Engagements und Aufträgen. Berühmte Redner wie Aristides gingen auf lange Vortragsreisen, Athleten kamen zu Wettkämpfen zusammen, Schauspieler zu Theater-festivals, Dichter zu Lesungen. Doch die auffälligste Neuerung in römischer Kaiserzeit war das Reisen, „um zu sehen" – der Tourismus (Beitrag K. Geus in diesem Band). Zum ersten Mal in der Geschichte wurden Neugier und Vergnügen ein akzeptables Motiv dafür, seine Heimat zu verlassen[5]. Je nach gesellschaftlichem Stand und auch je nach Beweggrund und Ziel waren solche Reisen na-türlich unterschiedlich gestaltet. Der Kurier wird versuchen, auf dem schnellsten Weg sein Ziel zu erreichen, während mancher Erholungsreisende in Ruhe von Station zu Station zog.

Welche Gründe auch immer den Menschen in der römischen Antike bewegten, sich auf eine Reise zu begeben, so sollte doch als erstes festgehalten werden, dass man damals die Welt, und somit auch seine Reiseumgebung, mit einem anderen Blickwinkel als der moderne Reisende be-trachtete. Während für uns – selbst auf Dienstreisen, wenn sich die Gelegenheit bietet – bauliche Sehenswürdigkeiten und landschaftliche Idylle im Vordergrund stehen, sah der antike Mensch seine Umwelt durchdrungen von Mythos und Religion. Sehr anschaulich spiegelt sich das in den Reiseberichten des Pausanias durch Griechenland wider[6]. Für seine eigene Zeit deutet er nur sehr wenig Interesse an, ein weit stärkeres hingegen für die Vergangenheit und hier vor allem die Geschichte Griechenlands vor der römischen Herrschaft. Besonders detailliert fallen dabei die Beschreibungen sakraler Bauten und Kunstwerke aus, im Gegensatz zu denjenigen profaner Bauten wie Rasthäuser, Gymnasien oder Theater. Lionel Casson erläutert in seinen *Reisen in der Alten Welt* am Beispiel des Pausanias eindrucksvoll die im Gegensatz zu heutigen Sichtweisen grundlegend andere Wahrnehmung der Landschaft durch den antiken Betrachter: „Von dieser Höhe (Akropolis von Korinth) hat man einen atemberaubenden Blick auf die Stadt am Fuß des Berges, die schimmernden Wasser des Meeresbusens, an dem Athen liegt, in der einen Richtung, in der anderen Richtung sieht man die schneebedeckten Gipfel des Parnass und des Helikon. All dies übergeht Pausanias wortlos. Er glaubt aber, dass er die mit diesem Berg verknüpften Mythen – er war dem Sonnengott zugesprochen worden, der ihn Aphrodite überließ – und über die verschiedenen auf ihm befindlichen religiösen Denkmäler berichten müsse"[7]. Auch Naturphänomenen wurde eine Göttlichkeit zugesprochen, sodass einige von ihnen ebenfalls als Sehenswürdigkeit galten. Das Phänomen Ebbe und Flut, das an den Küsten des Atlantik besonders gut beobachtet werden kann, schien dem Sabinus, einem Freund des Dichters Lukian, eine Reise nach Gallien wert. Das An- und Abschwellen des Nils wird oft beobachtet; vergeblich versuchte man, durch Forschungsreisen in den Süden, dieses Naturereignis zu ergründen. Ehrfürchtig wurden auch die Schwefelquellen von Cumae betrachtet (Abb. 14)[8]. Natürlich überwog bei den

14 Ein Naturschauspiel der mythischen Art: „Küstenlandschaft mit Apollo und der Cumäischen Sibylle".

Forschungsreisen weniger echtes wissenschaftliches Interesse, die simple Neugier herrschte vor. Naturphänomene wurden registriert, ihre Schönheit jedoch, die uns heute so oft wegen ihrer Einmaligkeit ergreift, kaum wahrgenommen. Wesentlich entscheidender war das Gleichmaß in der Natur, die Gesamterscheinung einer Landschaft; Naturschönheit (*amoenitas*) ist ein häufig vorkommender Begriff[9]. Und auch das bezog sich in den meisten Erwähnungen auf grüne oder bewaldete Ebenen oder Küstenlandschaften. Gebirge, die heutzutage Faszination und sportliche Aktivitäten hervorrufen, versuchten die Römer zu meiden, die *foeditas Alpium* (Grausamkeit der Alpen) war ein feststehender Begriff. Der einzige Berg, dem in der Antike größeres Interesse galt, war wegen der vulkanischen Erscheinungen und eines einzigartigen Phänomens bei Sonnenaufgang der Ätna auf Sizilien. Auch Kaiser Hadrian (117–138 n. Chr.) ließ sich dieses Schauspiel nicht entgehen. Aus Anlass der kaiserlichen Erstbegehung wurde sogar ein kleines Häuschen errichtet.

Reisen beruflicher Natur: Kaiser, Händler, Ärzte

Aber natürlich verließ der Princeps Rom nicht aus Neugierde auf Naturschauspiele, so göttlich sie auch erachtet worden sein mögen. Neben militärischen Gründen gab es auch in Friedenszeiten ausreichend Anlässe, damit sich die Herrscher immer wieder auf den Weg machten, ihr Imperium zu inspizieren (Abb. 15)[10]. Diese ähneln nicht selten denen heutiger Politiker: Kennenlernen der Menschen und ihrer lokalen Probleme, der verschiedenen gesellschaftlichen Gruppen und staatlichen Funktionsträger am Ort ihres Wirkens, Inspektion des Heeres, Besichtigung bedeutender von der Natur oder von Menschenhand geschaffener Sehenswürdigkeiten. Dahinter konnten sich wiederum weitere Absichten verbergen, etwa Fürsorge um ihrer selbst willen und/oder die Sicherung der eigenen Machtstellung durch persönliche Präsenz[11]. So erachtete Kaiser Augustus direkt nach der Einrichtung des Prinzipats eine vorübergehende Abwesenheit aus Rom als förderlich, damit sich das Volk langsam an die Reformen gewöhnen konnte, und setzte gleichzeitig auf seine Anwesenheit in den Provinzen – hier war es für die Durchsetzung der Staatsreformen im noch jungen Imperium wichtig, dass sich Augustus in seinen Provinzen persönlich zeigte, seiner Klientel Wohltaten erweisen und sich gleichzeitig derselben versichern konnte[12].

15 Kaiser Hadrian (117–138 n. Chr.) führt seine Truppen an.

Für die Stabilisierung des Römischen Imperiums begaben sich nicht nur die Kaiser auf Reisen. Auch Senatoren und andere Inhaber politischer Ämter reisten im Laufe ihrer Karriere durch das Römische Reich. Den Staatsbediensteten wurden diese Reisen erleichtert, da sie für Unterkunft, Verpflegung und Pferdewechsel die Unterstützung der Bevölkerung in Anspruch nehmen durften: Die Einrichtung des *cursus publicus* geht auf Kaiser Au-

gustus zurück[13], der damit den offiziellen Nachrichtenfluss im Römischen Reich zu vereinfachen suchte. An allen Fernstraßen wurden in regelmäßigen Abständen Stationen und Posten errichtet, die von den Dienstreisenden mit offiziellem Berechtigungsschein, dem *diploma* oder der *evectio*, genutzt werden konnten. Zwar unterstützte der Staat die Finanzierung, doch mussten die meisten Unterhaltskosten dieser Straßenstationen von den angrenzenden Gemeinden getragen werden. Trotz strikter Untersagung, den *cursus publicus* für private Reise- oder Postzwecke zu nutzen, gelang es gerade hochrangigen Personen häufiger, Missbrauch zu begehen, so dass es wiederholt zu kaiserlichen Ermahnungen kam, die Dienste der Gemeinden nicht überzustrapazieren[14]. Schätzungen Matthäus Heils zufolge dürften innerhalb eines Jahres etwa 50 Senatoren zu ihrem fernen Dienstort gereist oder von dort zurückgekehrt sein. Weiterhin gab es ca. 55 hohe ritterliche Beamte auf den Außenposten, was ca. 37 Hin- und Rückreisen im Jahr bedeutete, sowie rund 450 Offiziere ritterlichen Standes, die ungefähr 300 solcher Reisen im Jahr tätigten[15]. Für den Senator L. Iulius Marinus Caecilius Simplex[16], der in der Zeit von ca. 78 bis ca. 102 n. Chr. wirkte, konnten folgende Reisen rekonstruiert werden: Rom – Syrien – Makedonien – Rom – Zypern – Kleinasien – Rom – Schweiz – Kleinasien – Griechenland – Rom (Abb. 16). In seinen etwa 25–30 Jahren im Reichsdienst hat dieser Mann sieben große Reisen unternommen, an die elf Jahre außerhalb Italiens zugebracht und dabei an die 20.000 km zurückgelegt. Senatoren,

16 Rekonstruierte Reiserouten des Senators L. Iulius Marinus Caecilius Simplex, 78–102 n. Chr.

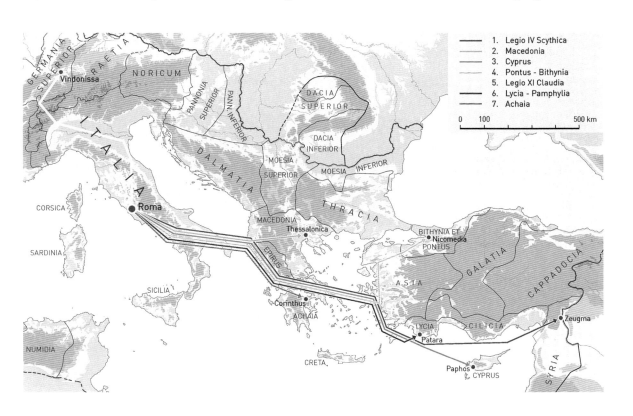

17 Der Traians-Kiosk am Isis-Tempel auf Philae in Ägypten ist nur ein Beispiel für Frömmigkeit, die die Kaiser den mythisch und historisch bedeutenden Stätten in ihrem Reich entgegenbrachten.

die nach dem Konsulat die Kommandos über die wichtigen Militärprovinzen an den Grenzen des Reiches erlangten, wurde noch mehr abverlangt.

Für die Politiker waren aus Prestigegründen gerade jene Stätten interessant, an denen Heroen der Vorzeit oder auch mächtige Gestalten der Geschichte gewirkt hatten oder begraben waren, deren *virtus*-Ideal sie selbst als Maßstab und Leitfaden ihres Handelns betrachteten. Unter den durch Mythos und Religion bedeutenden Plätzen rangierten diejenigen Griechenlands, Kleinasiens und Ägyptens ganz vorne (Abb. 17)[17]. Bis weit in die Kaiserzeit hinein reichen die Belege, dass die römischen Kaiser und ihre Gesandten auf ihren Dienstreisen von und nach Osten an den Stätten Delphi, Epidauros, Olympia, Oropos und den Orten Athen, Korinth, Argos, Sparta, Sikyon, Megalopolis Halt machten[18]. Diese Orte „mussten" aufgrund ihrer Geschichte einfach besucht werden. Es waren weniger die berühmten Bau- und Kunstwerke, die staunendes Interesse hervorriefen, sondern vielmehr der geschichtliche Hintergrund aus Sage und Literatur, der ein unbedingtes Verlangen nach eigener Anschauung auslösen konnte[19]. Griechenland war für die Römer ein Land der Vergangenheit. Die in Mythen überlieferten Geschichten aus der Heroenzeit wurden für bare Münze genommen, auf Schritt und Tritt wandelte man auf den Spuren der Helden: Nestors Palast in Pylos, Menelaos' Haus in Sparta, das des Amphitryon in Theben. Beliebte Punkte waren auch die Gräber der Heroen: Das Grab Helenas auf Rhodos, die Grabstätten der homerischen Helden Ajax und Achill bei Troja. Da man seinen Homer fast auswendig kannte, war es nicht schwer, an vielen Orten die Spuren der Helden aus Illias und Odyssee ausfindig zu machen[20].

Auch den Ereignissen aus historischer Zeit, besonders dem klassischen Griechenland zur Zeit der Perserkriege, dem Athen des Perikles und der Epoche Alexanders des Großen wandte sich zunehmend das Interesse zu. Die Wohnstätten berühmter Politiker, Feldherrn und Dichter, die Plätze von wichtigen Entscheidungen wie Schlachtfelder gehörten ebenso zum Programm wie

18 Zur Festigung politischer Interessen in der Provinz: Octavian ehrt das Grab Alexanders des Großen.

die Begräbnisstätten berühmter historischer Personen. So war einer der bekanntesten und vielbesuchten Orte das Alexander-Grab in Alexandria. Persönlichkeiten wie Julius Caesar, Kleopatra, Octavian, Caligula, Hadrian, Severus und Caracalla besuchten die Stätte (Abb. 18). So erzählt Sueton, dass Octavian, nachdem er Kleopatra besiegt hatte, die Grabstätte der Ptolemäer aufsuchte und dem Leichnam des Alexanders seinen Respekt zollte, indem er eine goldene Krone und Blumen auf ihm niederlegte[21]. Cassius Dio berichtet sogar, dass der zukünftige Kaiser im Eifer seiner Verehrung ein Stück der Nase Alexanders abgebrochen habe[22].

Aber nicht nur Kaiser, Politiker oder Personen in staatlichem Auftrag waren auf Dienstreisen durch das Römische Reich. Gut belegt sind Reiseaktivitäten verschiedener Berufsgruppen wie zum Beispiel Händler, Spediteure, Handwerker oder Ärzte. In der Antike musste der Händler mit der Ware zu den einzelnen Märkten reisen (Abb. 19). Besonders in Grenzgebieten konnte es sich lohnen, die dortigen neuen und fremden Produkte für eine Aufnahme

20 Personenbeförderung auf einem *cisium*. Mosaik aus den Thermen dei Cisarii in Ostia. Sie waren Teil des Vereinshauses der *cisarii*, der Spediteure, das gleich hinter dem östlichen Stadttor lag.

ins eigene Sortiment zu begutachten (Beitrag F. Schimmer in diesem Band). Händler besuchten daher die Markttage (*nundinae*) in grenznahen Siedlungen oder Städten, wo Römer und Barbaren ihre Produkte feilboten[23]. Dadurch erfüllten sie eine weitere wichtige Funktion: Weil Gewerbe und Handwerk in den größeren Siedlungen konzentriert waren, Lebensmittel jedoch auf dem Lande, in den Gutshöfen produziert wurden, bedurfte es Zwischenhändlern, die die Güter auf dem Markt vermittelten[24]. Die Gutshöfe mögen in der Herstellung der Dinge des täglichen Bedarfs autark gewesen sein, aber ihre manchmal schnell verderbenden Produkte mussten schnell abgesetzt werden. Hier oblag es wohl den Händlern, entsprechendes Transportvolumen bereitzustellen und für den Absatz zu sorgen. Wahrscheinlich wurde hier eng mit den Spediteuren zusammengearbeitet, die außerhalb des *cursus publicus* mit ihren Wagen die Möglichkeiten hatten, Waren und Personen zu transportieren (Abb. 20). Auch private Briefpost werden sie gegen ein Entgelt mitgenommen haben.

Während für Händler und Spediteure ihre Fahrten vornehmlich wirtschaftliche Gründe hatten, kam bei den Handwerkern und Ärzten noch ein anderes Motiv für ihre Reiseaktivitäten hinzu: Das Sammeln von Erfahrungen. Für Ärzte boten Reisen nicht selten auch unverhofft neue wissenschaftliche Erkenntnisse. Galen, der wohl berühmteste Mediziner der römischen Kaiserzeit aus dem 2. Jahrhundert n. Chr., studierte am Skelett eines Räubers, das er zufällig am Wege liegen sah, den Knochen-

21 Konsultation eines Arztes. Am Baum die Schlange als Attribut des Gottes Asklepios, daneben eine Tafel mit medizinischen Instrumenten. Das Asklepiosheiligtum in Pergamon war ein bekanntes Heil- und Kurzentrum mit bekannten Ärzten, zu denen Menschen aus dem ganzen römischen Reich anreisten.

bau. Für Galen war es selbstverständlich, langwierige Reisen in entfernte Länder auf sich zu nehmen, um sein Wissen im Austausch mit Fachkollegen zu vertiefen[25]. Er studierte ungefähr 12 Jahre und setzte dies später auch bei seinen Schülern voraus. Für ihn war das Reisen eine der wichtigsten Grundlagen, um überhaupt den Beruf eines Mediziners zu ergreifen. So reiste er zunächst nach Athen und dann nach Alexandria, das nach wie vor die bedeutendste medizinische Lehrstätte des Römischen Reiches war. Nach seinem Studium nahm er die Stelle eines Gladiatorenarztes in seiner Heimatstadt Pergamon an (Abb. 21). Sein Ehrgeiz führte ihn schließlich nach Rom. Dort stieg er bis zum Leibarzt des Thronfolgers Commodus (180–192 n. Chr.) auf und beriet selbst Kaiser Marc Aurel (161–180 n. Chr.). Bekannte Ärzte in Gladiatorenschulen, Feldlazaretten, aber auch in Kurbädern und reichen Landvillen begaben sich häufig auf Bitten wohlhabender Römer (und wahrscheinlich auch mit Aussicht auf ein beträchtliches Honorar) auf Reisen fernab ihres Dienstortes.

Privatreisen: Schüler, Pilger und Touristen

Die Berichte, die uns von Privatreisen überliefert sind, beziehen sich in den meisten Fällen auf Darstellungen der römischen Oberschicht; so z. B. das *Iter Brundisium*, eine Reiseerzählung des Horaz, der sich in der Gesellschaft des Maecenas von Rom auf den Weg nach Brindisi machte, und von der Fahrt allerlei Geschichten zu erzählen wusste[26]. Außerdem gehörte es zum selbstverständlichen Bildungsprogramm der jungen Römer aus vornehmem Hause, die zwischen den einzelnen Stationen in der Ämterlaufbahn ein bis zwei Jahre frei hatten, ihre Kenntnisse in Rhetorik und Philosophie an den bekannten Schulen in Athen, Alexandria, Kleinasien, aber auch im Westen wie z.B. in Gallien zu vervollständigen[27].

Zur Zeit der Sommerhitze, wenn das Leben in der *urbs* schier unerträglich war, nahm sich der Stadtrömer nach Möglichkeit eine Auszeit vom beruflichen und hektischen Leben in Rom und genoss einen Aufenthalt auf seiner Landvilla. Auch Kuraufenthalte in den Bädern von Baiae (Abb. 90) und Cumae am Golf von Neapel erfreuten sich besonderer Beliebtheit[28]. Die heißen, schwefelhaltigen Quellen von Cumae (Abb. 14) waren noch bis in die Neuzeit als Heilquellen in Benutzung. Das Heiligtum des Zeus und die Grotten der Sybille erfüllten somit in römischer Zeit die Aufgabe eines Kurbades und es kann davon ausgegangen werden, dass Hochbetrieb herrschte, wenn die Römer für ihre Sommerfrische an den Golf von Neapel kamen[29]. Derartige Kurbäder fanden sich auch andernorts im Römischen Reich. So sind in den nordwestlichen Provinzen zahlreiche Thermalbäder überliefert – z. B. Bath (*Aquae Sulis*) in Britannien, Baden-Baden (*Aquae*) und Aachen (*Aquae Granni*) in Germanien –, die nicht nur von Privatpersonen, sondern auch von den Soldaten der dort stationierten Truppen zu Rehabilitationszwecken besucht wurden.

Einer der berühmtesten Kranken der mittleren Kaiserzeit war der Redner Aelius Aristides. Während einer Reise nach Rom zog er sich ein chronisches Leiden zu, das ihn zu häufigen Kuraufenthalten in Pergamon im dortigen Asklepiosheiligtum zwang. Ausführlich berichtet er über die Kuranwendungen und Traumdeutungen, die Hinweise für die Heilung geben können[30].

Vor allem Heiligtümer des Asklepios und Orakelheiligtümer waren vielbesuchte Orte in der römischen Antike, und dies nicht nur aus Erholungsgründen: Religion und Mythos, die Frömmigkeit gegenüber mythischen und historischen Orten, waren auch bei Privatleuten jedes gesellschaftlichen Standes ein wesentlicher Aspekt der Reisemotivation und zu Stätten, an denen sie hofften, der Glanz der alten Zeiten möge auf sie widerspiegeln. Nicht jeder konnte sich eine Reise nach Griechenland, Kleinasien oder Ägypten leisten (Beitrag K. Geus in diesem Band), doch fanden sich auch in den Provinzen lokale Stätten der Verehrung. Solche „Pilgerfahrten" waren besonders beliebt in Verbindung mit kulturellen Veranstaltungen. So strömten zu den vier klassischen Festspielen in Griechenland, Olympia, Delphi, Korinth und Nemea, eine große Menge von Volk zusammen, besonders da die Spiele in der Römerzeit eine neue Blüte erlebten und es Berufsathleten gab, die zu teuer bezahlten Publikumslieblingen wurden[31]. Zu diesen Festen, deren Zeitpunkte genau aufeinander abgestimmt waren, kam besonders aus dem ägäischen Raum, aber auch aus den übrigen Teilen des Römischen Reiches, eine schier unüberschaubare Zahl von Menschen zusammen.

Doch Festspiele gab es nicht nur in Griechenland. So fanden z. B. auch in den germanischen Städten Ladenburg (*Lopodunum*) und Augst (*Augusta Raurica*) Theaterfestspiele statt, zu denen sich die Dichter und Philosophen aus dem Römischen Reich auf die Reise begaben. Ein Besuch der Spiele bot die Gelegenheit, sich auch das jeweilige Heiligtum anzusehen und an Opferzeremonien teilzunehmen oder dem kulturellen Programm von Rednern und Schriftstellern beizuwohnen. Da sich die Spiele – zumindest in Griechenland – internationaler Beliebtheit erfreuten, bestand die Möglichkeit, Bekanntschaften mit Einwohnern aus dem ganzen Römischen Reich zu machen. Eine Reise zu den Festspielen wurde für so manchen sicher ein Höhepunkt in seinem oder ihrem Leben.

Archäologische und literarische Zeugnisse belegen, dass es spätestens im 2. Jahrhundert n. Chr. nicht mehr nur den wohlhabenden Bürgern des Reiches vorbehalten und vor allem möglich war, sich auf Reisen zu begeben. Viele Menschen begaben sich trotz drohender Gefahren (oder vielleicht auch gerade wegen dieser) auf das Abenteuer Reisen. Ihre Beweggründe mögen unterschiedlich gewesen sein – dienstlich oder privat –, doch sie alle nutzten die Gelegenheit, sich weiterzubilden, Erfahrungen zu sammeln und neue, interessante Bekanntschaften zu schließen, ihre Geschäfte zu erweitern oder kulturellen Ereignissen beizuwohnen, von denen sie dann noch ihren Enkelkindern erzählen konnten.

1   Aristeid. or. 29.
2   J.-M. André/M.-F. Baslez, Voyager dans l'Antiquité (Paris 1993) 119–125 [= ANDRÉ/BASLEZ 1993].
3   P. Jung, *Latrones!* – Wegelagerei und Räuberunwesen im Römischen Reich. In: M. Reuter/R. Schiavone (Hrsg.), Gefährliches Pflaster. Kriminalität im Römischen Reich. Xantener Ber. 21 (Mainz 2011) 173–185.
4   Plin. nat. 17, 66.
5   T. Perrottet, In Troja ist kein Zimmer frei. Urlaubsparadiese in der Antike (München 2004) 29–30.

6 Ch. Habicht, Pausanias und seine „Beschreibung Griechenlands" (München 1985) 153 ff.; ANDRÉ/BASLEZ 1993, 140–142; H. Halfmann, Reisen in der Kaiserzeit und Reisen zu heidnischen Kultstätten. In: Akten des XII. Internat. Kongresses für Christl. Archäologie, Bonn, 22. –28.9.1991 (Münster 1995) 252 [= HALFMANN 1995].

7 L. Casson, Reisen in der Alten Welt (München 1976) 356 f.

8 Zu diesen und anderen Naturschauspielen, die in der Antike bereist wurden, vgl. H. Bender, Römischer Reiseverkehr. Cursus publicus und Privatreisen. Kleine Schr. zur Besetzungsgesch. Südwestdeutschlands 20 (Stuttgart 1978) 20 [= BENDER 1978].

9 BENDER 1978, 20.

10 Erste Betrachtungen zu Kaiserreisen und ihren Hintergründen in römischer Zeit bei L. Friedländer, Darstellungen aus der Sittengeschichte Roms in der Zeit von August bis Ausgang der Antonine (Leipzig ⁶1889) 38. – Ausführlich zu Reisen der römischen Kaiser vgl. H. Halfmann, Itinera principum. Geschichte und Typologie der Kaiserreisen im Römischen Reich (Stuttgart 1986) [= HALFMANN 1986].

11 HALFMANN 1986, 10.

12 Ebd. 15–16.

13 Suet. Aug. 49,3.

14 Für eine Zusammenfassung der Einrichtung des *cursus publicus* vgl. W. Heinz, Reisewege der Antike (Stuttgart 2003) 75–77; ausführlich zum *cursus publicus* und auch zum Missbrauch dieser Einrichtung und den dagegen erlassenen Gesetzen P. Stoffel, Über die Staatspost, die Ochsengespanne und die requirierten Ochsengespanne: eine Darstellung des römischen Postwesens auf Grund der Gesetze des Codex Theodosianus und des Codex Iustinianus (Bern u. a. 1994) und A. Kolb, Transport und Nachrichtentransfer im Römischen Reich. Klio Beih. 2 (Berlin 2000).

15 M. Heil, Für das Imperium und die Karriere – Senatoren auf Dienstreise. Antike Welt, H. 3, 2012, 20 [= HEIL 2012].

16 HEIL 2012, 20–22; vgl. PIR 2 I 408.

17 HALFMANN 1995, 255. 257; M. Giebel, Reisen in der Antike (Darmstadt 1999) 185 ff. 197 ff. [= GIEBEL 1999].

18 Von der ersten Rundreise eines bekannten Römers erfahren wir unmittelbar nach der Eroberung Griechenlands in der Person des Aemilius Paullus nach der Schlacht bei Pydna (168 v. Chr.): Liv. 45,27,5 ff.

19 So ist es klar, dass „geschichtslose" Gebiete wie die nordwestlichen Provinzen des römischen Reiches weit außerhalb des Interesses lagen. Schon Tacitus (Germ. 2) schreibt, es schiene ihm undenkbar, dass jemand sich entschließen könnte, die blühenden Provinzen in Kleinasien und Nordafrika oder Italien zu verlassen, um nach Germanien auszuwandern; vgl. HALFMANN 1995, 255.

20 BENDER 1978, 24; ANDRÉ/BASLEZ 1993, 358–372.

21 Suet. Aug. 18.

22 Dio Cass. 51,16,5.

23 Zu *nundinae* vgl. L. De Ligt, Fairs and Markets in the Roman Empire (Amsterdam 1993) 51 (Terminologie). 56–105 (Provinzen).

24 H. Kloft, Die Wirtschaft im Imperium Romanum (Mainz 2006) 57–58.

25 ANDRÉ/BASLEZ 1993, 229–230.

26 Hor. sat. I 5 aus dem Jahr 30/29 v. Chr.

27 Vgl. BENDER 1978, 20: „Nach den Schulen in Griechenland war in Gallien besonders *Augustodunum*/Autun als Schulstadt berühmt, selbst im Schweizerischen Wallis (in *Octodurus*/Martigny?) scheint eine Schule bestanden zu haben. Eine Grabinschrift (CIL XII 118) berichtet, dass der sechzehn Jahre alte Knabe Lucius Exomnius Macrinus während des Studiums im Wallis (*in studiis Valle Poenina*) verstorben ist".

28 So schreibt u. a. Juvenal am Anfang seiner dritten Satire, er verstehe seinen Freund, der sich im Alter am Golf von Neapel niederlässt; vgl. zu Baiae GIEBEL 1999, 172 ff.

29 ANDRÉ/BASLEZ 1993, 274–276.

30 Ebd. 270–271.

31 Ebd. 216–224.

MITTENDRIN STATT NUR DABEI – DAS RÖMISCHE BÜRGERRECHT

Oliver Schipp

Das römische Bürgerrecht (*civitas Romana*) war ursprünglich das Bürgerrecht der freien Einwohner der Stadt Rom. Nur wer dieses besaß, gehörte zum *populus Romanus*. Das Bürgerrecht konnte in der Vorstellung der Römer sogar der Freiheit gleichgesetzt werden: *libertas id est civitas*[1]. Es hatte wegen wirtschaftlicher und rechtlicher Vergünstigungen sowie dem Zugang zur politischen Teilhabe eine große Anziehungskraft. Denn mit dem Bürgerrecht erwarb eine Person die Rechte und Pflichten eines Römers – man war nicht nur dabei, sondern mittendrin.

Distinktion – Woran erkennt man einen römischen Bürger?
Römische Bürger (*cives Romani*) waren grundsätzlich diejenigen, die in den Bürgerlisten eingetragen waren, sowie deren Frauen und Kinder. Die Bürgerlisten waren zugleich Wählerlisten und wurden in den Wahlbezirken (*tribus*) geführt. Insgesamt wurden 35 Tribus eingerichtet, die letzten beiden im Jahr 241 v. Chr.[2]. Das Bürgerrecht stellte zur Zeit der Republik der Zensor fest, wobei faktisch aber die Volksversammlung über Vergabe oder Entzug entschied. In der späten Republik konnte das Bürgerrecht schließlich auch vor Gericht eingeklagt werden. Entsprechende Prozesse sind ab dem 2. Jahrhundert v. Chr. überliefert. Der bekannteste und spektakulärste Fall ist die Verteidigung des Archias durch Cicero[3].
Äußeres Kennzeichen des römischen Bürgers war die Toga. So ließ sich etwa der Legionsveteran Lucius Poblicius auf seinem aufwendigen Grabmonument als Togatus darstellen (Abb. 22)[4]. Zudem deuteten in den schriftlichen Quellen verschiedene namentliche Merkmale das Bürgerrecht eines Römers an. Ein erster Hinweis kann die Nennung von drei Namensbestandteilen sein, den sogenannten *tria nomina*: *praenomen*, *nomen gentile* und *cognomen*. Am wichtigsten war hierbei das *nomen gentile*, da dieses die Zugehörigkeit zu einer bestimmten Familie angab. Um freier Römer zu sein, musste man überdies einen Vater haben, der ebenfalls römischer Bürger war. Da-

her nannten die Römer in den Inschriften meistens den Namen ihres Vaters (Filiation), oft an dritter Stelle noch vor dem *cognomen*. Stammten sie zudem aus alten, angesehenen Familien, dann erwähnten sie auch den Namen des Großvaters und zeigten damit an, dass sie schon mehrere Generationen über das römische Bürgerrecht verfügten. Schließlich gaben Römer den Wahlbezirk (*tribus*) als Zeichen ihres Bürgerrechts an. Als Beispiel für das vollständige Namenformular eines Römers kann eine Inschrift aus Avenches dienen: Caius Valerius Camillus, Sohn des Caius aus der Tribus Fabia (Abb. 23)[5].

23 Ehreninschrift für Caius Valerius Camillus, gesetzt von seiner Tochter Iulia Festilla zur Zeit des Kaisers Claudius (41–54 n. Chr.).

Rechte und Pflichten – Die besondere Attraktivität des römischen Bürgerrechts
Die Angehörigen des *populus Romanus* waren überall im Imperium Romanum mit besonderen Privilegien ausgestattet. Mit dem Bürgerrecht waren zunächst wirtschaftliche Vorrechte verbunden: So konnten nur römische Bürger zivilrechtlich gültige Verträge abschließen und nur sie konnten daher privatrechtliche Geschäfte tätigen (*ius commercii*). Allein römischen Bürgern war ursprünglich erlaubt, Eigentum zu erwerben und zu veräußern. Weiterhin hatte lediglich der freie Römer das aktive und passive Wahlrecht. Das Recht zur Stimmabgabe in der Volksversammlung (*ius suffragii*) verlor aber in der Kaiserzeit naturgemäß seine Bedeutung[6]. Die Möglichkeit hingegen, zu einem der republikanischen Ämter (*ius honorum*) gewählt zu werden oder Ämter in der kaiserlichen Reichsverwaltung zu übernehmen, blieb auch in der Zeit des Prinzipats ein begehrtes Vorrecht der römischen Bürger. Nicht zu unterschätzen ist auch das Recht zur Klageerhebung. Die Prozessfähigkeit, heute das selbstverständliche Gut eines jeden Menschen, war im Römischen Reich den freien und unbescholtenen Bürgern vorbehalten. Sie durften sich ferner selbst verteidigen und weder gefoltert noch zum Tode verurteilt werden (außer bei Hochverrat). Wurde ein römischer Bürger angeklagt, konnte er an den Kaiser appellieren. Berühmtester Fall ist der Apostel Paulus, der nach seiner Gefangennahme in Cäsarea von seinem Appellationsrecht Gebrauch gemacht haben soll[7]. Das römische Bürgerrecht behielt ein Römer auch dann, wenn er innerhalb des Römischen Reiches umzog. So kommt es dazu, dass in einer römischen Provinz freie Römer in Städten lebten, die keine römischen Stadtrechte hatten. Aufgrund des Bürgerrechts waren die römischen Bürger dort von der Zahlung bestimmter lokaler Steuern befreit. Nur Römer hatten sodann Anspruch auf verbilligte Lebensmittel in der Stadt Rom (*frumentatio*). Von 58 v. Chr. an waren die Lebensmittel

22 (linke Seite) Grabmonument des Lucius Poblicius, Veteran der 5. Legion Alaudae (1. Hälfte des 1. Jhs. n. Chr.).

für bedürftige Römer sogar frei. Auch Sitzplätze bei öffentlichen Veranstaltungen, wie Gladiatorenkämpfen oder Wagenrennen, wurden bevorzugt an römische Bürger vergeben, sollten sie knapp sein. Und schließlich dienten ausschließlich freie Römer in den Legionen. Dort mussten sie, anders als die Soldaten der Auxilliareinheiten, keine unliebsamen Dienste wie die Grenzüberwachung übernehmen, erhielten einen höheren Sold und zu ihrer Entlassung eine höhere Abfindung. All dies machte die *civitas Romana* für Nichtrömer besonders attraktiv.

Latiner – Bewohner mit latinischen Bürgerrechten
Der grundlegende Unterschied zwischen der heutigen und der antiken Rechtspraxis liegt im Gültigkeitsprinzip. Heute gilt in einem Staatsterritorium ein einheitliches Recht. Im Imperium Romanum waren aber nur die römischen Bürger nach dem römischen Zivilrecht (*ius civile*) veranlagt. Andere freie Personen lebten im Römischen Reich nach ihren Gesetzen, so wie die Latiner. Hierbei hatten die latinischen Bürger fast die gleichen Rechte wie die Römer, da das römische und latinische Bürgerrecht in einem längeren Prozess vermutlich einander angeglichen wurde. Trotzdem fehlten den Latinern wichtige Bürgerrechte in Rom, wie bestimmte Wahlrechte, sodass man von dem besonderen personenrechtlichen Konstrukt eines minderen Bürgerrechts sprechen kann. Die La-

24 Personenrechtliche Gliederung im Römischen Reich.

Bürgerrechte zur Zeit des Prinzipats

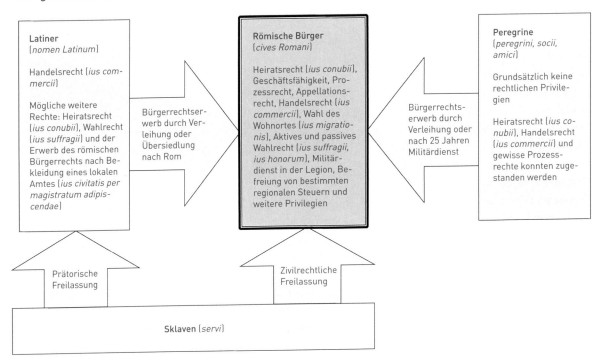

Latiner
(*nomen Latinum*)

Handelsrecht (*ius commercii*)

Mögliche weitere Rechte: Heiratsrecht (*ius conubii*), Wahlrecht (*ius suffragii*) und der Erwerb des römischen Bürgerrechts nach Bekleidung eines lokalen Amtes (*ius civitatis per magistratum adipiscendae*)

Bürgerrechtserwerb durch Verleihung oder Übersiedlung nach Rom

Römische Bürger
(*cives Romani*)

Heiratsrecht (*ius conubii*), Geschäftsfähigkeit, Prozessrecht, Appellationsrecht, Handelsrecht (*ius commercii*), Wahl des Wohnortes (*ius migrationis*), Aktives und passives Wahlrecht (*ius suffragii, ius honorum*), Militärdienst in der Legion, Befreiung von bestimmten regionalen Steuern und weitere Privilegien

Bürgerrechtserwerb durch Verleihung oder nach 25 Jahren Militärdienst

Peregrine
(*peregrini, socii, amici*)

Grundsätzlich keine rechtlichen Privilegien

Heiratsrecht (*ius conubii*), Handelsrecht (*ius commercii*) und gewisse Prozessrechte konnten zugestanden werden

Prätorische Freilassung

Zivilrechtliche Freilassung

Sklaven (*servi*)

tiner standen personenrechtlich zwischen den römischen Bürgern und den sonstigen freien Provinzbewohnern (Abb. 24), denn immerhin konnten sie mit den Römern uneingeschränkt Handel treiben (*ius commercii*). Außerdem konnten die Latiner das Eherecht (*ius conubii*) und das Wahlrecht in Rom (*ius suffragii*) entweder *de iure* oder *de facto* leichter erwerben als andere Personengruppen. In diesen Kontext gehört auch das in der Forschung höchst umstrittene Privileg der Latiner, nach der Bekleidung eines lokalen Amtes in der Provinz Bürger in Rom werden zu können (*ius civitatis per magistratum adipiscendae*)[8]. In der Kaiserzeit behielt das latinische Bürgerrecht eine gewisse Bedeutung; dabei wurde es wohl nur noch selten an Einzelne vergeben, aber manchmal zeichneten die Kaiser Städte, Regionen oder soziale Gruppen mit der Latinität aus[9].

Peregrine – Freie Provinzbewohner und sonstige Fremde

Die meisten Menschen in den Provinzen hatten aber weder das römische noch das latinische Bürgerrecht. Sie waren nach ihren angestammten Rechten veranlagt Fremde (*peregrini*), wie die Bürger griechischer Städte oder die Angehörigen gentiler Gruppen (z. B. Gallier, Germanen, Sarmaten)[10]. Auch Bundesgenossen (*socii*) oder Angehörige befreundeter Staaten (*amici*) hatten im Rechtsbereich des Imperium Romanum einen peregrinen Rechtsstatus. Ihnen fehlte somit grundsätzlich der Zugang zu den politischen, sozialen und wirtschaftlichen Freiheiten der römischen Gesellschaft. Die Peregrinen konnten noch nicht einmal Klage erheben und mussten sich vor Gericht von einem *civis Romanus* vertreten lassen (Abb. 25).

Bis zur Spätantike hatten sich aber rechtliche Möglichkeiten entwickelt, um den Handel auch mit solchen unterprivilegierten Fremden zu gewährleisten[11]. Zur Vereinfachung des Zusammenlebens wurde ihnen nach und nach das *commercium* oder *conubium* eingeräumt. Zudem gewährten die Römer den Peregrinen eine gewisse Mobilität. Sie durften sich schließlich überall aufhalten und niederlassen – selbst in Italien. Auch konnten sie vom 4. Jahrhundert n. Chr. an ein Gericht gegen Gewalttäter und Betrüger anrufen. Die Grenzen dieses Rechtsschutzes bestanden aber weiterhin in dem Anspruch des Staates (*res publica*), gegebenenfalls voll über die Fremden zu verfügen, d. h. sie etwa in gerichtlichen Untersuchungen zu foltern oder bei Versorgungsengpässen aus dem Stadtgebiet auszuweisen.

Römischer Bürger von Geburt

Römischer Bürger konnte man auf verschiedene Weise werden. Am häufigsten und einfachsten war es, man besaß das römische Bürgerrecht von Geburt an. So erwarb nach Völkergemeinrecht (*ius gentium*) jedes Kind, dessen Eltern römische Bürger waren und eine rechtsgültige Ehe führten (*matrimonium istum*), das römische Bürgerrecht. Entscheidend war hierbei der Rechtsstatus des Vaters bei der Zeugung. Im Extremfall, wenn ein Kind ehelich gezeugt worden war, die Mutter aber während der Schwangerschaft zur Sklavin wurde, gebar die versklavte Frau dennoch ein freies Kind[12].

Aber auch das Kind einer freien Römerin mit einem Sklaven war nach *ius gentium* immer ein freier Römer. Für nichteheliche Kinder ist der Rechtsstatus der Mutter bei der Geburt entschei-

25 Die römische Kultur als Leitfaden auch für Fremde. Der Peregrine Gumansa, Sohn des Harvus, weihte auf römische Weise in Erfüllung eines Gelübdes dem Iuppiter Optimus Maximus diesen kleinen Altar (1. Jh. n. Chr.).

dend. Selbst dann, wenn eine Frau das Kind als Sklavin empfangen hatte und erst während der Schwangerschaft frei wurde oder zwischen Zeugung und Niederkunft kurzzeitig frei gewesen war, konnte das Kind rechtlich frei geboren werden[13].

Diese für den modernen Betrachter seltsam anmutenden Regelungen erklären sich zum Teil aus dem römischen Personenrecht, wonach es nur Freie und Sklaven (*servi*) gab. Die römische Bürgerschaft grenzte sich nämlich nicht nur gegenüber Fremden ab, sondern es wurden auch die Freien von den Unfreien geschieden. Freie waren entweder Freigeborene (*ingenui*) oder Freigelassene (*liberti*)[14]. Die Sklaven der Römer wurden folglich als Teil der Gesellschaft aufgefasst. Durch Freilassung konnten sie zu fast vollberechtigten Römern werden. Ihnen haftete aber zeitlebens die unfreie Herkunft an und sie blieben ihrem Herrn bis zu ihrem Lebensende verpflichtet. Als deren Klient musste der Freigelassene für seinen nunmehrigen Patron unter anderem finanziell einstehen und hatte ihm Ehrerbietung zu zollen. Freigelassene wurden zudem von den staatlichen Ämtern und dem Dienst in der Legion ausgeschlossen. Sie hatten aber das volle Wahlrecht und auch der Dienst in der Flotte war ihnen erlaubt. Die Kinder von Freigelassenen waren freigeborene Römer und hatten alle Bürgerrechte aber auch alle Bürgerpflichten.

Römischer oder latinischer Bürger durch Freilassung

Die Freilassung konnte durch ein Rechtsgeschäft nach Zivilrecht (*ius civile*) erfolgen, wobei man verschiedene Freilassungsarten unterscheidet: Der Sklave kam per Testament am Tage der Testamentseröffnung frei (*manumissio testamento*), er wurde bei einer fideikommissarischen Freilassung vom Erben freigelassen (*manumissio fideicommissaria*), die Freilassung wurde vor einem Magistrat vollzogen (*manumissio vindicta*) oder aber der Name des Freizulassenden wurde in die Bürgerliste eingetragen (*manumissio censu*). Sklaven bekamen durch diese offiziellen Freilassungsarten jeweils das volle römische Bürgerrecht (*Romanitas*)[15].

Sklaven konnten aber auch nach prätorischem Recht (*ius praetorium*) freigelassen werden, d. h. sie wurden durch einen Brief (*manumissio per epistulam*), unter Freunden (*manumissio inter amicos*), bei einem Gastmahl (*manumissio in convivio*) oder im Zirkus bzw. Theater (*manumissio in circo, in theatro*) freigelassen. Da immer nur einige bestimmte Zeugen bei diesen Freilassungen zugegen und keine offiziellen Vertreter oder Amtsmänner beteiligt waren, erhielten die solchermaßen Freigelassenen nur ein vermindertes Bürgerrecht (*Latinitas*). Sie wurden zu latinischen Bürgern (*Latini Iuniani*)[16]. Sie lebten fortan als Freie, starben aber als Sklaven. Da den *Latini Iuniani* das Recht ein Testament zu errichten fehlte, fiel ihr Vermögen nach ihrem Tod dem Freilasser oder dessen Erben zu[17]. Mit römischen Vollbürgern konnten die junianischen Latiner wahrscheinlich keine rechtsgültigen Ehen eingehen[18].

Selbstverständlich strebten auch Freigelassene eine Darstellung im Stile römischer Bürger an. Nachdem sie das römische Bürgerrecht erworben hatten, ließen sich viele schon zu Lebzeiten entsprechende Grabsteine setzen. Oder sie weihten einer Gottheit einen Inschriftenstein in Erfüllung eines Gelübdes. Da Freigelassene nicht auf ihre freien Vorfahren verweisen konnten, setzten sie anstelle der Filiation den Namen des Freilassers mit dem Zusatz *libertus* bzw. *liberta*

PSERVILIVS Q·F
GLOBVLVS F

QSERVILIVSQ LSEMPRONIA
HILARVS PATER C·L·EVNE VXOR

26 Grabmonument der Servilier (Ende 1. Jh. v. Chr.).

ein. Insbesondere wenn sie Freigelassene des Kaisers waren, vermerkten sie ihren Status nicht ohne Stolz in der Inschrift und ließen sich als *libertus* bzw. *liberta Augusti* bezeichnen. Aber auch Freigelassene privater Herren erwähnten ihre vormalige Unfreiheit. Als *nomen gentile* wurde in das Namenformular der Familienname des Freilassers eingesetzt. Allen Freigelassenen kam es bei ihrer öffentlichen Präsentation darauf an, dass ihre Nachkommen als freie Römer dargestellt wurden. Diese führte man oft auf den Grabsteinen der Eltern an und da sie *ingenui* waren, bezeichnete man sie als Sohn eines freien Vaters. Als Beispiel kann hier das Grabmonument der Servilier dienen (Abb. 26). Der Sohn hieß Publius Servilius Globulus und sein Vater war Quintus Servilius Hilarus, der Freigelassene eines gewissen Quintus Servilius. Die Mutter und Ehefrau (*uxor*) war von einem Caius Sempronius freigelassen worden und hieß entsprechend *Sempronia C(ai) l(iberta) Eune*[19].

Römischer Bürger durch Verleihung

Neben der Freilassung war die Vergabe des römischen Bürgerrechts an Fremde das Hauptinstrument der sozialen Integration. Auch aufgrund dieser politischen Praxis nahm die Zahl der römischen Bürger stetig zu[20]. Zur Zeit des Bundesgenossenkrieges (91–87 v. Chr.) hatten ca. 400.000–500.000 Personen das römische Bürgerrecht[21]. Nach der Eingemeindung ganz Italiens von den Alpen bis Sizilien wurden unter Augustus im Jahr 28 v. Chr. 4.063.000 römische Bürger gezählt[22]. Der letzte überlieferte Wert beträgt nicht weniger als 6.964.000 für das Jahr 45 n. Chr.[23]. Ein stetig wachsender Teil der Römer lebte zu dieser Zeit bereits in den Provinzen[24].

Die Römer vergaben ihr Bürgerrecht gezielt an Fremde. Immer verbunden mit der Absicht, eine enge Bindung oder die Integration sozialer Gruppen, ganzer Städte oder Regionen herzustellen. Durch die Privilegierung verringerten die römischen Politiker und Feldherren die wirtschaftlichen und politischen Hindernisse und sicherten die militärische Gefolgschaft bzw. das militärische

Potential für künftige Truppenaushebungen. Dabei beugten sie sich auch dem äußeren Druck, wie nach dem Bundesgenossenkrieg, als alle Städte südlich des Po in den Bürgerverband aufgenommen wurden; wenn auch einige nur mit latinischem Bürgerrecht, sodass die Einwohner zunächst keinen Zugang zu den politischen Vorrechten der Römer hatten. Auch in der Kaiserzeit wurden vor allem in Kriegszeiten Bürgerrechte an größere Gruppen verliehen. Im 1. Jahrhundert n. Chr. gewährten beispielsweise Galba und Otho in Gallien den Avernern, Häduern, Sequanern und Lingonen das römische und Vespasian in Spanien einigen Städten das latinische Bürgerrecht[25]. Am Rhein wurde Köln und der *Colonia Ulpia Traiana* in der Nähe von Xanten von Claudius und Traian der Status einer römischen Colonia verliehen[26]. Die römischen Bürgerkolonien waren in den Provinzen ein Stück Rom in einem peregrinen Umfeld.

Außer im Zuge solcher kollektiven Zivitätsschenkungen verliehen die Römer ihr Bürgerrecht auch unmittelbar an besonders verdiente Männer und deren Familien. In der Zeit der späten Republik und der frühen Kaiserzeit erhielten vorwiegend die Angehörigen lokaler Eliten das Bürgerrecht, verbunden mit der Übernahme von Ämtern in der regionalen Selbstverwaltung. Die Römer belohnten diese Familien für ihre Loyalität. Zugleich waren es aber eben diese Familien, die römische Kultur und römisches Denken in den Provinzen vorlebten und durch ihre Vorbildfunktion verbreiten halfen. Das ursprünglich komplizierte Verfahren der Einbürgerung

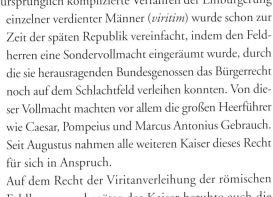

einzelner verdienter Männer (*viritim*) wurde schon zur Zeit der späten Republik vereinfacht, indem den Feldherren eine Sondervollmacht eingeräumt wurde, durch die sie herausragenden Bundesgenossen das Bürgerrecht noch auf dem Schlachtfeld verleihen konnten. Von dieser Vollmacht machten vor allem die großen Heerführer wie Caesar, Pompeius und Marcus Antonius Gebrauch. Seit Augustus nahmen alle weiteren Kaiser dieses Recht für sich in Anspruch.

Auf dem Recht der Viritanverleihung der römischen Feldherren und später der Kaiser beruhte auch die Möglichkeit, ganze Truppenverbände, sofern sie sich um den römischen Staat verdient gemacht hatten, entweder noch auf dem Schlachtfeld oder erst bei der Verabschiedung in den Bürgerstand zu erheben. Diese zunächst nur gelegentlich praktizierte Bürgerrechtsverleihung wurde im Verlauf der frühen Kaiserzeit immer häufiger durchgeführt, und es stellte sich eine gewisse Regelmäßigkeit ein. Bis zur Regierungszeit des Kaisers Claudius (41–54 n. Chr.) war diese Entwicklung abgeschlossen und verstetigt. Von da an konnten Nichtrömer (freie Provinzbewohner oder auswärtige Fremde)

27 Bürgerrechtsurkunde vom 30. Juni 107 n. Chr. für Mogetissa, Sohn des Comatullus, vom Stamm der Boier, seine Ehefrau Verecunda und die gemeinsame Tochter Matrulla. Er war während der Regierung Kaiser Domitians (81–96 n. Chr.) in die römischen Auxiliareinheiten eingetreten und diente zuletzt als Kavallerist in der *ala I Hispanorum Auriana*. Das Militärdiplom wurde zur Regierungszeit Kaiser Traians (98–117 n. Chr.) ausgestellt.

das römische Bürgerrecht erwerben, indem sie in einer Auxiliareinheit Militärdienst leisteten. Sie wurden nach 25-jähriger Dienstzeit und ehrenvoller Entlassung (*honesta missio*) mit dem Bürgerrecht und dem *ius conubii* für die treuen Dienste belohnt. Die Kinder dieser Auxiliarveteranen waren ebenfalls Römer. Sollten die Kinder während der Dienstzeit geboren worden sein, wurden sie nachträglich als legitime Nachkommen anerkannt. Festgehalten wurden diese Privilegien in den bronzenen Militärdiplomen, die den Neubürgern ausgehändigt wurden (Abb. 27). Da sich die Veteranen gewöhnlich in der Nähe ihres Stationierungsortes niederließen, erhöhte sich dadurch die Zahl der römischen Bürger in den Provinzen[27].

Die Verbreitung des Bürgerrechts fand ihren Höhepunkt und Abschluss in der Verleihung der *civitas Romana* durch Kaiser Caracalla im Jahr 212 n. Chr. an fast alle Bewohner des römischen Reiches (Abb. 28 u. 29)[28]. Der Kaiser hatte allerdings keine edlen Absichten, wie man auf den ersten Blick vermuten könnte, denn die neuen Bürger mussten künftig nicht nur die Grundsteuer für Peregrine weiterhin zahlen, sondern jetzt auch noch die den Römern obliegenden Freilassungs- und Erbschaftssteuern. Zudem konnten sie von nun an für die römische Legion rekrutiert werden. Mit Bürgerrechten waren eben auch Bürgerpflichten verbunden[29].

Verlust des römischen Bürgerrechts

Die *civitas Romana* verlor man mit dem Tod, durch Abwanderung aus dem Römischen Reich oder bei Kriegsgefangenschaft. Kehrte man aus letzterer wieder zurück in den Gültigkeitsbereich des römischen Rechts, dann lebte das Bürgerrecht indes wieder auf (*ius postliminii*). Beging man bestimmte Straftaten (z. B. Hochverrat) oder verstieß man gegen gesellschaftliche Normen, dann konnte man gleichfalls die bürgerlichen Ehrenrechte verlieren. Dies war regelmäßig der Fall, wenn man bescholtenen Berufen nachging wie Prostitution, Schauspielerei oder Gladiatur. Aber

28 Kaiser Caracalla (211–217 n. Chr.).

29 Der Papyrus Gissensis 40 mit einer Abschrift der Constitutio Antoniniana (212 n. Chr.).

auch unzuverlässige Beamte konnten zu Peregrinen abgestuft werden. Die Bescholtenheit (*infamia*) stellten in Rom die Zensoren fest. Sie entschieden auch darüber, ob eine infamierte Person ihr volles Bürgerrecht wiedererlangte. Derjenige, der Bürgerrechte verlieh, konnte diese natürlich auch wieder entziehen. Sulla zum Beispiel nahm einigen etruskischen Städten das Bürgerrecht, weil sie sich ihm widersetzt hatten. Nur eine Anekdote dürfte hingegen der von Cassius Dio überlieferte Fall sein, dass einigen Gesandten aus Lykien das Bürgerrecht von Kaiser Claudius entzogen wurde, da sie kein Latein verstanden[30]. In jedem Fall verdeutlichen diese Beispiele aber, dass man das verliehene Bürgerrecht wieder verlor, sollte man sich der Zugehörigkeit zum *populus Romanus* unwürdig erweisen.

1   Cic. Caec. 95.

2   So jedenfalls Livius 1,43,12; vgl. J. Bleicken, Die Verfassung der römischen Republik[8] (Paderborn u. a. 2000).

3   Vgl. A. Coşkun, Cicero und das römische Bürgerrecht. Die Verteidigung des Dichters Archias. Einleitung, Text, Übersetzung und historisch-philologische Kommentierung (Göttingen 2010).

4   Vgl. G. Precht, Das Grabmal des Lucius Poblicius. Rekonstruktion und Aufbau (Köln ²1979) und H. von Hesberg, Römische Grabbauten (Darmstadt 1992) 203.

5   CIL XIII 5110 = ILS 7008; mit Abbildung G. Walser, Römische Inschriften in der Schweiz I (Bern 1979) Nr. 78.

6   Dazu grundlegend M. Humbert, Municipium et civitas sine suffragio. L'organisation de la conquête jusqu'à la guerre sociale (Rom 1978) und zuletzt H. Mouritsen, The *civitas sine suffragio*. Ancient Concepts and Modern Ideology. Historia 56, 2007, 141–158.

7   Lukas, Apg. 25.

8   Vgl. zu den rechtlichen Voraussetzungen A. Coşkun, Großzügige Praxis der Bürgerrechtsvergabe in Rom? Zwischen Mythos und Wirklichkeit (Stuttgart 2009) 28–31 [= COŞKUN 2009].

9   Vgl. H. Wolff, Kriterien für latinische und römische Städte in Gallien und Germanien und die „Verfassung" der gallischen Stammesgemein-

den. Bonner Jahrb. 176, 1976, 45–121; F. Vittinghoff, Civitas Romana. Stadt und politisch-soziale Integration im Imperium Romanum der Kaiserzeit, hrsg. v. W. Eck (Stuttgart 1994) und zuletzt A. Coşkun, Bürgerrechtsentzug oder Fremdausweisung? Studien zu den Rechten von Latinern und weiteren Fremden sowie zum Bürgerrechtswechsel in der Römischen Republik (5. bis frühes 1. Jh. v. Chr.) (Stuttgart 2009).

10 Vgl. H. Schlange-Schöningen, Fremde im kaiserzeitlichen Rom. In: A. Demandt (Hrsg.), Mit Fremden leben. Eine Kulturgeschichte von der Antike bis zur Gegenwart (München 1995) 57–67.

11 Vgl. M. Kaser, Das römische Privatrecht (München ²1971) (= Handb. Altertumswiss. 10,3,3,1) 75 [= KASER 1971].

12 Die Frau musste nur kurzzeitig während der Schwangerschaft frei gewesen sein, siehe Dig. 1,5,5,3 (Marcianus).

13 Z. B. Gai. inst. I 82. Zu den Besonderheiten und den Einschränkungen dieser Statusbestimmung vgl. H. Wieling, Die Begründung des Sklavenstatus nach ius gentium und ius civile. Corpus der römischen Rechtsquellen zur antiken Sklaverei 1 (Stuttgart 1999) 9 f.

14 Gai. inst. I 9–11; KASER 1971, 270–282.

15 Als weitere Voraussetzung für eine Freilassung, die zum römischen Bürgerrecht führte, war seit der frühen Kaiserzeit gemäß einem Gesetz (*lex Aelia Sentia*) ein Mindestalter des Freizulassen-

den von 30 Jahren und des Freilassers von 20 Jahren erforderlich; vgl. Gai. inst. I 18.

16 Gai. inst. I 16.

17 Gai. inst. I 23.

18 Zu den zum Teil komplizierten Fallgestaltungen, nach denen aus solchen Verbindungen dann doch römische Bürger hervorgehen können vgl. Gai. inst. I 65–68. Die Abgrenzung von Latinern und Nichtbürgern vgl. Gai. inst. I 69–81.

19 Abbildung siehe V. Kockel, Porträtreliefs stadtrömischer Grabbauten. Ein Beitrag zur Geschichte und zum Verständnis des spätrepublikanisch-frühkaiserzeitlichen Privatporträts (Mainz 1993) 141 f., Taf. 51b, 52a–c. Zur Deutung vgl. Coşkun 2009, 15 f.

20 Vgl. Coşkun 2009, 9–13.

21 Hieronym. Ol. 173.4.

22 Mon. Ancyr. 8,2.

23 Hieronym. Ol. 206.1. Zu den Zensuszahlen vgl. den Überblick von P. A. Brunt, Italian Manpower 225 B. C.–A. C. 14 (Oxford ²1987) 9 f. Nicht berücksichtigt sind Frauen und Kinder.

24 Vgl. zum Bürgerrecht in der Zeit des Prinzipats A. N. Sherwin-Withe, The Roman Citizenship (Oxford ²1973) 221–287.

25 Tac. hist. 1,8,1. 78,1; Plin. nat. 3,30; CIL II 1610; vgl. H. Bellen, Grundzüge der römischen Geschichte, 2. Teil (Darmstadt 1998) 102–104.

26 Tac. ann. 12,27. Vgl. Der Neue Pauly (1997) 76–85 s. v. Coloniae (H. Galsterer).

27 Zur Bürgerrechtsentwicklung vom 3.–5. Jh. vgl. R. W. Mathisen, Peregrini, Barbari, and Cives Romani. Concepts of Citizenship and the Legal Identity of Barbarians in the Later Roman Empire. Am. Hist. Rev. 111,4, 2006, 1011–1040 u. P. Garnsey, Roman Citizenship and Roman Law in the Later Empire. In: S. Swain/M. Edwards (Hrsg.), Approaching Late Antiquity: The Transformation from Early to Later Empire (Oxford 2004) 143–145.

28 Vgl. hierzu zuletzt B. Pferdehirt/M. Scholz (Hrsg.), Bürgerrecht und Krise. Die Constitutio Antoniniana 212 n. Chr. und ihre innenpolitische Folgen (Mainz 2012).

29 PGiss. 40, I = FIRA I, S. 445 ff.; Dio Cass. 77,9,5; Ulp. Dig. 1,5,17. Vgl. allgemein J. M. Rainer, Römisches Staatsrecht. Republik und Prinzipat (Darmstadt 2006) 282 f. und speziell P. A. Kuhlmann, Die Gießener literarischen Papyri und die Caracalla-Erlasse (Gießen 1994) sowie K. Buraselis, ΘΕΙΑ ΔΩΡΕΑ Das göttlich-kaiserliche Geschenk. Studien zur Politik der Severer und zur Constitutio Antoniniana (Wien 2007).

30 Dio Cass. 60,17,4.

GLOBALER EINSATZ IM AUFTRAG DES ADLERS – DIE MOBILITÄT DER RÖMISCHEN LEGIONEN

Martin Kemkes

Für das römische Weltreich stand der globale, reichsweite Einsatz seiner Soldaten außer Frage, denn seit der frühen Republik galten die Vernichtung der Gegner und die Expansion des eigenen Machtbereiches als wirksamster Schutz zur Verteidigung der eigenen Interessen. Der sich daraus entwickelnde, religiös legitimierte Weltherrschaftsanspruch der Römer konnte dabei nur auf der Grundlage einer hochmobilen Armee realisiert werden[1].

Das Rückgrat dieser Armee waren die Legionen, das römische Bürgerheer, das in der mittleren Kaiserzeit ca. 160.000 Soldaten umfasste. Die aus den literarischen, epigraphischen und archäologischen Quellen fassbare Mobilität ganzer Einheiten, wie auch einzelner Soldaten und Offiziere quer durch das ganze Reich steht dabei zum einen für die Leistungsfähigkeit dieser Armee, lässt zugleich aber erahnen, in welchem Ausmaß die Soldaten als wichtigster Romanisierungs- und damit Integrationsfaktor wirkten.

Im Folgenden sollen einige Aspekte der Mobilität ganzer Legionen, wie auch einzelner Soldaten beleuchtet werden, wobei der Schwerpunkt chronologisch auf die mittlere Kaiserzeit vom 1.–3. Jahrhundert n. Chr. und geografisch auf die Rheinprovinzen Germania Inferior und Germania Superior gelegt wird[2].

30 Säulenschaft aus Rom mit Auflistung der kaiserzeitlichen Legionen, geordnet nach den Standortprovinzen; um die Mitte des 2. Jhs. n. Chr.

Dislokation der Legionen am Beispiel der Rheinarmeen

Anfang des 1. Jahrhunderts n. Chr. dienten rund 125.000 Legionäre in 25 Legionen, deren Zahl sich bis zum Ende des 2. Jahrhunderts auf 33 Legionen mit insgesamt ca. 165.000 Mann erhöhte (Abb. 30). Die Legionen der Kaiserzeit waren, mit Ausnahme der Bürgerkriege 69–70 n. Chr. und 193–197 n. Chr., fast ausschließlich an den Grenzen des Imperiums in festen Standlagern zum Schutz des Reiches gegen äußere Feinde stationiert. In den verschiedenen historischen Situationen kam es dabei immer wieder zu Versetzungen ganzer Legionen bzw. zu grundsätzlichen Verschiebungen der militärischen Schwerpunkte, wie sich z. B. an der Verringerung der Legionen am Rhein von acht auf vier zu Beginn des 2. Jahrhunderts und der Verdoppelung der Legionen an der unteren Donau sowie im Osten ab der Mitte des 2. Jahrhunderts erkennen lässt[3].

Im Einzelfall bedeutete die Versetzung einer Legion, dass jeweils rund 5.000 Soldaten und eine nicht unerhebliche Zahl von Zivilisten zeitglich einen Ort verließen bzw. einen anderen neu besetzten, mit erheblichen

Folgen für das jeweilige soziale und wirtschaftliche Gefüge. Besonders eindrücklich lässt sich dies entlang der Rheingrenze im 1. Jahrhundert n. Chr. verfolgen. Hier lagen nach den Germanenfeldzügen des Augustus bis zum Ende des 1. Jahrhunderts n. Chr. bis zu acht Legionen mit rund 40.000 Soldaten, jeweils vier im obergermanischen und niedergermanischen Heeresbezirk (Tab. 1). Ins-

legio I Germanica	9–35 n. Chr. Apud Aram Ubiorum/Köln und Novaesium/Neuss 35–70 n. Chr. Bonna/Bonn
legio I Minervia	ab 83 n. Chr. Bonna/Bonn
legio I Adiutrix	70–86 n. Chr. Mogontiacum/Mainz
legio II Adiutrix	70/71 n. Chr. Noviomagus/Nijmegen
legio II Augusta	9–17 n. Chr. Mogontiacum/Mainz 17–43 n. Chr. Argentorate/Straßburg
legio IV Macedonia	43–70 n. Chr. Mogontiacum/Mainz
legio V Alaudae	14–70 n. Chr. Vetera/Xanten
legio VI Victrix	70–90/100 n. Chr. Novaesium/Neuss 92–120 n. Chr. Vetera/Xanten
legio VIII Augusta	70–90 n. Chr. Mirbeau ab 90 n. Chr. Argentorate/Straßburg
legio X Gemina	70–104 n. Chr. Noviomagus/Nijmegen
legio XI Claudia	70–101 n. Chr. Vindonissa/Windisch 73–83 n. Chr. Arae Flaviae/Rottweil
legio XIII Gemina	9–17 n. Chr. Mogontiacum/Mainz 17–46 n. Chr. Vindonissa/Windisch
legio XIIII Gemina	13 v. – 43 n. Chr. Mogontiacum/Mainz 70–92 n. Chr. Mogontiacum/Mainz
legio XV Primigenia	39–43 n. Chr. Mogontiacum/Mainz 45–70 n. Chr. Vetera/Xanten
legio XVI Gallica	13 v. – 43 n. Chr. Mogontiacum/Mainz 43–70 n. Chr. Novaesium/Neuss
legio XX Valeria Victrix	9–30 n. Chr. Apud Aram Ubiorum/Köln und Novaesium/Neuss 30–43 n. Chr. Novaesium/Neuss
legio XXI Rapax	14–46 n. Chr. Vetera/Xanten 46–70 n. Chr. Vindonissa/Windisch 70–83 n. Chr. Bonna/Bonn 83–90 n. Chr. Mogontiacum/Mainz
legio XXII Primigenia	43–70 n. Chr. Mogontiacum/Mainz 70–92 n. Chr. Vetera/Xanten ab 92 n. Chr. Mogontiacum/Mainz
legio XXX Ulpia Victrix	ab 120 n. Chr. Vetera/Xanten

Tab. 1 Die Legionen der Rheingrenze und ihre Stationierungsorte im 1. und frühen 2. Jh. n. Chr.

gesamt können an den zehn verschiedenen Standorten 19 verschiedene Legionen nachgewiesen werden, die teilweise nur für wenige Jahre, andere für mehrere Jahrzehnte in der Region blieben. Eine besondere Rolle spielte die *legio XXI Rapax*, die zwischen 14 und 90 n. Chr. zwischen den beiden Heeresbezirken hin- und herwechselte und dabei außer in Neuss und Xanten auch in Windisch (CH), Bonn und Mainz stationiert war[4].

Mobilität der Legionen durch Kriegs- und Arbeitsvexillationen

Die Mobilität der römischen Legionen lässt sich jedoch nicht nur im Kontext der Verlegung ganzer Einheiten beobachten, sondern ebenso bei kurzfristigen Kriegs- oder Arbeitseinsätzen, zu denen Abteilungen von Soldaten (*vexillationes*) abkommandiert wurden[5].

31 Schildbuckel des Iunius Dubitatus aus der *centuria* des Iulius Magnus der *legio VIII Augusta*, gefunden im Fluss Tyne bei South Shields; Mitte des 2. Jhs. n. Chr.

Sogenannte Kriegsvexillationen operierten meist außerhalb der Standortprovinz und umfassten 1.000–2.000 Soldaten einer Einheit, wobei häufig Verbände der nieder- und obergermanischen Legionen gemeinsam im Einsatz waren. Im Verlauf des 1. Jahrhunderts n. Chr. wurden die Legionsvexillationen der Rheinarmeen zunächst noch primär im direkten Umfeld der beiden Heeresbezirke bzw. Provinzen eingesetzt, u. a. gegen die Chauken und Friesen[6], im Verlauf der Expansion östlich des Rheins unter Pinarius Clemens 73/74 n. Chr.[7] oder im Chattenkrieg Domitians zwischen 83 und 85 n. Chr.[8] Eine regelrechte Odyssee erlebten dagegen nach der Überlieferung des Tacitus Legionäre der Rheinarmeen, die im Jahr 68 n. Chr. von Nero für einen Krieg im Orient nach Alexandria geschickt worden waren, von dort aber direkt zur Niederschlagung des Vindex-Aufstandes in Gallien 69 n. Chr. zurückbeordert wurden und nach strapaziöser Reise, nach dem Tode Neros, in Rom in die Wirren des Bürgerkrieges gerieten und von Galba versorgt werden mussten[9]. Im Verlauf dieses Bürgerkrieges kam es zu den umfangreichsten Kriegseinsätzen der rheinischen Legionen im 1. Jahrhundert, als der zum Kaiser ausgerufene Vitellius mit zwei Expeditionsarmeen aus den Legionen Britanniens und der germanischen Heeresbezirke nach Italien marschierte, sich dort zunächst gegen Otho durchsetzte, siegreich in Rom einzog und dann aber in der Schlacht von Cremona gegen das Heer des Vespasian unterlag[10].

In Britannien lassen sich Einsätze für die Zeit Hadrians (Abb. 31), aber auch zwischen 157–160 n. Chr. sowie 217 n. Chr. nachweisen[11]. Besonders eindrückliche Erlebnisse für die beteiligten Soldaten waren sicher die Einsätze in Nordafrika und an der Ostgrenze des Reiches. Inschriften von Soldaten der *legio I Minervia* und der *legio XXX Ulpia Victrix* aus Mauretanien könnten mit den dortigen Unruhen ab 150 n. Chr. in Verbindung stehen[12]. Im Jahr 162 n. Chr. wurde dagegen die komplette *legio I Minervia* aus Bonn unter ihrem Legaten Marcus Claudius Fronto für den Partherfeldzug des Lucius Verus in den Orient verlegt[13]. Im Machtkampf um den Kaiserthron 193 n. Chr. stellten sich die Rheinlegionen auf die Seite des Septimius Severus, wobei Vexillationen bereits am 1. Partherkrieg bis 195 n. Chr. teilnahmen, bei dem es um die Ausschaltung des Konkurrenten Pescennius Niger und die Bestrafung seiner Verbündeten ging. Der in Ankara gefundene Grabstein des Gaius Cattanius Tertius, Beneficiarier eines Legionstribunen und Bürger der *Colonia Claudia Ara Agrippinensium* (Köln) aus dem Jahr 195 n. Chr. gehört wohl in diesen Kontext (Abb. 32)[14]. Am 2. Partherfeldzug von 197/198 n. Chr. waren Vexillationen aller vier Rheinlegionen unter dem Kommando des Claudius Gallus, einem Legaten der *legio XXII Primigenia* in Mainz beteiligt[15]. Auf die Beteiligung an diesem Feldzug weisen ebenfalls in Xanten gefundene Denare aus dem syrischen Laodicea hin. Auch an den späteren Feldzügen gegen die Parther und Sassaniden unter Caracalla (217 n. Chr.) sowie unter Severus Alexander (231 n. Chr.) nahmen Abteilungen der Rheinlegionen teil[16].

Besonders grausam verlief der Bürgerkrieg zwischen Septimius Severus und Clodius Albinus, dem Statthalter von Britannien. In der Entscheidungsschlacht am 19. Februar 197 n. Chr. in *Lugdunum* (Lyon) kämpften auf der Seite des siegreichen Septimius Severus große Abteilungen der Rheinlegionen (Abb. 33)[17]. In der Folge wurde die dem Clodius Albinus treue *cohors XIII urbana* in

32 Grabstein des Gaius Cattanius Tertius, *beneficiarius* der *legio XXX Ulpia Victrix* aus Ancyra/Ankara; 195 n. Chr.

33 Mit dieser Sonderprägung ehrte Septimius Severus die *legio XXX Ulpia Victrix* für ihren Einsatz im Bürgerkrieg gegen Clodius Albinus.

Lyon aufgelöst und durch regelmäßig abkommandierte Vexillationen der rheinischen Legionen ersetzt, was sich in den zahlreichen Veteraneninschriften in und um Lyon widerspiegelt[18].

Arbeitsvexillationen wurden vor allem im Kontext der von den Legionen übernommenen Bautätigkeiten gebildet. Besonders zahlreich sind die Belege in den Steinbrüchen des Brohltales bei Kruft und in Lothringen bei Norroy (bei Metz) an der Mosel sowie in der Kalkbrennerei Iversheim, wobei der Eindruck entsteht, dass eine solche Abordnung aus Xanten, Bonn, Mainz oder Straßburg gleichsam zum Alltag der Soldaten am Rhein gehörte[19].

Ein Schwerpunkt der Bautätigkeiten der obergermanischen Legionen war der Ausbau des Limes. So lässt sich in Osterburken anhand mehrerer Bauinschriften nachweisen, dass das erste Kohortenkastell um 150/160 n. Chr. durch Abteilungen der *legio XXII Primigenia* aus Mainz errichtet wurde, das Annexkastell dagegen um 185 n. Chr. durch Abteilungen *der legio VIII Augusta* aus Straßburg[20]. Mehrere Inschriften vom Mainlimes aus Obernburg, Stockstadt und Trennfurt belegen dagegen den Einsatz von Holzfällerabteilungen der *legio XXII Primigenia* in den Jahren 206–207 sowie 212 und 214 n. Chr.[21]. Besonders die Inschrift aus Obernburg aus dem Jahr 206 n. Chr. erlaubt einen tiefen Einblick in die Mobilität einzelner Soldaten[22]. Die an den Mainlimes abkommandierte Holzfällerabteilung stand unter dem Kommando des Centurios Clodius Caerellius aus der *legio I Parthica*, die von Septimius Severus in Italien um 197 n. Chr. für seinen 2. Partherkrieg ausgehoben worden war und im Jahr 206 n. Chr. in Singara (Nordirak) lag. Cassius Dio berichtet, dass die Römer während des Partherfeldzuges am Euphrat zur Versorgung der Truppen eigene Schiffe bauten, wobei das Holz aus den Wäldern vor Ort stammte. So liegt die Vermutung nahe, dass Clodius Caerellius hierbei Erfahrungen sammelte, die ihn für weitere logistische Kriegsvorbereitungen zum Beispiel im Vorfeld des Britannienfeldzuges ab 208 n. Chr. qualifizierten. Eine Abkommandierung zu den *frumentarii* nach Rom und von dort nach Obergermanien im Zuge von Schiffbaumaßnahmen am Rhein erscheint so durchaus plausibel[23].

Die Mobilität einzelner Soldaten – Rekruten und Veteranen

Die „erste große Reise" erwartete den neuen Legionär oft schon direkt nach seiner Rekrutierung, die unter der Aufsicht des jeweiligen Statthalters stattfand[24]. Nach der Musterung erhielten die Soldaten ein Reisegeld von ca. 75 Denaren und machten sich oft unter Führung eines Offiziers auf den Weg zu ihrer Einheit[25]. Die Anzahl der Rekruten wird nach verschiedenen Modellen unterschiedlich berechnet, belief sich aber wohl auf ca. 240–300 pro Legion/pro Jahr, sodass jährlich rund 8.000–10.000 junge Männer zu ihren Einheiten aufbrachen[26]. Die Herkunft der Rekruten unterlag während der Kaiserzeit reichsweit einem deutlichen Wandel. Stammten diese im 1. und frühen 2. Jahrhundert n. Chr. noch primär aus Italien sowie den bereits stark romanisierten Provinzen Gallia Narbonensis, Baetica, Africa oder Macedonia, so ging man im Verlauf des 2. und 3. Jahrhunderts vermehrt zu standortnahen Rekrutierungen über[27]. Dieser Befund gilt auch für die Rheinlegionen. Rund 50 Prozent der in Mainz im 1. Jahrhundert verstorbenen Legionssoldaten stammten aus Italien, ca. 25 Prozent aus Südgallien und 15 Prozent aus den Bürgerkolonien der Balkanprovinzen (Tab. 2). Zwei Legionäre der *legio XIIII Gemina* aus flavischer Zeit geben als Heimatort die *Colonia Claudia Ara Agrippinensium* an, was auf die Bedeutung dieser Koloniegründung für das Rheinland hinweist[28].

Auch die im Vorfeld der Dakerkriege um 101 n. Chr. neu aufgestellte *legio XXX Ulpia Victrix* wurde wohl vollständig in Italien rekrutiert[29]. Im Laufe des 2. und 3. Jahrhunderts stammten die Legionsrekruten dagegen in der Regel aus der Standortprovinz bzw. den angrenzenden Gebieten, was sich sowohl an konkreten Herkunftsangaben, aber auch an den jeweiligen Namensformen ableiten lässt (Abb. 34)[30]. Ausnahmen lassen sich in der Regel mit Kriegszügen in Verbindung bringen. So deuten die griechischen Namen der Soldaten C. Iulius Agelaus und Aurelius Arestaenetus der *legio I Minervia* an, dass sie während des Partherfeldzuges des Lucius Verus (162–166 n. Chr.) im Osten rekrutiert wurden. Die Ehefrau des Agelaus trägt den griechischen Namen Metelene, was darauf hinweist, dass solche individuellen Dislokationen nicht nur die einzelnen Soldaten, sondern auch deren Frauen betrafen[31]. Ebenso ungewöhnlich erscheint die große Anzahl von Soldaten mit thrakischen Namen in den Rheinlegionen zu Beginn des 3. Jahrhunderts (Abb. 35), die wohl zunächst für berittene Auxiliareinheiten rekrutiert worden waren und dann nach dem verlustreichen Bürgerkrieg ab 197 n. Chr. in die Legionen versetzt wurden[32].

Nach statistischen Berechnungen erreichten rund drei Fünftel aller Legionäre ihr Dienstende nach 25 Jahren[33], sodass sich pro Legion jährlich rund 150–200 Veteranen an einem Ort ihrer

Italien	52
Gallia Narbonensis	26
Gallia und Germania Inferior	3
Hispania, Baetica	4
Dalmatia, Pannonia, Noricum	11
Thracia, Macedonia	3
gesamt	99

Tab. 2 Herkunft der in Mogontiacum/Mainz im 1. Jh. n. Chr. verstorbenen Legionssoldaten*.

* Die Angaben beziehen sich auf die folgenden Legionen: *legio I Adiutrix, legio II Augusta, legio IIII Macedonia, legio XIII, legio XIIII Gemina, legio XV Primigenia, legio XVI Gallica, legio XXII Primigenia, legio XXI Rapax*. Zu den Inschriften im Einzelnen: Boppert 1992, 279 (Anhang) und 294–296.

Wahl niederließen. Eine relativ ungewöhnliche „Entlassungswelle" von ca. 3.000 Soldaten lässt sich für die *legio XXX Ulpia Victrix* um 126 n. Chr. rekonstruieren, die ca. 25 Jahre vorher mit Rekruten aus Italien neu aufgestellt worden war. Mehrere Inschriften aus Norditalien zeigen dabei an, dass diese Soldaten noch keine engeren Verbindungen zur Provinz Germania Inferior aufgebaut hatten und wohl in größerer Zahl eine Rückkehr in die Heimat vorzogen[34]. Ansonsten scheint der Verbleib im Umfeld des Standortes für viele Soldaten wesentlich attraktiver gewesen zu sein. Dies lässt sich am Beispiel der nach *Lugdunum* ab 197 n. Chr. abkommandierten Soldaten ebenso belegen[35], wie anhand der zahlreichen Veteranen, die sich in der *Colonia Claudia Ara Agrippinensium* niederließen (Abb. 22)[36].

Mobilität am Beispiel der *beneficiarii*, *frumentarii* und *centuriones*

Die Mobilität der Legionssoldaten lässt sich besonders eindrücklich an einzelnen Dienstgraden aufzeigen, die von ihren spezifischen Aufgaben her quer durch die Provinz oder das ganze Reich unterwegs waren.

34 Helm des Sollionius Super aus der *legio XXX Ulpia Victrix*. Der Name belegt seine einheimische, gallisch-germanische Herkunft; Ende 2./Anfang 3. Jh. n. Chr.

Dazu zählen zunächst die *beneficiarii*, die vor allem in den Provinzen an unterschiedliche Stationen für jeweils ein halbes Jahr abkommandiert wurden und dort verschiedene staatliche Aufgaben im Polizei- und Justizwesen übernahmen[37]. Für die vier Rheinlegionen des 2. und 3. Jahrhunderts n. Chr. sind 80 *beneficiarii* in ca. 30 verschiedenen Orten der Rheinprovinzen und auch aus *Lugdunum* und Umgebung nachgewiesen[38]. Die sogenannten *frumentarii* wurden dagegen aus allen Legionen des Reiches für besondere Aufgaben in die Zentrale nach Rom abkommandiert. Ob es sich dabei um eine Art „Geheimpolizei" handelte oder doch zentrale logistische Aufgaben im Zuge der Heeresversorgung übernommen wurden, ist umstritten[39]. Nachweise für *frumentarii* der Rheinlegionen liegen vor allem aus Rom selbst, aber auch aus anderen Orten, wie z. B. Ephesos[40] vor.

Den höchsten Mobilitätsgrad innerhalb der römischen Armee hatten sicherlich die Centurionen. Jede Legion besaß 60 dieser Offiziere, sodass reichsweit rund 1.800 zeitgleich im Einsatz waren. Der Aufstieg vom einfachen Soldaten zum *centurio* dauerte ca. 15–20 Jahre, wobei durch besondere Beziehungen oder als römischer Ritter auch kürzere Karrieren oder sogar eine direkte Einstufung als *centurio* möglich war. Beförderungen von den *principales*, z. B. als Hornbläser (*cornicularius*) oder Adlerträger (*aquilifer*), zum *centurio* oder innerhalb der Centurionen-Hierarchie waren oft mit einem Wechsel der Legion verbunden, sodass diese Soldaten im Lauf der Jahre meist vielseitige und vertiefte Kenntnisse in militärischen und verwaltungstechnischen Dingen sammeln konnten[41]. Im Alltag der Provinzen wurden sie zu verschiedenen Tätigkeiten abkommandiert. Dazu zählten Kommandos ebenso über Arbeitsvexillationen (Abb. 140) wie über einzelne Numeri und Kohorten am vorderen Limes oder über die Garde der Statthalter[42]. Im Folgenden seien einige Beispiele aufgeführt, die das Spektrum der Dislokationen von *centuriones* illustrieren.

Publius Ferrasius Avitus aus der *Colonia Savaria* (Szombathely) in Pannonien nahm als Soldat an den Markomannenkriegen teil und wurde Adlerträger der *legio I Adiutrix* in Brigetio. Seine Beförderung zum *centurio* bedingte wohl den Wechsel zur *legio VIII Augusta* nach Obergermanien, wo er in einer Weiheinschrift aus Obernburg am Mainlimes überliefert ist[43].

Für Sextilius aus Vercellae in Italien, der zunächst als Soldat bei den Praetorianern in Rom diente, lassen sich sieben Centurionate nachweisen, wobei er von Mainz nach Bonn und weiter nach Straßburg wechselte. Nach weiteren drei unbekannten Dienstorten beendete er seine Karriere als *primus pilus* der *legio XXII Primigenia* in Mainz[44].

Petronius Fortunatus aus Cillium in Tunesien wurde über mehrere niedere Offiziersränge bei der *legio I Italica* in Niedermoesien zum *centurio* befördert, wonach er dann 46 Jahre in 13 verschiedenen Legionen diente, u. a. bei der *legio I Minervia* in Bonn sowie der *legio XXX Ulpia Victrix* in Xanten (Abb. 194). Nach seinem aktiven Dienst kehrte er in seine Heimat zurück, wo er als 80-jähriger ein Grabmal für sich, seine Ehefrau und seinen Sohn errichtete[45].

35 Altar für den Kaiser Severus Alexander und für Apollo Dysprus, gestiftet von Legionssoldaten thrakischer Herkunft aus der *legio XXX Ulpia Victrix*; 223 n. Chr.

Dass diese hohe Mobilität der *centuriones* häufig auch von ihren Frauen mitgetragen wurde, belegt schließlich die Karriere des Titus Flavius Virilis. Er diente in sechs verschiedenen Legionen, von denen die ersten vier alle in Britannien lagen, von wo aus er weiter nach Numidien und schließlich nach Mesopotamien versetzt wurde. Seine Grabinschrift aus Lambaesis zeigt, dass er nach seiner Entlassung nach Afrika, an seinen vorletzten Dienstort zurückkehrte. Die Inschrift nennt auch seine Ehefrau, deren Namen Bodicca eindeutig ihre britannischen Wurzeln belegt und die ihren Mann nach Mesopotamien und Afrika begleitet hatte[46].

Legaten und Tribunen der Legionen

Eine ähnliche hohe Mobilität wie bei den *centuriones* lässt sich schließlich auch für die ritterlichen und senatorischen Offiziere der Legionen nachweisen. Von den sechs *tribuni legionis* gehörten fünf dem Ritterstand (*tribuni angusticlavii*) an, während der *tribunus laticlavius* und der Kommandeur der Legion (*legatus legionis*) bis Anfang des 3. Jahrhunderts n. Chr. in der Regel aus dem Kreis der Senatoren stammte. Die berufliche Laufbahn dieser Männer war seit der Zeit des Augustus so konzipiert, dass sie für jeweils wenige Jahre an verschiedenen Orten des Reiches, wie auch in Italien, zivile und militärische Ämter übernahmen. Auch wenn es dabei innerhalb des senatorischen *cursus honorum* bzw. der ritterlichen *militia equestris* eine gewisse regelhafte Ämterabfolge gab, so waren die einzelnen Karrieren doch stark von persönlichen Fürsprachen und zuletzt grundsätzlich vom Wohl des jeweiligen Kaisers abhängig. Der ständige Wechsel der Einsatzorte brachte zum einen sicher einen enormen Erfahrungszuwachs dieser hohen Beamten, verhinderte aber auch wirksam die Ausbildung individueller dezentraler Machtbereiche. Das breite Spektrum der verschiedenen zivilen und militärischen Karrieren kann hier allerdings nicht ausgebreitet werden, sodass nur am Beispiel des Gnaeus Iulius Verus aus der Mitte des 2. Jahrhunderts, dessen Karriere ihn mehrmals an den Niederrhein führte, die Mobilität dieser Personengruppe illustriert wird.

Der aus *Aequum* in Dalmatien stammende Senator Gnaeus Iulius Verus[47] (geb. 112/113 n. Chr.) war zunächst mit ca. 20 Jahren in Rom Mitglied des Drei-Männerkollegiums für die Gold-, Silber- und Bronzeprägung und wurde dann zwischen 133–135 n. Chr. *tribunus laticlavius* der *legio X Fretensis* in Jerusalem, wo er wohl für ca. drei Jahre Dienst tat. Danach kehrte er zunächst ins Zivilleben nach Rom zurück und übernahm dort die üblichen, noch aus der Republik stammenden Ämter eines Quästors, eines Volkstribunen sowie um 146 n. Chr. das Amt des Prätors. Damit war er zur Übernahme eines Legionskommandos berechtigt, das er zwischen 142 und 145 n. Chr. in Xanten bei der *legio XXX Ulpia Victrix* übernahm. Zurück in Rom wurde er 150–151 n. Chr. Praefekt des *aerarium Saturni* und erreichte schließlich 151/152 n. Chr. das Konsulat. Als gewesener Konsul durfte er nun als Statthalter des Kaisers (*legatus Augusti*) einzelne Provinzen verwalten und übernahm nacheinander die Statthalterschaften in Germania Inferior (153–155? n. Chr.), Britannia (155?–158 n. Chr.) und Syria (164–166 n. Chr.), wo er maßgeblich am Partherfeldzug des Lucius Verus beteiligt war. Von dort kehrte er nach Rom zurück und wurde in seinem Todesjahr 179/180 n. Chr. zum zweiten Mal zum Konsul gewählt.

Fazit

Das Spektrum der Mobilität der römischen Legionen und ihrer Soldaten spiegelt die ungeheure Dynamik wider, mit der Rom in der Lage war, seine Truppen je nach aktuellen Anforderungen und Bedürfnissen neu aufzustellen, an bestimmten Orten einzusetzen und auch wieder in gänzlich andere Regionen des Reiches zu versetzen. Für den einfachen Soldaten waren diese hohen Mobilitätsanforderungen sicher nur dann erträglich, wenn er die Legion selbst als seine eigentliche Heimat und seinen persönlichen Lebensmittelpunkt betrachtete, egal wo diese sich gerade aufhielt. Dies muss in ähnlicher Form für die hohen Offiziere gegolten haben, bei denen die fehlende Bindung an eine einzelne Einheit durch eine tiefe Verbundenheit mit dem römischen Staat bzw. mit dem Kaiser selbst ersetzt wurde. Eine verbindende „Rom-Idee" als identitätsstiftendes „Wir-Gefühl" wird die Hunderttausenden an Legionssoldaten vom 1. bis 3. Jahrhundert n. Chr. durch ihre Einsätze im ganzen Reich getragen haben, wobei sie selbst als Protagonisten einer einheitlichen Militärgesellschaft auftraten, die die jeweilige Kultur vor Ort maßgeblich prägte und im Sinne Roms veränderte. Die Legionäre Roms waren demnach überall zu Hause und verteidigten Rom von Schottland über den Limes bis nach Nordafrika und im Orient.

1 Verg. Aen. 1,279. 6,853.

2 Vgl. als Überblickswerke zu den Legionen Roms: J. B. Campbell, Legio. In: H. Cancik/H. Schneider (Hrsg.), Der Neue Pauly. Enzyklopädie der Antike 7 (Stuttgart, Weimar 1999) 7–22.; A. Goldsworthy, Die Legionen Roms (Frankfurt 2004); N. Pollard/J. Berry, Die Legionen Roms (Stuttgart 2012) [= POLLARD/BERRY 2012].

3 Zur Entwicklung und Verteilung der Legionen in der Kaiserzeit: RE XII 2 (1924/25) 1564–1829 s. v. Legio (E. Ritterling) [= RITTERLING 1924/25]; H. M. D. Parker, The Roman Legions (Cambridge 1958). – Zu den einzelnen Legionen: Y. Le Bohec, Les Légions de Rome sous le Haut-Empire. Actes du Congrès de Lyon (17–19 septembre 1998) (Paris 2000) [= LE BOHEC 2000]; POLLARD/BERRY 2012, 32–209, bes. 50: zur reichsweiten Verteilung der Legionen auf der Grundlage von Tac. ann. 4,5; ILS 2288 (hier Abb. 1) und Dio Cass. 55,23.

4 Zur Geschichte der *legio XXI Rapax*: F. Bérard, La légion XXIe Rapax. In: LE BOHEC 2000, 49–67.

5 Der Begriff *vexillatio* leitet sich dabei von *vexillum* (Standarte) ab, um die sich diese abgeordneten Soldaten (*vexillarii*) sammelten. Zur Entwicklung der Vexillationen ab der augusteischen Zeit: R. Saxer, Untersuchungen zu den Vexillationen des römischen Kaiserheeres von Augustus bis Diokletian. Epigr. Stud. 1 (Köln, Graz 1967) [= SAXER 1967] bes. 118 ff.

6 SAXER 1967, 7 ff. Nr. 3. und 5; Tac. ann. 1,38,1 und 4,73,1.

7 SAXER 1967, 21 Nr. 38; B. Oldenstein-Pferdehirt, Die Geschichte der Legio VIII Augusta. Jahrb. RGZM 31, 1984, 397–433, hier 407 ff. [= OLDENSTEIN-PFERDEHIRT 1984].

8 SAXER 1967, 22 f. Nr. 39–40; zur möglichen Abkommandierung dieser Vexillationen zum Dakerkrieg, vgl. K. Strobel, Zur Rekonstruktion der Laufbahn des C. Velius Rufus. Zeitschr. Papyr. u. Epigr. 64, 1986, 265–286, bes. 277 f.

9 SAXER 1967, 13 Nr. 13–15; Tac. hist. 1,6. 1,31; Suet. Nero 19,1 und Galba 20.

10 SAXER 1967, 14–21 mit den entsprechenden Textstellen aus Tac. hist.

11 Zur Zeit Hadrians: SAXER 1967, 27 f. Nr. 47:
Eine Vexillation aus den beiden obergermanischen *legiones VIII Augusta* und *XXII Primigenia*
sowie der spanischen *legio VII Gemina*, die evtl.
in der Folge dort auch am Bau des Hadrianswall
beteiligt waren; vgl. OLDENSTEIN-PFERDEHIRT
1984, 425 f.– Zum Einsatz um 160 n. Chr. unter dem ehemaligen Legionslegaten der *legio
XXX Ulpia Victrix* Iulius Verus: SAXER 1967, 32
Nr. 62; M. Reuter, Legio XXX Ulpia Victrix.
Ihre Geschichte, ihre Soldaten, ihre Denkmäler.
Xantener Ber. 23 (Mainz 2012) [= REUTER
2012] 17. – Zum Einsatz im Jahr 217 n. Chr.:
E. Birley, Troops of the two Germanies in Roman Britain. In: Epigr. Stud. 4 (Köln, Graz
1967) 103–107; REUTER 2012, 22.

12 R. Haensch, Inschriften und Bevölkerungsge-
schichte Niedergermaniens zu den Soldaten der
Legiones I Minervia und XXX Ulpia Victrix.
Kölner Jahrb. 34, 2001, 89–134 [= HAENSCH
2001], hier 109 f. Nr. 27. 28; 120 Nr. 121;
REUTER 2012, 17 Nr. 105.

13 Vgl. ILS 1097 und 1098; RITTERLING 1924/25,
1420–1434; das Bonner Legionslager wurde für
einige Jahre von Abteilungen der *legio XXX Ulpia Victrix* in Stand gehalten, vgl. REUTER 2012,
17.

14 REUTER 2012, 18 ff. und 115 Nr. 70 mit Hinweis auf einen weiteren Grabstein eines Soldaten
der *legio X Gemina* in Ankara vom 5. September
195 n. Chr. und dem Zusatz „*rediens a Parthia
decessit*".

15 SAXER 1967, 47 f. Nr. 84; OLDENSTEIN-PFER-
DEHIRT 1984, 428; REUTER 2012, 20 f.

16 Dio Cass. 80,4,5; OLDENSTEIN-PFERDEHIRT
1984, 428; REUTER 2012, 22 und 126 f. Nr. 87.

17 Dio Cass. 76,6, der von 150.000 Soldaten auf
beiden Seiten spricht, eine Zahl die sicher zu
hoch ist, aber die schiere Größe der Armeen an-
zeigen soll.

18 REUTER 2012, 20 ff.; OLDENSTEIN-PFERDEHIRT
1984, 404 ff. Abb. 5.

19 SAXER 1967, 74 ff. Nr. 194–220 und 234–236;
REUTER 2012, 103 Nr. 55; 177 f. Nr. 158–160.

20 OLDENSTEIN-PFERDEHIRT 1984, 413 mit Anm.
91–94.

21 SAXER 1967, 80 f. Nr. 223–226.

22 Ebd. Nr. 223; H. Nesselhauf/H. Lieb, Dritter
Nachtrag zu CIL XIII. Inschriften aus den ger-
manischen Provinzen und aus dem Trevergebiet.
Ber. RGK 40, 1959, 120–229, hier 179 Nr. 15.

23 Dio Cass. 76,9,3–4. Zu Schiffbaumaßnahmen
am Rhein im Vorfeld des Britannienfeldzuges:
P. Herz, Zeugnisse römischen Schiffbaus in
Mainz – Die Severer und die *Expeditio Britan-
nica*. Jahrb. RGZM 32, 1985, 422–435.

24 Vgl. zu Aushebungen in der Provinz Pontus/Bi-
thynien im Kontext der Partherkriege Traians:
Plin. epist. 10,29–30.

25 Zu einem solchen Rekrutentransport in Ägypten unter der Führung eines *cornicularius* (allerdings zu einer Auxiliarkohorte): M. Junkel-
mann, Die Legionen des Augustus (9. Aufl.
Mainz 2003) 107 f. (= The Oxyrhynchus Papyri
VII 1022).

26 Zu den Berechnungen der Rekrutenzahlen: G.
Forni, Il reclutamento delle legioni da Augusto
a Diocleziano (Milano, Roma 1953) 30; Y. Le
Bohec, Die römische Armee (Stuttgart 1993) [=
LE BOHEC 1993] 77; HAENSCH 2001, 92.

27 Vgl. die Übersicht zur Herkunft der Rekruten
bei LE BOHEC 1993, 90–91.

28 W. Boppert, Militärische Grabdenkmäler aus
Mainz und Umgebung. CSIR Deutschland II
5 (Mainz 1992) 225 f. Nr. 113 und 258 f. Nr.
153; ebenfalls aus Köln stammt L. Aemilius
Crescens, Soldat der *legio XIIII Gemina* aus flavischer Zeit, dessen Grabstein in Baden-Baden
gefunden wurde: CIL XIII 6304.

29 REUTER 2012, 5 f.

30 Zur *legio VIII Augusta*: OLDENSTEIN-PFERDE-
HIRT 1984, 405 f. mit Abb. 4. – Zur *legio I Minervia* und *legio XXX Ulpia Victrix*: HAENSCH
2001, 92 ff.; REUTER 2012, 40 f.

31 Zu C. Iulius Agelaus und seiner Frau Metelene:
HAENSCH 2001, 95 f. und Nr. 5; zu Aurelius
Arestaenetus: Ebd. 108 Nr. 13; vgl. auch Aurelius Demosthenes aus der *legio XXX Ulpia Victrix*: ebd. 121 Nr. 125; REUTER 2012, 144 Nr.
113.

32 M. Reuter, Die Xantener Inschrift CIL XIII
8607, Septimius Severus und der thrakische Per-
sonaleinsatz bei den Rheinlegionen. In: Xantener Ber. 15 (Mainz 2009) 347–355.

33 W. Scheidel, Rekruten und Überlebende: Die demographische Struktur der römischen Legionen in der Prinzipatszeit. Klio 77, 1995, 232–254, bes. 243 ff.

34 REUTER 2012, 42 f. Abb. 19; dieser Vorgang scheint ab dem 2. Jh. n. Chr. eher unüblich gewesen zu sein, wie die nur vereinzelten Belege zur *legio VIIII Augusta* oder zur *legio XXX Ulpia Victrix* aufzeigen: OLDENSTEIN-PFERDEHIRT 1984, 405 f. Abb. 5; REUTER 2012, 111 Nr. 64 und 164 f. Nr. 140.

35 Vgl. die 13 Veteranen der *legio XXX Ulpia Victrix* aus Lyon: REUTER 2012, 44; zur *legio VIII Augusta*: OLDENSTEIN-PFERDEHIRT 1984, 405 f. Abb. 5.

36 B. u. H. Galsterer, Zur Inschrift des Poblicius-Denkmals in Köln. Bonner Jahrb. 179, 1979, 201–208; vgl. auch die 11 Veteranen der *legio I Minervia* und der *legio XXX Ulpia Victrix* in Köln: HAENSCH 2001, 95 und REUTER 2012, 42 f. Abb. 19.

37 E. Schallmayer, Der römische Weihebezirk von Osterburken I. Corpus der griechischen und lateinischen Beneficiarier-Inschriften des Römischen Reiches. Forsch. u. Ber. Vor- u. Frühgesch. Baden-Württemberg 40 (Stuttgart 1990) [= SCHALLMAYER 1990]; J. Ott, Die Beneficiarier. Untersuchungen zu ihrer Stellung innerhalb der Rangordnung des römischen Heeres und zu ihrer Funktion (Stuttgart 1995).

38 SCHALLMAYER 1990, 746 ff. mit Verbreitungskarten und Index 806 ff.; zu den Einsatzorten der Beneficiarier der *legio XXII Primigenia* und der *legio VIII Augusta*: OLDENSTEIN-PFERDEHIRT 1984, 422 Abb. 16.

39 M. Clauss, Untersuchungen zu den principales des römischen Heeres von Augustus bis Diokletian. Cornicularii, speculatores, frumentarii (Bochum 1973); M. Reuter, Die frumentarii – neugeschaffene Geheimpolizei Traians? In: E. Schallmayer (Hrsg.), Traian in Germanien – Traian im Reich. Saalburg-Schr. 5 (Bad Homburg 1999) 77–81.

40 OLDENSTEIN-PFERDEHIRT 1984, 425 f. mit Anm. 138–140 und Abb. 18; REUTER 2012, 42.

41 Vgl. E. Birley, Promotions and Transfers in the Roman Army II. The Centurionate. Carnuntum-Jahrb. 1963/64, 21–33; [= BIRLEY 1963/64]; vgl. z. B. die Karriere des Marcus Annius Martialis, der als erfahrener *centurio* zum Zeitpunkt der Aushebung der neuen *legio XXX Ulpia* unter Traian zu dieser Einheit abkommandiert wurde: REUTER 2012, 76 f. Nr. 27.

42 Zum Einsatz von Centurionen als Kommandeure von Hilfstruppen am Limes: OLDENSTEIN-PFERDEHIRT 1984, 413 ff. mit Abb. 12–13. Zusammenfassend mit weiterführender Literatur: REUTER 2012, 37–39.

43 BIRLEY 1963/64, 215 Nr. 18; M. Kemkes, Im Auftrag des Adlers. Das Leben des Publius Ferrasius Avitus. In: E. Harsányi u. a. (Hrsg.), Im Auftrag des Adlers. Publius Ferrasius Avitus. Ein Soldat Roms in Krieg und Frieden (Buchen 2012) 13–37.

44 SCHALLMAYER 1990, 110 ff. Nr. 123; zu ähnlichen Versetzungen zwischen den Rheinprovinzen vgl. ebd. 691 f. Nr. 897; H. Lehner, Römische Steindenkmäler von der Bonner Münsterkirche. Bonner Jahrb. 135, 1933, 8 Nr. 8 und 9; OLDENSTEIN-PFERDEHIRT 1984, 426 f.

45 BIRLEY 1963/64, 208 f. Nr. 1; REUTER 2012, 37 f. Nr. 38.

46 BIRLEY 1963/64, 209 f. Nr. 3; B. Campell,The Roman army, 31 BC–AD 337 (London 1994) Nr. 87.

47 E. Birley, Beförderungen und Versetzungen im römischen Heer. Carnuntum-Jahrb. 1957, 3–20, hier Tab. 2 Nr. 6; G. Alföldy, Die Legionslegaten der römischen Rheinarmeen. Epigr. Stud. 3 (Köln, Graz 1967) 120 ff.; ders., Senatoren in der römischen Provinz Dalmatia. Epigr. Stud. 5 (Düsseldorf 1968) 120–122 Nr. 5; W. Eck, Die Statthalter der germanischen Provinzen vom 1.–3. Jahrhundert. Epigr. Stud. 14 (Bonn 1985) 173 f. Nr. 33; REUTER 2012, 55 f. Nr. 4.

IN FREMDEN DIENSTEN – MOBILITÄT BEI GERMANISCHEN HILFSTRUPPEN

Dirk Schmitz

Einleitung

Etwa die Hälfte der geschätzten 300.000 bis 400.000 Soldaten des Imperium Romanum waren keine römischen Bürger. Sie gehörten zu den sogenannten Hilfstruppen, *auxilia*, die Rom aus unterworfenen Völkerschaften rekrutierte. Der Preis für regelmäßigen Sold und die Aussicht, nach 25 Jahren Dienst im Falle des Überlebens die Würde eines römischen Bürgers sowie das Recht, eine gültige Ehe einzugehen, verliehen zu bekommen, war hoch: Die Auxiliare trugen die Hauptlast der Grenzverteidigung, da sie unmittelbar am jeweiligen Limes stationiert waren, während die Legionen zumeist im rückwärtigen Bereich als Reserve zur Verfügung standen. Die Hilfstruppen wurden als Infanterie- (*cohortes*) oder Reitereinheiten (*alae*) gebildet und konnten etwa 480 Mann (*quingenaria*) bzw. das Doppelte stark sein (*milliaria*). Ausgerichtet nach den taktischen Bedürfnissen des militärischen Systems, waren sie in *centuriae* (80 Mann) bzw. *turmae* (32 Reiter) untergliedert.

Mobilität bedeutete bei den Auxiliareinheiten die Verfügbarkeit ihrer Kampfkraft, deren Einsatzort strategischen und taktischen Überlegungen unterworfen sein konnte. Dies kann anhand der germanischen Stämme nachgezeichnet werden, die seit augusteischer Zeit das Gebiet der späteren Provinz Germania Inferior und der angrenzenden Belgica bewohnten (Abb. 36). Unter römischer Herrschaft stellten sie Truppenkontingente, die in das römische Heer integriert wurden[1].
Die Germanenstämme waren nicht von Anfang an als reguläre Formationen aufgestellt. Sie begannen als „tumultuarische Scharen", die kurzfristig aus der wehrfähigen Bevölkerung ausgehoben wurden und die Römer bei Feldzügen bzw. in außerordentlichen Situationen mit eigener Kampfweise unterstützten. Im Falle der germanischen Einheiten ist nicht sicher, ob sich stehende Formationen als Kohorten und Alen bereits bis zur Zeit des Claudius (41–54 n. Chr.) etablierten oder ob es vor dem Bataveraufstand (70 n. Chr.) noch keine regulären germanischen Auxilien gab, und diese vielmehr eine Folge jenes Aufstandes waren[2].

Truppenbewegungen germanischer Einheiten vom 1. bis ins 3. Jahrhundert

Bereits Caesar nutzte die Kampfkraft der germanischen Reiterei im Krieg gegen die Gallier ab 52 v. Chr., nachdem sich andere Lösungen mit italischen und gallischen Kontingenten nicht bewährt hatten. Diese *equites Germani* traten wiederum 48 v. Chr. in Kämpfen vor dem ägyptischen Alexandria auf Seiten Caesars in Erscheinung. In iulisch-claudischer Zeit wurden die Hilfstruppen der gallisch-germanischen Stammesgebiete überwiegend in den germanischen Militärbezirken

36 Literarisch überlieferte Siedlungsgebiete germanischer Gruppen auf römischem Boden in Ostgallien und im nördlichen Germanien um Christi Geburt.

eingesetzt. Zu dieser Zeit waren die Einheiten weitgehend ethnisch geschlossen. Die Ubier, seit Caesar mit den Römern verbündet, stellten mindestens eine mit Reitern ergänzte Infanterieeinheit. Eine Formation aus dem Gebiet der Tungrer, das zur Provinz Belgica gehörte, war die *ala Frontoniana*[3]. Es handelt sich um eine „gallische" Reitereinheit, in die Soldaten unterschiedlicher gallischer und germanischer *civitates* integriert wurden. Keine Hinweise auf reguläre Hilfstruppen gibt es im 1. Jahrhundert n. Chr. von den Baetasiern und Frisiavonen. Sie könnten Mitte des 1. Jahrhunderts n. Chr. oder nach dem Bataveraufstand gegründet und dann nach Britannien verlegt worden sein, wo sie zu Beginn des 2. Jahrhunderts nachgewiesen sind. Die Nervier waren ein germanischer Stamm, der in Nachbarschaft zu den gallischen Treverern lebte. Einst erbitterte Feinde Caesars, lag seit iulisch-claudischer Zeit mindestens eine *cohors Nerviorum* im obergermanischen Militärbezirk. Die Sugambrer wurden nach schweren Kämpfen im Jahr 9 v. Chr. in das Gebiet westlich des Rheins umgesiedelt und verschmolzen mit der vorhandenen Bevölkerung zu den Cugernern. Im Jahr 26 n. Chr. ist eine *cohors I Claudia Sugambrorum* in der Provinz Moesia im heutigen Bulgarien nachweisbar. Die Frage nach der Entstehung eigenständiger Sugambrerkohorten ist bis heute ungeklärt, eine *cohors Cugernorum* gab es jedenfalls zunächst nicht.

Die Cannanefaten waren eng mit den Batavern verbunden, da sie wie diese ein Teilstamm der Chatten waren und ebenfalls über eine herausragende Reiterei verfügten. Die Einsätze der Bataver sind aus antiken Schriftquellen bestens bekannt. Am Feldzug des Germanicus in die Gebiete östlich des Rheins (14–16 n. Chr.) beteiligten sie sich unter ihrem Fürsten Chariovalda. Kaiser Claudius (41–54 n. Chr.) veranlasste 43 n. Chr. die Verlegung von Bataverkohorten für den Eroberungszug nach Britannien[4]. Möglicherweise waren die batavischen Infanterieeinheiten fortan in Britannien stationiert, bis sie noch unter Kaiser Nero (54–68 n. Chr.) im Jahr 67 n. Chr. zusammen mit der *legio XIV* auf den Kontinent zurückbeordert wurden[5]. Vorgesehen war ihr Einsatz in einem Orientfeldzug, zu dem es jedoch nicht mehr kam. Stattdessen wurden sie mitsamt batavischer Reiterei in den ausgebrochenen Bürgerkrieg hineingezogen, an dem sie sich zunächst wie Tungrer, Nervier und Ubier als Bestandteil der niedergermanischen Armee beteiligten. Im Jahr 70 n. Chr. übernahmen Bataver, Cannanefaten und Frisen die Initiative, die Macht Roms in Gallien und Germanien bis zum Rhein infrage zu stellen. Diese als Bataveraufstand bekannte Erhebung hatte sich an einer vom Thronprätendenten Vitellius angeordneten Aushebung wehrfähiger Männer bei Batavern und Cannanefaten entzündet. Eine Tungrerkohorte trat nach Beginn erster Kämpfe zu den Aufständischen über, ebenso Volksaufgebote aus Stämmen der Baetasier und Nervier. Kohorten der Ubier wurden von abtrünnigen Truppen auf dem Territorium des römischen Köln niedergemacht. Ebenso rasch, wie der Aufstand Zulauf bekam, fielen die verbündeten Germanenstämme ab, als sich die römische Herrschaft im Rheingebiet wieder stabilisierte und sich die Übermacht der Rom treuen Legionen abzeichnete. So unterwarfen sich beispielsweise Nervier und Tungrer, sobald eine Legion in ihr Gebiet eindrang.

In flavischer Zeit änderte sich die Dislokationspolitik. Die Einheiten hatten sich aus römischer Sicht im Bataveraufstand zwar als unzuverlässig erwiesen[6], dennoch waren ihre Fähigkeiten an anderen Schauplätzen gefragt. Für die germanischen Formationen wurde Britannien zur Stationierungsprovinz schlechthin. Im Zuge der Eroberungskriege auf der Insel nahm Petillius Cerialis, der verantwortliche Statthalter ab 71 n. Chr., schon früh zusätzliche, auch neu ausgehobene Auxiliareinheiten aus Germanien mit auf die Insel. Dort kämpften vier Bataverkohorten und zwei Einheiten der Tungrer 84 n. Chr. in der Schlacht am *mons Graupius*[7]. Drei dieser Bataverkohorten sind noch gegen Ende des 1. Jahrhunderts in Britannien bezeugt, spätestens zu Beginn des 2. Jahrhunderts verließen aber die *cohortes III* und *IX Batavorum* die Provinz[8]. Lediglich die *cohors I Batavorum quingenaria* blieb längere Zeit in Britannen stationiert. Die literarisch überlieferten *cohortes I* und *II Tungrorum milliariae* finden sich noch im 2. und 3. Jahrhundert n. Chr an wechselnden Standorten in Britannien[9]. Zudem gab es eine *ala I Tungrorum*, die von der *ala Frontoniana* zu unterscheiden ist[10]. Sie wird in britannischen Urkunden von 98–158 n. Chr. aufgeführt und war 480 Mann stark[11]. Darüber hinaus sind zahlreiche germanische Einheiten ab dem frühen 2. Jahrhundert in Britannien nachgewiesen und waren dauerhaft dort stationiert (Tab. 3).

Ein weiterer Schwerpunkt für den Einsatz germanischer Einheiten entstand entlang der Donau (Tab. 4). Die Auseinandersetzungen mit Völkerschaften nördlich des Flusses unter den Kaisern Domitian (81–96 n. Chr.) bis Hadrian (117–138 n. Chr.) hatten erhebliche Auswirkungen auf die Zusammensetzung der Truppen in den Provinzen von Raetien bis Moesien. Insbesondere die Dakerkriege Traians 101/102 und 105/106 n. Chr. sowie die anschließende Besetzung des neu eroberten Gebietes erforderte die Bereitstellung von neuen Truppen, zu denen verstärkt ger-

Einheit	Britannien
ala I Tungrorum quingenaria	Ende 1.–3. Jh.
cohors I Tungrorum milliaria	ab 71 n. Chr.? Ende 1.–3. Jh.
cohors II Tungrorum milliaria	ab 71 n. Chr.? Ende 1.–3. Jh.
cohors I Batavorum quingenaria	ab 71 n. Chr.? 2./3. Jh.
cohors II Batavorum milliaria	ab 71 n. Chr.? Ende 1. Jh. n. Chr.?
cohors III Batavorum milliaria	ab 71 n. Chr.? Ende 1./Anfang 2. Jh. n.
cohors IX Batavorum quingenaria	ab 71 n. Chr.? Ende 1./Anfang 2. Jh. n. Chr.
cohors I Baetasiorum civium Romanorum	Ende 1. Jh.? 2./3. Jh.
cohors I Frisiavonum	Ende 1. Jh.? 2./3. Jh.
cohors I Ulpia Traiana Cugernorum civium Romanorum	Ende 1. Jh.? 2./3. Jh.
cohors I Sunucorum	Ende 1. Jh.? 2./3. Jh.
cohors I Augusta Nerviorum	Ende 1. Jh.? 2./3. Jh.
cohors II Nerviorum civium Romanorum	Ende 1. Jh.? 2./3. Jh.
cohors III Nerviorum	Ende 1. Jh.? 2./3. Jh.
cohors IV Nerviorum	Ende 1. Jh.? 2./3. Jh.
cohors VI Nerviorum	Ende 1. Jh.? 2./3. Jh.

Tab. 3 Germanische Hilfstruppen in Britannien.

manische Einheiten gehörten (Abb. 37). Die Kriege waren verlustreich, wie die Überreste eines riesigen Grabaltares vermuten lassen. In Fragmenten haben sich die Namen von zwei Batavern, drei Tungrern, fünf Ubiern und einem Nervier erhalten, zwölf Tote von geschätzten 3.800 Gefallenen einer siegreichen Kampagne während des 1. Dakerkrieges[12].

Soweit erkennbar, erfolgten die Truppenverlegungen nach Pannonien sowie Moesien und von dort nach Dakien. Die ersten Einheiten wurden 85/86 n. Chr. bzw. 92 n. Chr. an die Donau beordert. Bisweilen bezogen aus diesen Provinzen die Besatzungen von Noricum und Raetien zusätzliche Kräfte, wobei diese zum Teil aus Vexillationen bestanden (Tab. 5). Allerdings sind die Strategien der Truppenverlegungen längst noch nicht völlig durchschaubar. So ist die *ala I Batavorum* zwischen 98 und 101 n. Chr. überraschenderweise in ihrer Heimatprovinz Germania Inferior dokumentiert und war dort zumindest seit 89 n. Chr. anwesend, bevor sie ab 112 n. Chr. in der Pannonia Superior nachweisbar ist[13].

Eine verschärfte Bedrohungslage im unteren Donaubereich führte um 118/119 n. Chr. zur Teilung von Dakien in drei Provinzen. Germanische Einheiten aus Pannonien und Moesien zählten fortan vor allem zur Besatzung der Dacia Porolissensis, aber auch zur Dacia Inferior sowie Superior (Abb. 38). Andererseits kam um 118/119 n. Chr. die *cohors III Batavorum* aus Raetien in die Pannonia Inferior[14]. Noricum erhielt ebenfalls in dieser Zeit Verstärkung, zu der die *cohors II*

Einheit	Pannonien (bis 106 n. Chr.)	Pannonia Inferior	Pannonia Superior	Moesia (bis 86 n. Chr.)	Moesia Inferior	Moesia Superior	Dacia Porol	Dacia Superior	Dacia Inferior
ala Frontoniana Tungrorum	um 80 n. Chr.	ab 106 n. Chr.					ab 118/119 n. Chr.		
ala I Batavorum			ab 112 n. Chr.					136/138–158 n. Chr.	
cohors I Batavorum milliaria	85/86 n. Chr.	ab 106 n. Chr.					ab 118/119 n. Chr.		
cohors II Batavorum milliaria	um 92 n. Chr.		ab 106 n. Chr.						
cohors III Batavorum milliaria		118/119 n. Chr.–3. Jh.							
cohors IX Batavorum quingenaria				103/105 n. Chr.					
ala I Cannanefatium	um 92 n. Chr.		2./3. Jh. n. Chr.						
cohors I Cannanefatium	um 92 n. Chr.						130/131–164 n. Chr.		
cohors I Ubiorum				ab 78 n. Chr.	97–105 n. Chr.			136/138–179 n. Chr.	119/129 n. Chr.
cohors I Claudia Sugambrorum veterana				ab 75 n. Chr.	86 n. Chr. – Mitte 2. Jh.				
cohors I Claudia Sugambrorum tironum				ab 78 n. Chr.	111 n. Chr.				

Tab. 4 Germanische Hilfstruppe in Pannonien, Moesien und Dakien.

Batavorum aus der Pannonia Superior gehörte[15]. Eine Vexillation der *cohors II Tungrorum* ist in Noricum und in Raetien von hadrianischer bis antoninischer Zeit nachgewiesen[16]. Sie kam aus Britannien und war nacheinander in diesen Provinzen stationiert, bevor sie in ihre Stammprovinz zurückkehrte. Sie löste in Raetien die Vexillation der *cohors IV Tungrorum* ab[17].

Außer in Britannien oder entlang der Donau wurden in den übrigen Teilen des Reiches Einheiten mit Angehörigen germanischer Stämme selten eingesetzt[18]. Erst wiederholte Erhebungen lokaler Stämme in den mauretanischen Provinzen unter Traian, Hadrian oder Antoninus Pius führten ab 107 n. Chr. zu Verlegungen auch von germanischen Einheiten in diesen Raum (Tab. 6). Zumeist wurden sie als Vexillationen dorthin abkommandiert und kehrten kurzfristig in ihre Stammprovinz zurück, wie beim Maurenkrieg um 149 n. Chr., als ein Expeditionsheer aus pannonischen Einheiten in die Mauretania Caesariensis verlegt wurde[19]. Die *cohors IV Tungrorum* ist zunächst mit einer Vexillation in der Mauretania Tingitana vertreten, dann ab Septimius Severus (193–211 n. Chr.) als vollständige *milliaria* bis ins 3. Jahrhundert dort belegt[20]. Die vorübergehende Abkommandierung einer Vexillation der *cohors I Sugambrorum veterana* in die Provinz Asia um 126 n. Chr. wird mit der Niederschlagung des Bar Kokhba-Aufstandes in der Endphase der Herrschaft Hadrians in Judea (132–135 n. Chr.) in Verbindung gebracht[21]. Mit diesem Krieg hing möglicherweise die Verlegung der *cohors I Sugambrorum*

Einheit	Raetien	Noricum
cohors II Tungrorum milliaria	Vex. 2. Drittel 2. Jh.	Vex. 2. Drittel 2. Jh.
cohors IV Tungrorum		Ende 1. Jh. – 121/125 n. Chr.
cohors II Batavorum milliaria		118/119 n. Chr.
cohors III Batavorum milliaria	107 n. Chr.	
cohors IX Batavorum quingenaria	ab 116 n. Chr.	

Tab. 5 Germanische Hilfstruppen in Raetien und Noricum.

38 Ein Militärdiplom für Truppen der Dacia Porolissensis mit Nennung von Einheiten der Bataver und Cannanefaten (10. Dezember 163 n. Chr.–9. Dezember 164 n. Chr.).

tironum nach Syrien zusammen, wo sie 153 und 157 n. Chr. in Militärdiplomen genannt wird[22].

Die Mobilität von Auxiliarsoldaten konnte auch innerhalb einer Provinz hoch sein. Die Beschaffung von Lebensmitteln, die Sicherung von Verkehrswegen oder der Schutz des Statthalters waren einige Anlässe, den Stationierungsort zeitweise zu verlassen. So umfasste die im britischen Vindolanda stationierte *cohors I Tungrorum milliaria* beispielsweise 752 Mann, von denen lediglich 296 Soldaten im Lager anwesend waren (Abb. 39)[23]. Die übrigen 456 waren in acht Verbänden unterschiedlicher Stärke an Orte wie London, Corbridge oder York abkommandiert. Einige Soldaten verließen sogar die Provinz und sind nach Gallien aufgebrochen.

Einheit	Mauretania Tingitana	Mauretania Caesariensis	Syria	Asia
cohors IV Tungrorum	Vex. ab 153 n. Chr./ vollständig ab 167/168 n. Chr.(?)-3. Jh.			
cohors I Sugambrorum veterana				Vex. 126 n. Chr.
cohors I Sugambrorum tironum			153 u. 157 n. Chr.	
cohors IV Sugambrorum		107 n. Chr. – Mitte 2. Jh.		
ala I Nerviorum		107 n. Chr. – Mitte 2. Jh.		
cohors I Nerviorum velox		107 n. Chr. – Mitte 2. Jh.		
cohors III Batavorum milliaria		Vex. um 149 n. Chr.		
ala I Cannanefatium		Vex. um 149 n. Chr.		

Tab. 6 Germanische Hilfstruppen in Mauretanien und Syrien.

Die Soldaten und ihre Herkunft

Bis in die Zeit der flavischen Kaiser waren Hilfstruppen durch Mitglieder des jeweiligen Stammes geprägt. Vereinzelt versahen Germanen bereits zu dieser Zeit in Einheiten anderer Ethnien wie der *ala I Hispanorum*, *ala Bosporanorum* oder *ala Thracum* ihren Dienst, zumeist wenn die entsprechende Truppe in Germanien stationiert war[24]. Danach verloren die ursprünglich aus einzelnen Volksgruppen aufgestellten Formationen ihren ethnischen Charakter, dies jedoch je nach Truppe und Region unterschiedlich schnell. Die Einheiten der Tungrer und Bataver waren zu Beginn des 2. Jahrhunderts n. Chr. noch weitgehend aus Stammesangehörigen zusammengesetzt. Einblick gewähren hier im Kastell Vindolanda entsorgte Schrifttafeln, die sich im feuchten Boden erhalten haben. Darunter befindet sich die oben erwähnte Auflistung der aktuellen Stärke der dort zwischen 85 und 92 n. Chr. lagernden *cohors I Tungrorum milliaria* (Abb. 39)[25]. Bestätigt wird diese Tendenz bei germanischen Einheiten durch verschiedene Einzelfunde von Entlassungsurkunden[26]. Allerdings wurde lokale Aushebung unvermeidlich. Aufgrund der Verbreitung des Bürgerrechtes fielen ehemalige Rekrutierungsgebiete wie Spanien und die Lugdunensis weg. Neben Galliern trugen nun vor allem Pannonier und Thraker die Hauptlast der Ergänzung, zudem stieg seit Hadrian die Rekrutierung von römischen Bürgern in die Auxilien[27]. Zu dieser Zeit wurden die Verlegungen von Auxiliareinheiten seltener, da die Expansion der Sicherung der Grenzen wich. Deutlich zeigen sich diese Entwicklungen bei der *ala Frontoniana Tungrorum*, die an ihrem Stationierungsort an der Donau mit zahlreichen Pannoniern aufgefüllt wurde[28]. Vereinzelte Zeugnisse belegen diese Praxis für die *ala Batavorum*, die *cohors II Batavorum* und die *ala Cannanefatium* in Pannonien, die *cohors I Ubiorum* und die *cohors I Sugambrorum* in Moesien sowie die *cohors II Tungrorum* in Raetien, die *cohors IV Sugambrorum* in der Mauretania Tingitana oder die *cohors I Augusta Nerviana* in Britannien[29]. Zudem stieg die Anzahl an Germanen in niedergermanischen Auxiliareinheiten weiter an[30].

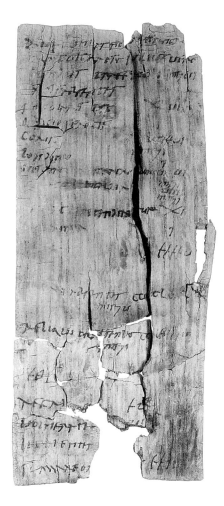

39 Auflistung der aktuellen Truppenstärke der *cohors I Tungrorum milliaria* am 18. Mai (Jahr unbekannt).

Das Verhältnis der Soldaten zu ihrer Heimat

Mit der Stationierung in der Fremde mussten die Kontakte in die Heimat nicht zwangsweise abbrechen. Das Versenden von Briefen konnte die Verbindung nach Hause aufrecht erhalten. Da den Soldaten aber kein staatlicher Transportdienst zur Verfügung stand, mussten sie ihre Schreiben Kameraden, Händlern oder auch unbekannten Reisenden mitgeben, die an den Bestimmungsort oder in die Nähe unterwegs waren. Bisweilen wechselte ein Brief auch den Boten[31]. Andererseits ist zu beobachten, dass Familien ihre Angehörige an den Stationierungsort begleiteten[32]. Am Ende ihrer Dienstzeit erhielten Auxiliare ihre neuen Rechte in Bronzetafeln bestätigt, wenn es ihnen wichtig war und sie die Urkunde bezahlten (Abb. 40). Die Mehrheit der Soldaten

40 Traianssäule. Ehrenhafte Entlassung von Auxiliarsoldaten durch Kaiser Traian.

41 Regensburg. Entlassungsurkunde des Batavers Marcus Ulpius Fronto (113 n. Chr).

verblieb nach ihrem Ausscheiden in der Provinz, in der sie zuletzt stationiert waren. Bisweilen folgten sie ihren Frauen, die sie vor Ort kennen gelernt hatten[33]. So wurde Pannonien, Moesien, Raetien oder Britannien zur neuen Heimat mancher Germanen[34].

Doch gab es auch Veteranen, die in ihr Stammesgebiet zurückkehrten. Ein Cannanefate ließ sich nach seiner Entlassung zwischen 160 und 167 n. Chr. in einer einheimischen Siedlung seines Stammesgebietes nieder. Die Entfernung war vergleichsweise gering, war er doch mit seiner *ala I Noricorum* im niedergermanischen Dormagen stationiert[35]. Aus England zog es um 100 n. Chr. einen unbekannten Frisen oder Bataver der *cohors I Frisiavonum* und einen Tungrer der *ala I Tungrorum* zurück in ihre Heimat ins niederländische Gelderland und an die Maas[36]. In diesem Zusammenhang scheint ein reich ausgestattetes Grab aus Ulpia Noviomagus auf einen aus Britannien zurückgekehrten Angehörigen einer Bataverkohorte zu deuten. Als Beigabe sticht ein emaillierter Henkeltopf für Balsamarien hervor, der offensichtlich in Britannien hergestellt wurde[37]. Es ist zu vermuten, dass die aus fremden Diensten zurückkehrenden Neurömer in ihrem alten Umfeld zur Oberschicht gehörten.

Ungewöhnlich erscheint der Lebensweg des Batavers M. Ulpius Fronto. Er trat um 88 n. Chr. in die *cohors I Batavorum milliaria* ein und erwarb sich in den Dakerkriegen Traians als Auszeichnung das römische Bürgerrecht. Seine Truppe war in der Pannonia Superior stationiert, als er nach 25 Dienstjahren entlassen wurde, zur Ruhe setzte er sich aber in Regensburg (Abb. 41)[38]. Seine Gattin, die Bat, die Batavern Mattua, begleitete Fronto aus dessen früherer Heimat, den heutigen Niederlanden, in die Fremde. Am Ende seiner Dienstzeit hatten die beiden drei Töchter.

Mögen die Auxiliarsoldaten nun vor Ort geblieben oder in ihr früheres Leben zurückgekehrt sein, mögen sie sich im ländlichen oder städtischen Bereich niedergelassen haben. Die Quellen geben den Eindruck, dass hinter den Entscheidungen individuelle Lebensentwürfe stehen, integriert in einem sozialen Umfeld ihren neuen Lebensabschnitt verbringen zu wollen.

1 Zugrunde liegende Werke sind: K. Kraft, Zur Rekrutierung der Alen und Kohorten an Rhein und Donau (Bern 1951) [= KRAFT 1951]; G. Alföldy, Die Hilfstruppen der römischen Provinz Germania inferior. Epigr. Stud. 6 (Düsseldorf 1968) [= ALFÖLDY 1968]; P. A. Holder, The Auxilia from Augustus to Trajan. BAR Internat. Ser. 70 (Oxford 1980) [= HOLDER 1980]; D. J. Knight, The Movements of the Auxilia from Augustus to Hadrian. Zeitschr. Papyr. u. Epigr. 85, 1991, 189–208 [= KNIGHT 1991]; J. Spaul, Cohors². The evidence for and a short history of the auxiliary infantry units of the Imperial Roman Army. BAR Internat. Ser. 841 (Oxford 2000) [= SPAUL 2000]; H.-J. Schalles, Germanische Schildfesseln und die cohortes Batavorum. In: M. Müller (Hrsg.), Grabung – Forschung – Präsentation. Xantener Ber. 14 (Mainz 2006) 213–224 [= SCHALLES 2006]; A. Kakoschke, ‚Germanen‘ in der Fremde. Osnabrücker Forsch. Altertum und Antike-Rezeption 8 (Möhnesee 2004) [= KAKOSCHKE 2004]; W. Eck, Römer werden – als Römer herrschen. Bürgerrechtserwerb und Integration. In: G. Uelsberg (Hrsg.), Krieg und Frieden. Kelten – Römer – Germanen. Ausst.-Kat. Bonn (Darmstadt 2007).

2 ALFÖLDY 1968, 46 f. 77 f. 81–95; insbesondere K. Tausend, Caesars Germanische Reiter. Historia 37, 1988, 491 f.; HOLDER 1980, 108 ff.

3 Die ala Frontoniana ist erst seit der Mitte des 2. Jhs. als ala I Frontoniana Tungrorum bekannt. Sie wurde ursprünglich nach ihrem Kommandeur Frontoniana genannt. Tungrer sind für diese Einheit nicht verbürgt, allerdings allgemein Germanen und Gallier.

4 Tac. hist. 4,12,3; ALFÖLDY 1968, 13 f. 45–48; M. W. C. Hassall, Batavians and the Roman Conquest of Britain. Britannia 1, 1970, 131–137 [= HASSALL 1970]; J. K. Haalebos, Traian und die Hilfstruppen am Niederrhein. Saalburg Jahrb. 50, 2000, 31–72, hier 42. Die ala Batavorum verblieb im Stammesgebiet.

5 Andere Auffassung bei SCHALLES 2006, 219, fußend auf M. Bang, Die Germanen im römischen Dienst bis zum Regierungsantritt Constantins I. (Berlin 1906) 32 f.; vgl. HASSALL 1970, 133.

6 So ALFÖLDY 1968, 91; ebd. 97 f.; vgl. auch KNIGHT 1991, 195.

7 Tac. Agr. 36,1.

8 Vermutlich gab es die cohortes IV–VIII Batavorum nach dem Bataveraufstand nicht mehr und die bekannten cohortes I, II, III und IX wurden dafür als milliariae gebildet. Einzig die cohors I Batavorum quingenaria blieb unverändert; vgl. ALFÖLDY 1968, 47 f.; HASSALL 1970, 135 f.; K. Strobel, Anmerkungen zur Geschichte der Bataverkohorten in der hohen Kaiserzeit. Zeitschr. Papyr. Epigr. 70, 1987, 271–292 [= STROBEL 1987], bes. 273–275; M. G. Jarrett, Non-legionary troops in Roman Britain. Britannia 25, 1994, 35–77 [= JARRETT 1994], hier 54 f.; SPAUL 2000, 206; SCHALLES 2006, 220 f.

9 J. Smeesters, Les Tungri dans l'armée Romaine état atuel de nos connaissances. In: Studien zu den Militärgrenzen Roms II. Vorträge des 10. Internat. Limeskongresses in der Germania Inferior (Köln, Bonn 1977) 175–186 [= SMEESTERS 1977]; JARRETT 1994, 48–50; R. Nouwen, The Vexillationes of the Cohortes Tungrorum during the second century. In: W. Groenman-van Waateringe/B. L. van Beek/W. J. H. Willems/S. L. Wynia, Roman Frontier Studies 1995. Oxbow Monograph 91 (Oxford 1997) 461 f. [= NOUWEN 1997].

10 JARRETT 1994, 44.

11 RMD 420. Es wird vermutet, dass sie noch im 3. Jh. in Britannien stationiert war.

12 K. Strobel, Untersuchungen zu den Dakerkriegen Trajans. Antiquitas 1/33 (Bonn 1984) 183–186. 237–239.

13 RMD 216; B. Pferdehirt, Römische Militärdiplome und Entlassungsurkunden in der Sammlung des Römisch-Germanischen Zentralmuseums. Kat. RGZM 37 (Mainz 2004) [= PFERDEHIRT 2004] Nr. 9. 15; B. Lőrincz, Die römischen Hilfstruppen während der Prinzipatszeit. Teil 1: Die Inschriften. Wiener Arch. Stud. 3 (Wien 2001) [= LŐRINCZ 2001] 15; W. Eck/A. Pangerl, L. Minicius Natalis in einem weiteren Militärdiplom für Pannonia Superior. Zeitschr. Papyr. u. Epigr. 180, 2012, 287–294 [= ECK/PANGERL 2012].

14 STROBEL 1987, 274 f. 287 f.; SPAUL 2000, 213 f.; LÖRINCZ 2001, 30 Nr. 9; RMD 229. 251. 266. 272. 397. 401. 415. 446. 447 (192 n. Chr.).

15 LÖRINCZ 2001, 30 Nr. 8; SCHALLES 2006, 221; ihren Aufenthalt in Moesien belegt die Inschrift ILS 9107 um 106 n. Chr.; H. Ubl, Das norische Provinzheer im Spiegel neuer Diplom- und Inschriftfunde. In: Z. Visy (Hrsg.), Proceedings of the XIXth Internat. Congress of Roman Frontier Stud. (Pécs 2005) 107–120 [= UBL 2005], hier: 113 f.

16 Noricum: NOUWEN 1997, 461–463; Raetien: ALFÖLDY 1968 Nr. 73; SPAUL 2000, 229–231; SMEESTERS 1977, 181; vgl. auch JARRETT 1994, 49; NOUWEN 1997, 461.

17 NOUVEN 1997, 462 f.; UBL 2005, 114.

18 Entsprechend spärlich ist auch die sonstige Überlieferung, vgl. KAKOSCHKE 2004, 221.

19 CIL XVI 56; M. Roxan, The *Auxilia* of Mauretania Tingitana. Latomus 32, 1973, 840 f. [= ROXAN 1973]; M. P. Speidel, Pannonian Troops in the Moorish War of Antoninus Pius. In: J. Fitz (Hrsg.), Akten XI. Internat. Limeskongr. 1976 (Budapest 1977) 129–135; W. Eck/A. Pangerl, Neue Militärdiplome für die Truppen der mauretanischen Provinzen. Zeitschr. Papyr. u. Epigr. 153, 2005, 194–196; dies., Weitere Militärdiplome für die mauretanischen Provinzen. Zeitschr. Papyr. u. Epigr. 162, 2007, 237–240.

20 ALFÖLDY 1968, 73; ROXAN 1973, 848; SMEESTERS 1977, 182; SPAUL 2000, 231-233; RMD 409–411.

21 KNIGHT 1991, 204 f.; SPAUL 2000, 246.

22 Kommentar zu RMD 222.

23 Tab. Vindol. II 154; A. K. Bowman, Life and letters on the Roman Frontier. Vindolanda and its People[3] (London 2003) 15–17 u. 101 Nr. 1.

24 Tungrer: HOLDER 1980 Nr. 501; HOLDER 1980 Nr. 505; SMEESTERS 1977, 182; Bataver: HOLDER 1980 Nr. 503; HOLDER 1980 Nr. 504; Frise: HOLDER 1980 Nr. 802; RIB 109; Cannanefate: HOLDER 1980 Nr. 1711; Ubier: HOLDER 1980 Nr. 171; AE 1925, 70; HOLDER 1980 Nr. 121; vgl. auch ALFÖLDY 1968 Nr. 56: Germane (Cannanefate?).

25 S. Anm. 23.

26 Bataver (115 n. Chr.): ECK/PANGERL 2012, 293; Sunucer (124 n. Chr.): HOLDER 1980 Nr. 2111; Tungrer (146 n. Chr.): RMD 97.

27 KRAFT 1951, 62 f.; ALFÖLDY 1968, 102 f.; HOLDER 1980, 108 ff.; M. Roxan, The distribution of Roman Military Diplomas. In: Epigr. Stud. 12 (Köln, Bonn 1981) 278 [= ROXAN 1981].

28 HOLDER 1980 Nr. 866. 868. 869. 872; PFERDEHIRT 2004 Nr. 17/18; Thraker: HOLDER 1980 Nr. 871; vgl. SMEESTERS 1977, 177.

29 *ala Batavorum*: HOLDER 1980 Nr. 161; die *ala I Cannanefatium* wurde in Pannonien mit einem Treverer und mit einem Pannonier ergänzt: LÖRINCZ 2001, 179 Nr. 70; PFERDEHIRT 2004 Nr. 43 = RMD 430; ein Pannonier der *ala I Cannanefatium* verstarb um 150 n. Chr. in Nordafrika: LÖRINCZ 2001, 180 Nr. 73; die *cohors I Sugambrorum* wurde in Moesien mit einem Dalmater ergänzt: HOLDER 1980 Nr. 2091; *cohors I Ubiorum*: HOLDER 1980 Nr. 2281; in die *cohors II Tungrorum* traten in Raetien *cives Raeti* ein: CIL VII 1068; die *cohors IV Sugambrorum* wurde in der Mauretania Tingitana mit einem Spanier ergänzt: HOLDER 1980 Nr. 2101; aus der *cohors I Augusta Nerviana* wurde ein Daker entlassen: RMD 294 (178 n. Chr.).

30 Tungrer in der *ala Afrorum*, der *cohors I Asturum* und der *cohors I Hispanorum*: ALFÖLDY 1968 Nr. 20.; SMEESTERS 1977, 182 f.; weitere Germanen: ALFÖLDY 1968 Nr. 16. 19. 21; Bataver in der *ala Vocontiorum* und der *ala I Thracum*: ALFÖLDY 1968 Nr. 81; weiterer Germane: ALFÖLDY 1968 Nr. 79; vgl. auch R. Nouwen, Tongeren en het land van de Tungri (31 v. Chr.–284 n. Chr.). Maaslande Monograpg. 59 (Leeuwarden/Mechelen 1997) 299–300 zu Tungrern in der *ala Augusta*, der *ala I Hispanorum milliaria*, der *ala I Hispanorum Aravacorum* und als Reiter in der *cohors I Asturum equitata*; *cohors I Hispanorum*: W. Eck/A. Pangerl, Drei Konstitutionen im Jahr 123 für Truppen von Dacia Porolissensis. Zeitschr. Papyr. u. Epigr. 176, 2011, 234–242 [= ECK/PANGERL 2011]; *ala Noricorum*: J. E. Bogaers, Ein römisches Militärdiplomfragment aus Monster-Poeldijk. Ber. ROB 29, 1979,

357–371 (Cannanefas) [= BOGAERS 1979]; weitere Germanen: ALFÖLDY 1968 Nr. 49. 53; Germanen in der *ala classiana*: ALFÖLDY 1968 Nr. 29; *ala Sulpicia*: ALFÖLDY 1968 Nr. 63; *cohors I Flavia Hispanorum*: ALFÖLDY 1968 Nr. 125. 131; *cohors I Pannoniorum et Delmatarum*: ALFÖLDY 1968 Nr. 5; *cohors II Asturum*: ALFÖLDY 1968 Nr. 89; *cohors II Varcianorum*: ALFÖLDY 1968 Nr. 158. 162.

31 M. P. Speidel, Die römischen Schreibtafeln von Vindonissa. Veröff. Gesellsch. Pro Vindonissa 12 (Brugg 1996) 82–85; möglicherweise zogen die germanischen Truppen gerade Händler aus Germanien an: Vgl. den Aspirius aus Bonn, in dem KAKOSCHKE 2004, 207 f. einen *negotiator* im Britannienhandel sieht. Insbesondere der Handel zwischen Britannien und dem Rheinland war intensiv, doch beherrschten gallischgermanische Händler auch den Markt im westlichen Donauraum: KAKOSCHKE 2004, 219 f.

32 Für Britannien und die Donauprovinzen lassen das die durchaus zahlreichen germanischen Personen in den Grenzgebieten vermuten, vgl. dazu KAKOSCHKE 2004, 206–208. 219 f.

33 ROXAN 1981, 282; vgl. auch O. Stoll, Legionäre, Frauen, Militärfamilien. Jahrb. RGZM 53, 2006, 219.

34 ROXAN 1981, 279 f.; Tungrer in Moesien: CIL III 12361; Tungrer und Frise (mit Batavischer Frau) in Raetien: CIL XVI 125. 105; RMD, S. 25; HOLDER 1980 Nr. 553; Tungrer im östlichen Balkanraum: ECK/PANGERL 2011, 239; Bataver in Pannonien: CIL XVI 164; Sunucer in Britannien: CIL XVI 70.

35 BOGAERS 1979, 369.

36 RMD 151 (106–114 n. Chr.); Tungrer: CIL XVI 43 (99 n. Chr.).

37 A. Koster, Ein reich ausgestattetes Waffengrab des 1. Jahrhunderts n. Chr. aus Nijmegen. In: M. Struck (Hrsg.), Römerzeitliche Gräber als Quellen zu Religion, Bevölkerungsstruktur und Sozialgeschichte. Arch. Schr. Institut Vor- u. Frühgesch. Universität Mainz 3 (Mainz 1993) 293–296.

38 K. Dietz/U. Osterhaus/S. Rieckhoff-Pauli/K. Spindler, Regensburg zur Römerzeit (Regensburg 1979) 63–66; RMD 86; LÖRINCZ 2001, 168 Nr. 38; vgl. auch KAKOSCHKE 2004, 219.

DIE ARBEIT RUFT – ZUR MOBILITÄT RÖMISCHER HANDWERKER

Maike Sieler

Das Römische Reich der Hohen Kaiserzeit kannte ein differenziertes Wirtschaftswesen, das vom Ausbau der Infrastruktur ebenso profitierte wie von den Ressourcen der Provinzen und dem Entstehen neuer Absatzmärkte in den Grenzregionen. Handwerker gehörten zu denjenigen Berufsgruppen im Imperium Romanum, die sich durch Mobilität auszeichneten[1]: Einerseits konnten in diesem einheitlichen Rechts- und Wirtschaftsraum Rohstoffe und Produkte selbst über Zollbezirksgrenzen hinweg rentabel verhandelt werden[2]. Andererseits ließen sich Personen samt ihrer Fachkenntnisse – und gegebenenfalls ihrer Werkzeuge – kostengünstiger bewegen als Güter und so erfolgte gewerbliche Produktion prinzipiell möglichst nahe der jeweiligen Rohstoffvorkommen bzw. Absatzmärkte. Deren Dynamiken werden über schriftliche wie archäologische Quellen zur Mobilität römischer Handwerker und Produzenten greifbar und im Folgenden, nach einem kurzen Blick auf die Rahmenbedingungen des antiken Handwerks, exemplarisch beleuchtet.

Handwerk in der römischen Gesellschaft

Handwerkliche Tätigkeit fand im Umfeld ländlicher Gutshöfe oder regelrechter Handwerkersiedlungen genauso wie in Militärlagern und städtischen Zentren statt. In einigen Sparten, wie der Steinverarbeitung oder der Keramikproduktion, war der Standort von Werkstätten zusätzlich abhängig von der Verfügbarkeit jeweiliger Roh- oder Brennstoffvorkommen. Die Organisationsformen reichten von der kleinen Werkstatt mit Eigenverkauf in einer städtischen *taberna* für den lokalen Bedarf über militäreigene Handwerker bis hin zu privaten und staatlichen Manufakturen (*fabricae*, *officinae*) mit spezialisierter, arbeitsteilig betriebener Massenproduktion für den Export[3].

Im zivilen Kontext arbeiteten römische Bürger (*cives Romani*) oder Peregrine ebenso wie Freigelassene (*liberti*) und Sklaven (*servi*) als Handwerker oftmals in direktem Kontakt miteinander. In der gesellschaftlichen Wahrnehmung existierte hierbei keine Unterscheidung zwischen Handwerker (*opifex*, *faber*) und bildendem Künstler oder Kunsthandwerker (*artifex*); unabhängig von ihrem jeweiligen personenrechtlichen Status oder wirtschaftlichem Erfolg gehörten sie zu den niederen Ständen (*humiliores*). Zwar waren auch Angehörige des kaiserzeitlichen Senatoren- und vor allem des Ritterstandes über die Verpachtung von Werkstätten sowie zunehmend auch durch Investitionen in die gewerbliche Produktion involviert, jedoch galt in der agrarisch geprägten römischen Gesellschaft traditionell nur Landbesitz als angemessene Vermögensgrundlage. Dem entspricht Ciceros Feststellung, dass die Werkstatt nicht mit dem Stande eines freien Mannes vereinbar sei und alle Handwerker einen niederen Beruf ausübten[4]. Zumeist ausgeschlossen von städtischen Ehrenämtern, formierten Handwerker sich in zahlreichen, teils staatlich regulierten Berufsvereinigungen wie dem Verband der Bauleute (*collegium fabrorum*), der Töpfer (*figuli*) oder Gold-schmiede (*aurifices*). Diese erfüllten nicht nur soziale Bedürfnisse wie die Übernahme von Be-stattungskosten, sondern dienten auch der Pflege ökonomisch relevanter Kontakte; über die Aus-richtung religiöser Zeremonien und über Stiftertätigkeiten wurde zudem die eigene Repräsentation in der städtischen Gesellschaft gefördert[5]. Ein gewisser Berufsstolz wird in der Selbstdarstellung von Handwerkern erkennbar und besonders augenfällig in den zahlreichen Weihe-, Ehren- und Grabinschriften von *peregrini* und *liberti*[6]. Die dort gemachten Herkunftsangaben sind gleichzeitig unsere wichtigsten epigraphischen Quellen für die Mobilität dieser Menschen.

Die Voraussetzungen für die Mobilität von Handwerkern im Römischen Reich waren abhängig von ihrem jeweiligen rechtlichen Status. Prinzipiell konnte jeder freie Einwohner des Römischen Reiches, egal ob frei geborener Bürger (*ingenuus*) oder Nichtbürger (*peregrinus*), gewerbliche Produktion an einem Ort seiner Wahl betreiben, wenn auch nur erstere beim Verkauf ihrer Pro-dukte das für den Abschluss nach römischem Recht gültiger Handelsgeschäfte notwendige *ius commercii* besaßen[7]. Handwerklich tätige Sklaven hingegen arbeiteten entweder in den Betrieben ihrer Besitzer oder wurden an andere Manufakturen vermietet, konnten aber auch eigene Werk-stätten als Vertreter (*institor*) ihrer Herren leiten. In jedem Fall war ihre Mobilität jedoch wei-sungsgebunden. Auch Freigelassene, die ebenso wie Sklaven besonders zahlreich auf den Inschriften aus städtischen Zentren des Römischen Reiches als Handwerker be-legt sind, besaßen durch die Ehrenpflichten gegenüber ihrem ehe-maligen Besitzer (*patronus*) nur bedingt freie Wahl ihres Arbeits-platzes und arbeiteten oft in dessen Auftrag[8].

Römische Handwerker auf Wanderschaft

Bereits zu Zeiten Homers gehörten spezialisierte Wanderhandwer-ker zu den wenigen Fremden, die dank ihrer Fertigkeiten in einem Gemeinwesen willkommen waren und deren Mobilität neben dem sich entwickelnden antiken städtischen Handwerkswesen fortbe-stand[9]. Im römischen Prinzipat belegen die epigraphischen und ar-chäologischen Quellen besonders für Metall und Stein verarbeitende Berufe ein hohes Maß an dauerhafter berufsbedingter Mobilität sowie regelrechtes Wanderhandwerk[10]. Zu den Einsatzorten der Steinmetze beispielsweise gehörten zunächst die Steinbrüche selber: Da das Gewicht von Steinmaterial einen wesentlichen Kostenfaktor darstellte, erfolgte nach dem eigentlichen Abbau durch Steinbrecher (*exemptores*, *latomi*) eine erste, oft weitgehend vollständige Bear-beitung der Werkstücke durch Steinmetze (*lapicidae*, *quadratarii*) bereits vor dem Abtransport (Abb. 42), um dann am Bestimmungs-ort in allen Feinheiten des Dekors fertiggestellt zu werden.

In den Nordwestprovinzen trafen mit den ersten römischen Truppen aus dem italischen Raum Stein verarbeitende Handwerker ein, die lokale Vorkommen für die anstehenden militärischen wie zivilen Bauvorhaben erschlossen. Im Falle Niedergermaniens war dies zunächst Tuffgestein aus der Eifel, aus dem bereits 4 n. Chr. das sogenannte Ubiermonument in Köln errichtet wurde, und Kalkstein aus Lothringen[11]. In den öffentlichen Repräsentationsbauten römischer Städte kamen darüber hinaus auch Buntsteine aus unterschiedlichsten Gegenden des Mittelmeerraumes zum Einsatz. So fanden in der *Colonia Ulpia Traiana* im 2. Jahrhundert n. Chr. ägyptischer Porphyr sowie Marmore aus Italien, Kleinasien und Griechenland für farbige Marmorinkrustationen Verwendung[12]. Zur Ausführung der diffizilen Inkrustationsornamentik ist mit der temporären Anwesenheit spezialisierter Steinmetze zu rechnen, die als Auftragnehmer oder abhängige Arbeiter für die städtischen Großprojekte vielleicht aus Köln oder aber auch direkt mit dem angelieferten Material aus den großen Marmorlagern in Italien anreisten[13].

Auch Mosaizisten (Abb. 43), Bronzegießer und Bildhauer (*sculptores*, *statuarii*) zogen für Auftragsarbeiten zeitweise oder dauerhaft umher, sei es aus der Not heraus, aufgrund schwankender Auftragslage, oder aber als gefragte Spezialisten. Zu letzteren zählte der griechische Bronzegießer Zenodorus, der um die Mitte des 1. Jahrhunderts n. Chr. Kolossalstatuen sowohl für das Kaiserhaus in Rom als auch in Gallien für die *civitas* der Arverner anfertigte[14].
Heimat einiger überaus weit gereister antiker Bildhauer war *Aphrodisias* in der heutigen Türkei mit seinen bedeutenden Marmorsteinbrüchen und reichsweit bekannten Werkstätten. Entsprechend gefragt waren die *Aphrodisienses*. Ihre Auftragsarbeiten führten sie meist in die großen Ballungszentren des Imperium Romanum, wie in Stein gemeißelte Künstlersignaturen aus

43 Zwei sitzende Handwerker zerkleinern Steine mit spitzförmigen Hacken zu Mosaiksteinchen (*tesserae*). Grabrelief aus Ostia; um 300 n. Chr.

Syrakus auf Sizilien, Leptis Magna in Nordafrika und Olympia in Griechenland oder auch die folgende Inschrift des 2. Jahrhunderts n. Chr. auf dem Familiengrab des Zenon in Rom belegen: „Mein, des Zenon, höchst gesegnetes Vaterland ist Aphrodisias. Ich habe viele Städte besucht auf meine (Bildhauer-)Kunst vertrauend […]. Ich baute dieses Grab und stellte den Grabstein auf für meinen Sohn Zenon, der gerade gestorben ist; ich selbst habe den Stein gebrochen und das Relief gearbeitet und habe so dieses bemerkenswerte Werk mit eigener Hand hergestellt, und drinnen habe ich ein Grab für meine Frau und alle unsere Nachkommen gebaut"[15].
Inschriftliche Belege für die Anwesenheit fremder Bildhauer aus dem mediterranen Raum in unseren Breiten sind selten. Wir kennen die Brüder Samus und Severus, die sich mit ihren Künstlersignaturen Mitte des 1. Jahrhunderts n. Chr. auf der Mainzer Iuppitersäule verewigten[16], und Xysticus, den Schöpfer eines Statuensockels mit Darstellungen des Mars, der Victoria und eines schlangenfüßigen Giganten aus Groß Gerau (Abb. 44) – Bildhauer, deren Herkunft anhand ihrer Namen in Südgallien bzw. in Italien oder dem griechischen Osten zu suchen ist und die vermutlich für Auftragsarbeiten nach Obergermanien reisten[17].
Mehrfach belegt sind dagegen Werkstätten, die für den regionalen Bedarf arbeiteten: An Truppenstandorten entlang des obergermanischen Limes finden sich beispielsweise Grab- und Weihesteine, für die anhand stilistischer und chronologischer Kriterien eine Zuweisung zu einzelnen Wanderbildhauern wie dem sogenannten Mainhardter Meister des frühen 3. Jahrhunderts n. Chr. postuliert wird[18].

Im Sog der Ballungszentren – Absatzmärkte gewerblicher Produktion
Die militärische Präsenz Roms in den Grenzprovinzen und die städtebaulichen Maßnahmen waren bedeutende Wirtschaftsfaktoren. Sie sorgten für einen enormen Bedarf an Produktions- und Handwerksleistungen, nicht nur temporär auf den Großbaustellen, sondern auch dauerhaft zur Versorgung der urbanen Zentren ebenso wie der Truppenstandorte. Entsprechend ist für die

gallischen und germanischen Provinzen eine große Sogwirkung der römischen Ballungszentren am Rhein feststellbar: In den ersten beiden nachchristlichen Jahrhunderten finden Mobilitätsbewegungen aus Italien und Gallien, aber auch innerhalb des obergermanischen Raumes vornehmlich nach Norden und Osten in Richtung der Rheinzone statt[19]. Das Bewusstsein für die beruflichen Chancen, die diese jüngst besetzten Territorien boten, bestand bereits sehr früh: Handwerker migrierten direkt mit dem Beginn der dortigen römischen Präsenz an den Rhein und zwar sowohl im Gefolge des Militärs als auch in zivilem Kontext, wie das Beispiel des Töpfers Marcus Petronius Flosclus aus dem oberitalischen *Brixellum* (Brescello) zeigt. Dieser römische Bürger zog wohl noch vor der Zeitenwende von Italien an den Rhein, um dort als Produzent von Tafelgeschirr sein Glück zu versuchen. Überliefert ist uns das Wirken des Flosclus sowohl über den für ihn und seine *familia* in Köln errichteten Grabstein als auch über die Herstellersignatur P.FLOS auf seinen Erzeugnissen (Beitrag B. Tremmel in diesem Band)[20]. Deren Tonanalysen belegen, dass er nicht nur in Köln, sondern auch jenseits des Rheins im Militärstandort Haltern Terra Sigillata produzierte – ob per Werkstattverlagerung aus Köln oder aber in einem zusätzlichen Zweigbetrieb, ist bislang ungeklärt[21]. Flosclus konnte also, sicherlich dank entsprechender Kontakte zum Militär, die im Rahmen der augusteischen Expansionsbemühungen im rechtsrheinischen Germanien entstehenden Absatzmöglichkeiten bei der Truppenversorgung für sich nutzen.

Auch noch fast 200 Jahre später boten die prosperierenden Rheinprovinzen Anreiz für den Zuzug spezialisierter Handwerker wie z. B. des Arvernicus, seines Zeichens ebenfalls auf Terra Sigillata

45 Drehbares Mithras-Kultbild mit Weiheinschrift der Handwerkerfamilie der Silvestrii; links: Szenen aus der Mithras-Mythologie; rechts: Szene aus dem Phaeton-Mythos mit Sol und Phaeton, umgeben von Jahreszeiten und Elementen. Dieburg, Mithräum; um 200 n. Chr.

spezialisierter Töpfermeister. Der über seine Herstellerstempel überlieferte Arvernicus lebte und arbeitete während der zweiten Hälfte des 2. Jahrhunderts n. Chr. im großen Töpfereizentrum von Rheinzabern (*Tabernae*). Sein Name weist auf die Zugehörigkeit zum keltischen Stamm den Arverner in der Gallia Aquitania. Möglicherweise stammte er aus dem dortigen Töpferort Lezoux (*Ledosus*)[22], der sich damals bereits im Niedergang befand, und verlagerte seine Tätigkeit nach Osten in das junge, aufstrebende Produktionszentrum von *Tabernae* – ein Standortwechsel auf der Suche nach mehr Absatz und Profit in den Ballungszentren am Rhein. Auch aus dem kurzlebigen Töpferort in Sinzig, der sich als Standort nicht durchsetzen konnte, wanderten zahlreiche Töpfer der dortigen Manufakturen um die Mitte des 2. Jahrhunderts nach Rheinzabern ab[23].

Zwei der wenigen inschriftlichen Belege für die Migration einer ganzen Handwerkerfamilie auf der Suche nach wirtschaftlichem Erfolg stammen aus Dieburg, Hauptort der *civitas Auderiensium*. Dort lebten und arbeiteten die ursprünglich aus dem südgallischen Aquitanien zugezogenen Brüder Silvestrius Silvinus, tätig als Steinmetz (*artis quadratariae*), und Silvestrius Perpetuus, ein Schuhmacher (*artis sutoriae*). Die Silvestrii waren offenbar in ihrer neuen Heimat zu gewissem Wohlstand und sozialem Status gelangt. Dies bezeugen ihre Stifterinschriften sowohl auf einem Sockel mit Dianarelief, in der sich Silvinus als Biturgier bezeichnet, als auch auf einem drehbaren Kultbild im Dieburger Mithräum (Abb. 45), dessen Kultgemeinde die Familie im späten 2. bzw. in der ersten Hälfte des 3. Jahrhunderts n. Chr. angehörte. Beide Monumente wurden vermutlich in der Werkstatt des Silvinus angefertigt[24].

Technisches Neuland – Wissenstransfer durch römische Handwerker

Wohin ein Handwerker auch reiste oder migrierte, sein Fachwissen brachte er mit sich und beeinflusste damit im günstigsten Fall seine neue Umgebung maßgeblich. Über die Mobilität römischer Handwerker werden somit regelrechte Wissens- und Technologietransfers innerhalb des Imperium Romanum nachvollziehbar. Einer der eindrücklichsten Belege hierfür ist die in spezialisierter Massenproduktion hergestellte und modebedingten Form- und Dekorwechseln unterworfene römische Terra Sigillata[25]. Deren Herstellungstechnik beinhaltete Innovationen wie die Nutzung von Modeln und ausgefeilten Brenntechniken bei sehr hohen Temperaturen und unter Sauerstoffzufuhr. In kürzester Zeit stieg die rote Glanztonware von den Anfängen ihrer Produktion im mittelitalischen Arezzo (*Arretium*) nach der Mitte des 1. Jahrhunderts v. Chr. zum klassischen Tafelgeschirr der Römer auf. Diese rasante Entwicklung spiegelt die besondere Aufbruchsstimmung der augusteischen Epoche wider, in der dank stabilisierter politischer Verhältnisse und umfassender Verwaltungsreformen bei gleichzeitiger Expansion des Reichsgebietes ein Zeitalter wirtschaftlicher Prosperität und blühenden Handels begann. Die Ausbreitung und Verlagerung der Terra Sigillata-Produktion zunächst von Italien hin zu den neuen Absatzmärkten nach Gallien und später nach Germanien, aber auch in den östlichen Mittelmeerraum sowie nach Nordafrika, erfolgte sowohl durch die Gründung von Zweigbetrieben großer Manufakturen als auch durch Abwanderung erfahrener Töpfer in fremde Keramikzentren (s. o.).

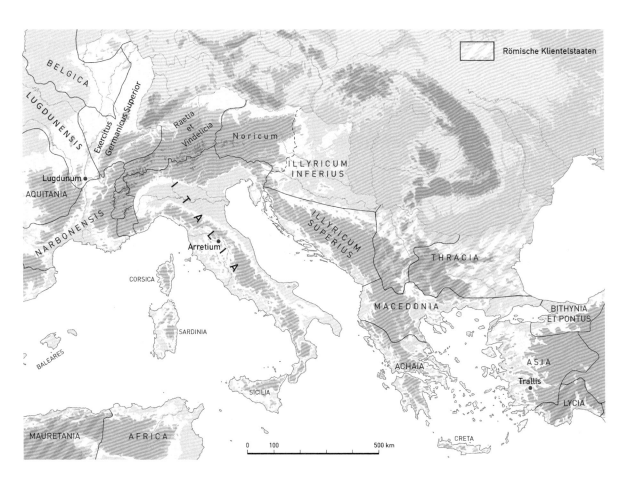

46 Standorte der Terra Sigillata-Manufakturen des C. Sentius in augusteischer Zeit.

Wie die Mobilität einzelner Handwerker hierbei impulsgebend für ganze Regionen wirkte, lässt sich an der beeindruckenden Vita des Keramikproduzenten Caius Sentius nachvollziehen (Abb. 46). Dieser betrieb im späten ersten Jahrhundert v. Chr. eine Sigillatamanufaktur im etrurischen Arezzo[26]. Von hier aus expandierte er nach Nordwesten, wo er bzw. die für ihn arbeitenden Töpfer gemeinsam mit anderen arretinischen Produzenten im gallischen Töpfereizentrum von Lyon (*Lugdunum*) eine große Sigillataproduktion begründeten, welche vor allem die neuen römischen Territorien in Gallien und Germanien mit dem Militär als Hauptabnehmer belieferte (Abb. 47). Die Suche nach weiteren Absatzmärkten in dieser augusteischen Expansionsphase der Sigillataproduktion führte Caius Sentius darüber hinaus weit in den Osten des Imperium Romanum bis ins kleinasiatische *Trallis* in der heutigen Türkei. In dem seit hellenistischer Zeit bekannten Töpferort im Hinterland von Ephesos begann um die Zeitenwende die Produktion von Tellern und Schalen aus rot gebranntem Ton mit orangerotem Überzug, der archäologisch und chemisch definierten Gruppe der sogenannten Eastern Sigillata B[27]. Diese Gefäße folgen in Form und Dekor

italischen Vorbildern. Neben griechischen Töpferstempeln finden sich auf ihnen auch in großer Zahl die lateinischen Herstellerstempel des Caius Sentius (Abb. 48). Vermutlich war er als Groß-produzent in *Trallis* an der Entstehung der dortigen Sigillataproduktion nach italischem Vorbild ebenso beteiligt wie mindestens ein weiterer italischer Töpfer namens Serenus aus dem campa-nischen Pozzuoli (*Puteoli*)[28]. Wie überaus erfolgreich dieser Fall eines durch die Mobilität römischer Handwerker hervorgerufenen Technologietransfers war, belegt die entsprechende Erwähnung von *Trallis* als berühmtem Produktionsort roten Tafelgeschirrs bei Plinius dem Älteren[29].

Der Transfer von Technologie und handwerklichem Wissen erfolgte nicht nur von Italien aus in die Provinzen, sondern auch von den Randgebieten des Imperium Romanum in Richtung Rom, wie das Beispiel der Glasbläserkunst zeigt. Wie die Töpfer gehörten auch Glasmacher (*vi-trearii*) in der römischen Kaiserzeit einem Gewerbe an, für das eine gewisse Mobilität belegt ist. Seit ihrem Aufkommen im 2. Jahrtausend v. Chr. in Mesopotamien und Ägypten konnten Glas-gefäße zunächst nur in aufwendigen Schmelzverfahren hergestellt werden und stellten ein seltenes Luxusgut dar[30]. Gegen Ende der römischen Republik jedoch revolutionierte eine technische Neuerung die Glasverarbeitung: Die Erfindung der Glasmacherpfeife, vermutlich durch Glas-macher im syrisch-palästinischen Raum, ermöglichte nun das schnelle und rohstoffsparende Herstellen frei geblasener Gläser (Abb. 49). Innerhalb weniger Jahrzehnte entwickelte sich die Glasbläserkunst von einer lokalen syrisch-palästinischen Technik zu einer reichsweit angewandten Methode. In Rom erstmalig ab frühaugusteischer Zeit belegt, fanden die frei geblasenen Gefäße reißenden Absatz im gesamten Mittelmeerraum und so entstanden in kürzester Zeit Glas ver-arbeitende Betriebe bei Rom und Aquileia, für die u. a. zugewanderte Glasbläser (*vitrearii*) sy-risch-palästinischer Herkunft aus der Gegend um *Sidon* (Sayd im heutigen Libanon) nachweisbar sind. Einige dieser Sidonier in Italien sind uns namentlich durch ihre Herstellersignaturen über-liefert – so beispielsweise Artas, der die Henkel seiner Erzeugnisse mit seinem Namen und seiner

47 Lugdunensische Sigillata mit Hersteller-stempeln des C. Sentius aus dem Militärlager von Haltern.

48 Eastern Sigillata B (sekundär verbrannt) mit Herstellerstempeln des C. Sentius. Ephesos, Tetragonos-Agora; frühes 1. Jh. n. Chr.

Herkunftsangabe in lateinischer wie auch griechischer Schrift stempelte (Abb. 50)[31]. Etwa eine Generation später war es wiederum ein Sidonier, Ennion, der eine weitere technische Neuerung in Rom etablierte, nämlich das Glasblasen in Hohlformen für eine serielle Gefäßproduktion. Die Verbreitung seiner Erzeugnisse lässt darauf schließen, dass Ennion zunächst im syrisch-palästinischen Raum tätig war, später jedoch auch in Italien produzieren ließ und damit als Impulsgeber für die Verbreitung der neuen Technik in Rom und von da aus in den Nordwesten des Reiches diente (Abb. 51)[32].

50 Gestempelte Henkelattachen frei geblasener Glastassen des Artas mit zweisprachiger Inschrift in Griechisch (ΑΡΤΑC CEIΔΩ) und Latein (ARTAS SIDON). Köln; spätes 1. Jh. v. Chr./frühes 1. Jh. n. Chr.

51 Formgeblasene Tasse des Ennion mit griechischer Inschrift ΕΝΝΙΩΝ ΕΠΟΙΗϹΕΝ und ΜΝΗΘΗ Ο ΑΓΟΡΑΖΝΩ („Ennion hat es gemacht" und „Möge man sich des Käufers erinnern"); 1. Hälfte des 1. Jhs. n. Chr.

Geänderte Lebensbedingungen – eine zeitlose Herausforderung

Ob nun Handwerker mit römischen Militäreinheiten den Standort wechselten, zur Versorgung der Städte in prosperierende Grenzprovinzen zogen oder gar neuartige Handwerkstechniken in weit entfernte Regionen des Imperium Romanum trugen – im besten Falle fanden die hier beschriebenen wirtschaftlich motivierten Migrationsbewegungen freiwillig und mit dem Ziel des beruflichen wie sozialen Aufstiegs an einem neuen Ort statt. Mit diesen Menschen kam in vielen Fällen auch ihre *familia*, bestehend aus Angehörigen, Sklaven oder Freigelassenen. Sie mussten ihrem Familienoberhaupt (*pater familias*) oder Patron in die Fremde folgen und sahen sich damit ganz eigenen sachlichen wie emotionalen Herausforderungen bei der Bewältigung ihrer neuen Lebensumstände gegenübergestellt – ein Schicksal, das Familienangehörige von Migranten unabhängig von Zeit und Ort in aller Welt teilen.

1 L. Wierschowski, Die regionale Mobilität in Gallien nach den Inschriften des 1. bis 3. Jahrhunderts n. Chr. (Stuttgart 1995) [= WIERSCHOWSKI 1995] 17 geht davon aus, dass freiwillige Ortsveränderungen von Menschen im Römischen Reich größtenteils wirtschaftlich motiviert waren; vgl. K. Ruffing, Die regionale Mobilität von Händlern und Handwerkern nach den griechischen Inschriften. In: E. Olshausen/H. Sonnabend (Hrsg.), "Troianer sind wir gewesen" - Migrationen in der antiken Welt. Geographica Historica 21 (Stuttgart 2006) 133–149 [= RUFFING 2006], hier 134.

2 H.-J. Drexhage, Einflüsse des Zollwesens auf den Warenverkehr im römischen Reich – handelshemmend oder handelsfördernd? Münstersche Beitr. Ant. Handelsgesch. 13/2, 1994, 1–15.

3 Grundlegend zum römischen Handwerk: H. von Petrikovits, Die Spezialisierung des Handwerks in römischer Zeit. In: H. Jankuhn u. a. (Hrsg.), Das Handwerk in vor- und frühgeschichtlicher Zeit (Göttingen 1981) 62–133; A. Burford, Künstler und Handwerker in Griechenland und Rom (Mainz 1985); H.-J. Drexhage/H. Konen/K. Ruffing, Die Wirtschaft des Römischen Reiches (1.–3. Jahrhundert). Eine Einführung (Berlin 2002) [= DREXHAGE U. A. 2002] 101–117; G. Alföldy, Römische Sozialgeschichte (Stuttgart ⁴2011) [= ALFÖLDY 2011] 183 f.; M. Klee, Römisches Handwerk. Arch. Deutschland, Sonderh. 2012/1 (Stuttgart 2012) [= KLEE 2012].

4 Cic. off. I 150 f.: "Alle Handwerker befinden sich in einer schmutzigen Kunst; die Werkstatt kann nämlich nicht irgendetwas Edles an sich haben." – Zum sozialen Status der Handwerksberufe grundlegend M. I. Finley, The Ancient Economy (Berkeley, Los Angeles ²1985) und H. Graßl, Sozialökonomische Vorstellungen in der kaiserzeitlichen griechischen Literatur (1.–3. Jh. n. Chr.) (Wiesbaden 1998).

5 KLEE 2012, 43–47; vgl. C. Zimmermann, Handwerkervereine im griechischen Osten des Imperium Romanum (Mainz 2002).

6 K. Ruffing, Die Selbstdarstellung von Händlern und Handwerkern in den griechischen Inschriften. Münstersche Beitr. Ant. Handelsgesch. 23/2, 2004, 85–111 mit weiterer Literatur.

7 O. Behrends, Die Rechtsformen des römischen Handwerks. In: H. Jankuhn u. a. (Hrsg.), Das Handwerk in vor- und frühgeschichtlicher Zeit. Teil 1: Historische und rechtshistorische Beiträge und Untersuchungen zur Frühgeschichte der Gilde (Göttingen 1981) 141–203.

8 A. M. Duff, Freedmen in the Roman Empire (Cambridge ²1958) bes. 89–97; zusammenfassend DREXHAGE U. A. 2002, 105–108.

9 Hom. Od. 17,381–385; vgl. H. Schneider, Geschichte der antiken Technik (München 2007) 51–64.

10 Vgl. RUFFING 2006, 137–141.

11 Ubiermonument: M. Carroll, Neue vorkoloniezeitliche Siedlungsspuren in Köln. Arch. Informationen 18/2, 1995, 143–152 mit älterer Literatur; zu den römischen Steinbrüchen in der Eifel: A. v. Berg/H.-H. Wegner, Antike Steinbrüche in der Vordereifel. Ber. Arch. Mittelrhein u. Mosel 10 (Koblenz 1995); Steinbruch und Bergwerk. Denkmäler römischer Technikgeschichte zwischen Eifel und Rhein. Vulkanpark-Forsch. 2 (Mainz 2000)

12 V. Gedzeviciute/U. Schüssler/B. Liesen, Antiker "Marmor"-Luxus in den öffentlichen Repräsentationsbauten der Colonia Ulpia Traiana, Xanten. In: O. Hahn u. a. (Hrsg.), Archäometrie und Denkmalpflege 2010. Metalla Sonderh. 3 (Bochum 2010) 218–220.

13 Zu unterscheiden sind einerseits auftragsgebundene Lieferungen vom Steinbruch direkt zum Bestimmungsort, wie sie z. B. für die Eifel im Zuge der Baumaßnahmen anlässlich der Gründung der *Colonia Ulpia Traiana* über Weiheinschriften legionarer Arbeitsvexillationen belegt sind (CIL XIII 7695. 7696. 7715. 7716, vgl. A. M. Hirt, Imperial Mines and Quarries in the Roman World: Organizational Aspects 27 BC–AD 235 [Oxford 2010], hier 171 mit älterer Literatur) und andererseits die teils langfristige Zwischenlagerung reichsweit über ein System von Händlern und Zwischenhändlern verhandelter *marmora*, so z. B. im Emporium unterhalb des Aventin oder auf dem Marsfeld vor Rom; zu Lagerung und Verarbeitung von Marmor in der römischen Kaiserzeit u. a. J. B. Ward-Perkins (†)/H. Dodge (Hrsg.), Marble in Antiquity (Rom

1992); M. Maischberger (Hrsg.), Marmor in Rom – Anlieferung, Lager- und Werkplätze in der Kaiserzeit. Palilia 1 (Wiesbaden 1997).

14 Plin. nat. 34,45–47; zu Zenodorus u. a. G. Bauchhenß, Zenodorus oder Nebel über Avallon. Mitt. Arch. Ges. Steiermark 3/4, 1989/90, 83–93; R. Vollkommer, Zenodoros. In: Ders. (Hrsg.), Künstlerlexikon der Antike 2 (2004) 529 f.; vgl. auch A. Hofeneder, Mercurius Arvernus. Überlegungen zu Plin. Nat. Hist. 34.45–47. In: R. Häussler/A. C. King (Hrsg.): Continuity and innovation in religion in the Roman west. Bd. 2. JRA Suppl. 67,2 (Portsmouth 2008) 103–118.

15 I. Calabi-Limentani, Studi sulla società Romana: il lavoro artistico (Mailand 1958) Nr. 77, Übersetzung: W. Felten; BURFORD 1985, 216; DREXHAGE U. A. 2002, 247 f.

16 *Samus et Severus Venicari f(ilii) sculpserunt* (CIL XIII 11806); zur Herkunft dieser Bildhauer G. Bauchhenß, Germania Superior. Die große Iuppitersäule aus Mainz. CSIR Deutschland II 2 (Mainz 1984) 32 und KAKOSCHKE 2002, 489.

17 Zur Diskussion um Namen und Herkunft des Xysticus s. KAKOSCHKE 2002, 290 f.

18 Zum Mainhardter Meister sowie zu weiteren vermuteten regionalen Wanderungen von Bildhauern zusammenfassend A. Kakoschke, Ortsfremde in den römischen Provinzen Germania inferior und Germania superior. Eine Untersuchung zur Mobilität in den germanischen Provinzen anhand der Inschriften des 1. bis 3. Jahrhunderts n. Chr. (Möhnesee 2002) [= Kakoschke 2002] 512 f., basierend auf M. Strocka, Weihedenkmäler aus Öhringen II. Fundber. Schwaben N. F. 18/1, 1967, 112–131, hier 126 f.

19 WIERSCHOWSKI 1995, 267–277 und KAKOSCHKE 2002, 517–557.

20 CIL XIII 8337; KAKOSCHKE 2002, 68 f. und ders., M. Petronius Flosclus – Ein italischer Unternehmer aus dem römischen Köln. Münstersche Beitr. Ant. Handelsgesch. 25, 2006, 1–10 mit älterer Literatur.

21 B. Tremmel, Feinkeramik des M. Petronius Flosclus aus dem spätaugusteischen Militärlager Anreppen. In: Xantener Ber. 20 (Mainz 2011) 33–43, hier 39 f.

22 KAKOSCHKE 2002, 344.

23 Ch. Fischer, Die Terra Sigillata-Manufaktur von Sinzig am Rhein. Rhein. Ausgr. 5 (Düsseldorf 1969) 37 ff.; vgl. KAKOSCHKE 2002, 530 f.

24 Dianarelief: CIL XIII 6434, Espérandieu I 242: […] / [Si]lves[t]rius / [Si]lvinus art[is quad]/[ra]ta[r(iae)] B[i]tur<i>x […]. Mithräum: F. Behn, Das Mithrasheiligtum zu Dieburg (Berlin-Leipzig 1928) bes. 44 und R. Merkelbach, Mithras. Ein persisch-römischer Mysterienkult (Wiesbaden 1998) 359; zu den Silvestrii: KAKOSCHKE 2002, 148 f.

25 Allgemein zu Terra Sigillata u. a. J. Garbsch, Terra Sigillata. Ein Weltreich im Spiegel seines Luxusgeschirrs (München 1982); J. W. Hayes, Handbook of Mediterranean Roman Pottery (London 1997).

26 Vermutlich ging der Filialgründung in *Lugdunum* noch die Gründung eines Zweigbetriebes in der oberitalischen Po-Ebene voraus: S. Zabehlicky-Scheffenegger, Der Italiener in Ephesos. RCRF Acta 34, 1995 (1996) 253–271.

27 Zusammenfassend u. a. J. Lund, Eastern Sigillata B: A ceramic fine ware industry in the political and commercial landscape of the Eastern Mediterranean. In: C. Abadie-Reynal (Hrsg.), Les céramiques en Anatolie aux époques héllenistique et romaine. Kolloq. Istanbul 1996 (Paris 2003) 125–136.

28 J. F. Wrabetz, A new Serenus stamping from Sardis and the origins of the Eastern Sigillata B ware. Harvard Stud. Class. Philol. 81, 1977, 195–197; sowie S. Zabehlicky-Scheffenegger, C. Sentius and his commercial connections. In: C. Abadie-Reynal (Hrsg.), Les céramiques en Anatolie aux époques héllenistique et romaine. Kolloq. Istanbul 1996 (Paris 2003) 117–119.

29 Plin. nat. 35,160.

30 Zur Entwicklung der antiken Glasmacherkunst allgemein u. a. A. von Saldern, Antikes Glas (München 2004).

31 F. Fremersdorf, Römische Gläser mit buntgefleckter Oberfläche. In: Festschr. A. Oxé (Darmstadt 1938) 116–121; M. Stern, Roman moldblown glass: The first through sixth centuries (Rom 1995) 66–74.

32 E. M. Stern, Roman glass blowing in a cultural context. Am. Journal Arch. 103, 1999, 441–484 hier 465–460.

UNTERWEGS FÜR DAS GROSSE GELD – FERNHANDEL DER FRÜHEN UND MITTLEREN RÖMISCHEN KAISERZEIT

Florian Schimmer

Handel und Märkte im Imperium Romanum

Im Jahr 31 v. Chr. endete mit Beginn der Alleinherrschaft des Octavianus, des späteren Kaisers Augustus, im Römischen Reich eine hundertjährige Epoche der Bürgerkriege und Unruhen. Die Stabilisierung der politischen Verhältnisse und der Anbruch eines neuen Friedenszeitalters (*pax Augusta*), aber auch zahlreiche Reformen in der Reichsverwaltung schufen eine neue Ausgangsbasis für wirtschaftliche Prosperität und führten zu einem Aufblühen des Handels. Begünstigt wurde diese Entwicklung durch ein reichsweit einheitliches Währungssystem und durch die relative Zurückhaltung des Staates bei Eingriffen in den Wirtschaftsprozess, etwa in Form von Zöllen und Abgaben. Hinzu kamen weitgehend sichere Rahmenbedingungen für See-, Fluss- und Landtransporte[1].

In den römischen Städten bildeten das Forum und spezielle Marktanlagen, die in der Regel von reichen Vertretern der munizipalen Oberschicht oder sogar vom Kaiser oder Statthalter gestiftet wurden, die Zentren des Handelsgeschehens. Regelmäßige Märkte fanden nicht nur in den Großstädten, sondern auch in kleineren Siedlungen und *vici* (Dörfern) oder deren Umfeld statt, ebenso war Straßenhandel üblich. Das Feilschen bildete wie heute noch in vielen Ländern des Mittelmeerraums einen festen Bestandteil des Verkaufsprozesses[2].

Vom Krämer bis zum Großhandelskaufmann – Händler jeder Couleur

Das Römische Kaiserreich kannte eine große Bandbreite unterschiedlichster Händler, die entweder als Produzenten ihre eigenen Waren verkauften, was meist in kleinen handwerklichen Unternehmen vor Ort geschah, oder die als Kaufleute fremde Güter erwarben und gewinnbringend weiterveräußerten. In den lateinischsprachigen Gebieten des Imperiums bezeichnete man den (Waren-)Händler allgemein als *mercator* oder *negotiator*, wobei sich die Bedeutungen dieser beiden Begriffe im Verlauf der Zeit änderten. In der Kaiserzeit scheinen *mercatores* vor allem kleinräumig agierende Kaufleute gewesen zu sein, während die insgesamt wesentlich häufiger bezeugten *negotiatores* als Fern- oder Großhändler Geschäfte im großen Stil betrieben, die bisweilen reichsweite Dimensionen erreichten[3]. Während ein Teil der Händler die Ware je nach Verfügbarkeit oder Bedarf zusammenstellte und verkaufte, war ein anderer auf eines oder mehrere Produkte spezialisiert. Entsprechend finden sich auf Inschriften oft zusätzliche Bezeichnungen wie *negotiator vinarius* (Weinhändler) oder *negotiator frumentarius* (Getreidehändler). Andere Zusätze beziehen sich hingegen auf geographische Regionen, in denen der Händler seinen Geschäften nachging, z. B.

negotiator Britannicianus (Britannien-Händler)[4].
Bei bestimmten Begriffen bleibt allerdings unklar,
ob mit diesen der Hersteller des Produkts, der
Verkäufer oder beides gemeint ist, wie im Fall von
sagarius (Mantelproduzent oder -händler) oder *sa-ponarius* (Seifenproduzent oder -händler)[5].

In das Handelsgeschehen waren Vertreter aller
Gesellschaftsstände der hierarchisch gegliederten
römischen Gesellschaft in irgendeiner Form involviert. Allerdings gestaltete sich das Verhältnis
der beiden höchsten Stände, der Senatoren und
Ritter, zu diesem Gewerbe zumindest anfangs
sehr unterschiedlich: Im Senatsadel galten Handwerk und Handel seit der Zeit der Republik als
unehrenhaft. Die wirtschaftliche Grundlage der
Senatoren bildete traditionell der Grundbesitz,
man widmete sich der Landwirtschaft und be-
kleidete die höchsten Ämter im Staat. Dies
hinderte jedoch bereits in der frühen Kaiserzeit
Senatoren nicht daran, auf indirektem Weg über
Mittelsmänner ihr Kapital in lukrative Handels-
oder Kapitalgeschäfte zu investieren und am Ge-

52 Verbreitung der
Inschriften von *negotia-tores* im gallisch-
germanischen Raum
und in Britannien.

winn zu profitieren. Im Gegensatz zu den Senatoren war der Stand der Ritter deutlich enger
mit Handel und Gewerbe verbunden, woraus er zu einem nicht unerheblichen Teil seinen
Einfluss und Reichtum schöpfte. Allerdings verwischten die Grenzen zwischen den traditionellen
Domänen der Senatoren und Ritter im Verlauf der Kaiserzeit, da die Ritter einerseits immer
häufiger wichtige Positionen im Staatsdienst und Militär einnahmen, während sich umgekehrt
die Senatoren zunehmend auch direkt an Handelsgeschäften beteiligten[6].

Grundsätzlich besaßen alle freien Reichsbewohner die Möglichkeit, Handel zu treiben, jedoch
durften nur Personen mit römischem Bürgerrecht Vertragsabschlüsse und Handelsabläufe nach
den Grundsätzen des römischen Handelsrechts (*ius commercii*) durchführen (Beitrag O. Schipp
in diesem Band). Dieser zunächst begrenzte Personenkreis erweiterte sich im Verlauf der frühen
und mittleren Kaiserzeit kontinuierlich, bis im Jahr 212 n. Chr. durch die sogenannte *constitutio
Antoniniana* Kaiser Caracallas (211–217 n. Chr.) allen Bewohnern des Imperium Romanum,
mit Ausnahme von Sklaven, das römische Bürgerrecht zugestanden wurde. Allerdings war der
Besitz des *ius commercii* keineswegs der entscheidende Faktor für wirtschaftlichen Erfolg, denn
auch Händler aus den Provinzen mit peregrinem, also nicht-römischem Rechtsstatus, brachten
es bisweilen zu erheblichem Reichtum. Daneben war es durchaus üblich, dass auch Freigelassene
und Sklaven, die im Auftrag ihres Herrn handelten, Geschäfte abschlossen[7].

In Gallien und in den Rheinprovinzen sind Händler unterschiedlichster Herkunft bezeugt. Zu den einheimischen Gewerbetreibenden gesellten sich viele zugezogene oder durchreisende (Fern-)Händler aus Italien und anderen Regionen des Mittelmeerraums sowie aus benachbarten Provinzen wie Britannien und Raetien. Die meisten Inschriften, die *negotiatores* nennen, konzentrieren sich – neben dem wichtigen Warenumschlagplatz Lyon – an der Rheingrenze und in ihrem Hinterland sowie im Limesgebiet und an der Mosel (Abb. 52). Zweifellos bildeten diese Regionen mit ihrer großen Anzahl an Militärs und Zivilisten den Hauptabsatzmarkt im gallisch-germanischen Raum[8].

Bisweilen war der Transport der Handelsware, besonders im Bereich der Seefahrt, mit erheblichen Risiken verbunden. So stiftete der *negotiator cretarius Britannicianus* M. Secund(inius) Silvanus, ein Keramikhändler für den britannischen Markt, in Colijnsplaat an der Scheldemündung und in Domburg jeweils einen Weihealtar für die Göttin Nehalennia, um ihr für die Unversehrtheit seiner Ware (*ob merces recte conservatas*) bei der Überfahrt zu danken (Abb. 53 und 54)[9].

Konsumrausch – Waren und Verpackungen

Die Palette der Handelsgüter war ausgesprochen vielfältig und differierte je nach Richtung des Warenstroms[10]: Aus den nördlichen Gebieten der Nordwestprovinzen gelangten z. B. Rohstoffe wie Holz, Pech oder Bernstein sowie Wolle, Tierhäute, Fleischprodukte und Honig, nicht selten auch Sklaven in den Süden. In umgekehrter Richtung verhandelte man unter anderem Feinkeramik, Textilien und spezielle Baumaterialien wie Marmor, aber auch Genussmittel und Luxusgüter wie Schmuck, Seide, Parfums, Glas- bzw. Bronzegeschirr. Den größten Umfang im Süd-Nord-Handel nahmen jedoch Nahrungsmittel bzw. agrarische Produkte ein. Überhaupt beruhte die römische Wirtschaft im Wesentlichen auf der Landwirtschaft und ihren Erzeugnissen[11].

53 Weihealtar des in Britannien tätigen Keramikhändlers M. Secund(inius) Silvanus für die Göttin Nehalennia aus Colijnsplaat.

54 Weihealtar des M. Secund(inius) Silvanus für Nehalennia aus Domburg.

Die Frage, welche Produkte in welchen Quantitäten wohin verhandelt wurden, ist nicht immer klar zu beantworten. Hierzu liefert uns nicht zuletzt die Archäologie wichtige Anhaltspunkte. Zwar haben sich gerade im Fall der Lebensmittel zumeist nicht die Produkte selbst, dafür aber ihre Verpackungen erhalten. In erster Linie handelt es sich dabei um Amphoren. Die Vorteile dieser Behälter, deren Beschaffenheit aus gebranntem Ton sich vergleichsweise gut für den Transport von Nahrungsmitteln eignete und deren Gewicht im gefüllten Zustand 100 kg erreichen konnte, war in der Antike lange bekannt. Die meisten der in römischer Zeit zirkulierenden Amphorenformen – sei es regional oder reichsweit – lassen sich einem speziellen Herkunftsgebiet und einem bestimmten Produkt oder einer bestimmten Produktgruppe zuweisen. Im Hinblick auf die Nordwestprovinzen spielten Amphoren – abgesehen von regionalen Produktionen – praktisch ausschließlich im Süd-Nord-Handel eine Rolle. Sie dienten zum massenhaften Transport von Olivenöl, Wein und Fischprodukten, aber auch von Südfrüchten und anderen Gütern aus dem Mittelmeerraum bis an die nördlichen Reichsgrenzen[12].

Neben den Amphoren kamen auch andere Transportbehältnisse zum Einsatz, etwa Holzfässer, Lederschläuche, Säcke und Körbe[13].

Frachtguttransport zu Land und zu Wasser

Die Grundlage für den massenhaften Transport verschiedenster Güter aus dem gesamten Mittelmeerraum bis an die nördlichen Grenzen des Imperium Romanum und umgekehrt bildete ein elaboriertes, überregionales Transportsystem. Dieses stützte sich neben dem dichten Netz der gut ausgebauten römischen Fernstraßen auf die Nutzung von Wasserwegen. Da sich der Warentransport mit Lasttieren oder Wägen mit Zugtieren im Allgemeinen deutlich kostenintensiver gestaltete als mit See- oder Flussschiffen, die ein Vielfaches an Fracht aufnehmen konnten, bevorzugte man nach Möglichkeit den Transport zu Wasser[14].

Im Nordwesten des Imperiums bildeten die Flüsse *Rhodanus* (Rhône), *Arar* (Saône), *Rhenus* (Rhein) und *Danuvius* (Donau) das Rückgrat der Handelsschifffahrt, wobei sich gerade der gallisch-germanische Raum durch sein weit verzweigtes System an (Neben-)Flüssen und Bächen besonders gut erschließen ließ. Trotz der zahlreichen Wasserwege war vielfach nicht zu verhindern, dass die Waren immer wieder umgeladen werden mussten, sei es von See- auf Flussfahrzeuge oder von Schiffen auf Wägen, um Landstrecken zwischen einzelnen Flüssen zu überbrücken. An diesen Stellen entwickelten sich mitunter wichtige Warenumschlagplätze und Märkte[15].

Bei der Binnenschifffahrt kamen spezielle Frachtschiffe zum Einsatz, sogenannte Prahme, deren Konstruktion aufgrund mehrerer Wracks bekannt ist, die nicht zuletzt im Rheingebiet gefunden wurden. Diese bis zu 40 m langen Schiffe konnten durch Segel, Treideln, Staken oder auch Paddeln angetrieben werden. Sie waren genau auf die Erfordernisse des Flusstransports zugeschnitten und zeichneten sich durch einen flachen Boden, einen geringen Tiefgang sowie durch eine hohe Ladekapazität aus, die mehr als 60 Tonnen erreichen konnte. Dank ihres flachen, rampenartigen Bugs bzw. Hecks konnten sie nicht nur an Uferstränden außerhalb von Häfen anlegen, sondern auch leicht be- und entladen werden (Abb. 55)[16].

Transportunternehmer

Für den Gütertransport waren See- und Binnenschiffer verantwortlich, die gegebenenfalls auch die notwendigen Landtransporte übernahmen. Allerdings war das Gewerbe der Warentransporteure im Römischen Reich so eng mit jenem der Händler verflochten, dass eine klare Abgrenzung beider Berufszweige bisweilen kaum möglich ist[17]. In den Nordwestprovinzen sind vor allem auf Inschriften des 2. und 3. Jahrhunderts n. Chr. unterschiedliche Berufe aus dem Bereich der Binnenschifffahrt überliefert. Im Gegensatz zu den Inschriften der Händler wurden solche mit Bezug zur zivilen Frachtschifffahrt und Flößerei vorwiegend entlang der wichtigen Handelsrouten in Südgallien, genauer im Rhônetal mit *Lugdunum* (Lyon) und *Arelate* (Arles) sowie in *Narbo* (Narbonne), aber auch im Bereich der heutigen Westschweiz gefunden (Abb. 56)[18].

Eine wichtige Gruppe stellen die *navicularii* (*marini*) dar, die als Eigentümer von Seeschiffen für Warentransporte über das Meer zuständig waren; lediglich in Einzelfällen finden sich Hinweise auf Tätigkeiten im Binnenland[19]. Die *navicularii* waren im 1. Jahrhundert n. Chr. offensichtlich vor allem im wichtigen Mittelmeerhafen von *Narbo* (Narbonne), im 2. Jahrhundert n. Chr. dann auch in *Arelate* (Arles) im Rhônedelta ansässig. Spätestens zu dieser Zeit dürften

56 Verbreitung der Inschriften mit Bezug auf die zivile Transportschifffahrt und Flößerei im gallisch-germanischen Raum und in Britannien.

sie als Berufsgruppe eine gehobene soziale Stellung eingenommen haben. Welch wichtige Rolle die *navicularii* aus Narbonne beim Überseetransport im 2. Jahrhundert spielten, lässt sich daran erkennen, dass Schiffer aus *Narbo* nachweislich in entscheidendem Maße am Transport und Handel von Olivenöl aus der Provinz Hispania Baetica nach Rom beteiligt waren. Bereits seit der frühen Kaiserzeit bildeten die Öllieferungen aus diesem Gebiet einen zentralen Baustein in der Versorgung der Hauptstadt mit diesem Grundnahrungsmittel, das in unzähligen Amphoren aus den Tälern des *Baetis* (Guadalquivir) und *Singilis* (Genil) auf Schiffen angeliefert wurde (Abb. 57). Das wohl beeindruckendste Zeugnis dieses Massentransportes ist der fast ausschließlich aus Amphorenscherben bestehende, rund 50 m hohe Monte Testaccio am Tiberufer in Rom – die größte bekannte ‚Müllhalde‘ der römischen Welt[20]. Auf vielen dieser Amphorenfragmente haben sich *tituli picti* (Pinselaufschriften) erhalten, die zu verschiedenen Zeitpunkten des Handelsprozesses an der Amphore angebracht worden waren. Einige dieser Inschriften nennen die Namen von Familien, die in *Narbo* nachgewiesen sind bzw. dort ansässig waren. Die *navicularii Narbonenses* sind zudem inschriftlich auf einem Mosaik erwähnt, das zu einer der *stationes* am Piazzale delle Corporazioni in Ostia bei Rom gehört (Abb. 58)[21].

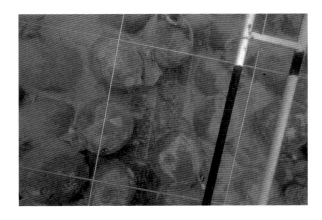

Während die *navicularii* im Bereich des Mittelmeers operierten, lag der Warentransport von der gallischen Nordküste und dem Rheingebiet über den Ärmelkanal nach Britannien in der Hand einer weiteren Gruppe von Seefahrern, die auf Inschriften als *moritices* (Sing.: *moritex* oder *moritix*) bezeichnet werden, ein Wort, das aus dem Keltischen abgeleitet ist. Die Belege für diese Art von Schiffern sind allerdings selten[22].

Ganz im Gegensatz hierzu tritt der Beruf des *nauta* auf Inschriften noch weitaus häufiger auf als jener des *navicularius*. Die *nautae* im gallisch-germanischen Raum waren keine Hochsee-, sondern Binnenschiffer. Ihre inschriftlichen Nachweise konzentrieren sich entlang der Rhône, vor allem in Lyon und im Mündungsgebiet, hingegen sind sie am Rhein selten bezeugt; daneben finden sie sich häufig an wichtigen Wasserwegen in Oberitalien[23]. Wie eine Reliefdarstellung auf dem Grabmonument eines Binnenschiffers aus Dijon dokumentiert, ist davon auszugehen, dass die *nautae* neben den Wasser- auch die Landtransporte übernommen

57 Südspanische Öl-amphoren in einem Schiffswrack des mittleren 3. Jhs. n. Chr. bei der balearischen Insel Cabrera.

58 Mosaik mit Inschrift der *navicularii Narbonenses* am Piazzale delle Corporazioni in Ostia.

haben (Abb. 59). Das Bildfeld, das nur im oberen Bereich erhalten ist, zeigt einen mit Zugtieren bespannten Wagen und eine Person, die das Gefährt be- oder entlädt[24]. Zumindest die *nautae* im südlichen Gallien kann man sich im Wesentlichen als Unternehmer größeren Stils und gehobener sozialer Stellung vorstellen, die sich nicht nur um den Warentransport kümmerten, sondern auch am Fernhandel aktiv beteiligt waren. Konkrete Belege für eine direkte Verbindung zwischen Schifffahrt und Fernhandel liefern Inschriften, denen zufolge sich ein *nauta* gleichzeitig als *negotiator* betätigte bzw. Mitglied der entsprechenden Berufsvereinigungen war (s. u.). In den meisten Fällen handelt es sich dabei um Großhändler für Wein (*negotiator vinarius*), Getreide (*negotiator frumentarius*), Öl (*negotiator olearius*) und Würzsaucen auf Fischbasis (*negotiator murarius*). Einige dieser Schiffer bzw. Händler bekleideten Ehrenämter in den Städten und gehörten zur gesellschaftlichen Oberschicht bis hin zum römischen Ritterstand[25]. Flöße und wohl auch Boote wurden von *ratiarii* gesteuert, während über die Aufgabenbereiche einer weiteren Berufsgruppe, deren Mitglieder sich als *utric(u)larii* bezeichnen, Unklarheit herrscht. Die Belege für die *utriclarii* (von *uter* = Lederschlauch) konzentrieren sich auf Lyon, auf den Unterlauf und das Delta der Rhône sowie auf den Bereich der gallischen Mittelmeerküste, in Nordgallien und am Rhein fehlen sie dagegen völlig. Für diese Personen wurde unter anderem ein Zusammenhang mit dem Landtransport von Wein und Öl in Lederschläuchen, mit kleinräumiger Binnenschifffahrt oder mit der Tätigkeit in lokalen (Feuerwehr-?)Vereinen vermutet[26].

59 Grabinschrift des 2./3. Jhs. n. Chr. eines *nauta* aus Dijon (Burgund) mit Wagendarstellung und Be-/Entladeszene.

Bestens vernetzt – Vereinigungen von Händlern und Transportunternehmern

Ein zentrales Element des römischen Fernhandels bestand im (freiwilligen) Zusammenschluss von Kaufleuten und Transportunternehmern, ebenso wie von Handwerkern, in spezifischen Berufsvereinigungen, die vielfach eng zusammenarbeiteten. In den gallisch-germanischen Provinzen lassen sich viele dieser Vereinigungen nachweisen[27]. Diese Zusammenschlüsse unterschieden sich in ihrer Größe, in ihrem Aktionskreis und in ihrer Bedeutung und dienten mehreren Zwecken: Zum einen brachten sie für die Mitglieder neben der Möglichkeit zum geselligen Austausch einen sozialen Prestigegewinn mit sich, der etwa in der aktiven Teilnahme an religiösen Zeremonien der Vereine zum Ausdruck kam, die teilweise öffentlich zelebriert wurden. Zum anderen dürften zumindest bei den großen Berufsvereinigungen auch ökonomische Motive, nicht zuletzt die Pflege wichtiger Kontakte und die Vertretung wirtschaftlicher Interessen, im Vordergrund gestanden haben[28].

Auf der untersten Hierarchieebene sind kleinere Zusammenschlüsse privaten Charakters zu nennen, von denen einige auf vorrömische Traditionen zurückgehen dürften. Der Großteil von ihnen war trotz der Übernahme römischer Verwaltungsformen wohl nicht staatlich anerkannt. Anders verhielt es sich mit größeren Berufsvereinigungen, die auf Inschriften als *collegia* oder *corpora* bezeichnet werden und auf römischem Recht fußten. Sie sind nur im Süden Galliens und der Germania Superior, nicht jedoch im Rheingebiet bezeugt[29]. Diese Organisationen trugen Beinamen, die die gehandelte Ware oder das Operationsgebiet – im Fall der Binnenschiffer Flüsse – spezifizierten. An ihrer Spitze standen *patroni* (Schutzherren), meist einflussreiche Persönlichkeiten aus der gesellschaftlichen Oberschicht bis hin zu Beamten der Reichsverwaltung, die nicht unbedingt mit dem betreffenden Gewerbe zu tun haben mussten, oder auch ehemalige Mitglieder der Vereinigungen selbst[30].

Zu den bedeutendsten Organisationen zählten das überregional operierende *corpus splendidissimum negotiatorum Cisalpinorum et Transalpinorum* (Vereinigung der Händler südlich und nördlich der Alpen) und das *splendidissimum corpus nautarum Rhodanicorum et Araricorum* (Vereinigungen der Rhône- und Saôneschiffer). Die Korporation der *Cisalpini* und *Transalpini*, die auf keine Warengruppe spezialisiert war, besaß Vertretungen in *Mediolanum* (Mailand), Lyon, *Aventicum* (Avenches) und wohl auch in *Augusta Treverorum* (Trier) und *Augusta Raurica* (Augst/Kaiseraugst)[31]. Demgegenüber begegnen auch *corpora* von Fernhandels-Kaufleuten, die nur mit bestimmten Produkten handelten, z. B. die Zusammenschlüsse der *diffusores olearii ex Baetica* (Händler für Olivenöl aus der Provinz Hispania Baetica) oder der *negotiatores vinarii Lugduni in canabis consistentes* (in Lyon ansässige Weinhändler)[32]. Dabei konnten sich innerhalb dieser Berufsvereinigungen Vertreter der Binnenschifffahrt gleichzeitig als Großhandelskaufleute betätigten (s. o.).

Die *corpora* der Binnenschiffer scheinen allgemein erst im 2. Jahrhundert n. Chr., und wohl nicht zuletzt durch staatliche Förderung, entstanden zu sein, was für die korporierten *nautae* mit verschiedenen Privilegien verbunden war. Im Gegenzug dürfte man die Mitglieder der Korporationen, ebenso wie ihre Kollegen der Seeschifffahrt, zu Warentransporten in staatlichem Auftrag herangezogen haben[33].

Globalisierte antike Welt? – Fernhandel jenseits der Reichsgrenzen

Der Fernhandel beschränkte sich in römischer Zeit nicht nur auf das Reichsgebiet selbst. Vielmehr existierten auch Handelsbeziehungen weit über die Reichsgrenzen hinaus nach Norden, Osten und Süden. Dass es zwischen dem Imperium Romanum und dem freien Germanien einen je nach Region und Epoche mehr oder weniger regen Güteraustausch gab, ist weithin bekannt[34]. So berichtet etwa der römische Historiker Tacitus um die Wende vom 1. zum 2. Jahrhundert n. Chr., dass es den romtreuen *Hermunduri* als einzigem Germanenstamm gestattet war, ohne Auflagen und Beaufsichtigung im Inneren der Provinz Raetien Handel zu treiben, während die übrigen Stämme dies nur an der Donau unter Kontrolle des römischen Militärs tun durften[35]. Im grenznahen Handel gelangten vor allem germanisches Getreide und Nutzvieh in die römischen Provinzen, das in erster Linie für die dortigen Grenztruppen bestimmt gewesen sein dürfte[36]. Über wesentlich weitere Strecken wurde der in Rom höchst begehrte Bernstein verhandelt, den man von der Ostsee über Aquileia an der Adria in den Mittelmeerraum transportierte[37]. Aber auch Pelze, blondes Haar für Perücken bzw. Haarfärbemittel, germanischer Schinken und weitere Produkte sowie Sklaven beschaffte man im Norden für den römischen Markt[38]. In umgekehrter Richtung flossen unter anderem römische Feinkeramik (Terra Sigillata), Bronze- und Glasgefäße sowie Silberwaren und Textilien, aber auch Münzen nach Germanien und Skandinavien[39].

Noch bedeutender als der Handel mit den nördlichen Gebieten waren die Handelskontakte im Osten, die bis nach Arabien, Indien und China reichten[40]. Der Karawanenhandel wurde im 1. und vor allem im 2. Jahrhundert n. Chr. weitgehend von Geschäftsleuten der syrischen Oasenstadt Palmyra an der Seidenstraße betrieben und kontrolliert, die über ein weit verzweigtes Organisationsnetz verfügten. Auf dem Seeweg gelangten Waren aus Indien und China über die Häfen an der ägyptischen Küste des Roten Meeres sowie von dort per Kamel durch die ägyptische Ostwüste an den Nil und weiter nach Alexandria ans Mittelmeer. Aus Arabien, Indien und China verfrachtete man zahlreiche Luxusartikel ins Römische Reich, darunter Weihrauch und Gewürze, Seide und Elfenbein. Hingegen erfreute man sich in Indien neben Metall- und Glasprodukten sowie römischen Münzen an agrarischen Erzeugnissen wie Öl, Wein und Getreide aus dem Westen. Ein konkreter Beleg hierfür ist das Vorkommen römischer Amphoren, unter anderem für südgallischen Wein, an indischen Fundorten[41].

1   Vgl. H.-J. Drexhage/H. Konen/K. Ruffing, Die Wirtschaft des Römischen Reiches (1.–3. Jahrhundert). Eine Einführung (Berlin 2002) [= DREXHAGE U. A. 2002] 119 f.; G. Alföldy, Römische Sozialgeschichte (Stuttgart ⁴2011) [= ALFÖLDY 2011] 123. – Zum Handel in römischer Zeit allg. z. B. P. Garnsey/K. Hopkins/C. R. Whittaker, Trade in the Ancient Economy (London 1983); mit thematischem Schwerpunkt auf den Nordwestprovinzen O. Schlippschuh, Die Händler im römischen Kaiserreich in Gallien, Germanien und den Donauprovinzen Raetien, Noricum und Pannonien (Amsterdam 1974) [= SCHLIPPSCHUH 1974]; G. Jacobsen, Primitiver Austausch oder Freier Markt? Untersuchungen zum Handel in den gallisch-germanischen Provinzen während der römischen Kaiserzeit. Pharos. Stud. griech.-röm. Ant. 5 (St. Katharinen 1995) [= JACOBSEN 1995]; P. Erdkamp (Hrsg.), The Roman Army and the Economy (Amsterdam 2002) [= ERDKAMP 2002]; St. Martin-Kilcher, Handel und Importe. Das Imperium Romanum als Wirtschaftsraum. In: Imperium Romanum. Roms Provinzen an Neckar, Rhein und Donau. Ausstellungskat. Stuttgart (Esslingen 2005) 426–434 [=MARTIN-KILCHER 2005] mit weiteren Zitaten ebd. 434 Anm. 1; vgl. auch P. Rothenhöfer, Die Wirtschaftsstrukturen im südlichen Niedergermanien. Untersuchungen zur Entwicklung eines Wirtschaftsraumes an der Peripherie des Imperium Romanum. Kölner Stud. Arch. Röm. Prov. 7 (Rahden/Westf. 2005) [= ROTHENHÖFER 2005].

2   Zum lokalen (Klein-)Handel SCHLIPPSCHUH 1974, 124–129; DREXHAGE U. A. 2002, 120–126.

3   P. Kneißl, Mercator – negotiator. Römische Geschäftsleute und die Terminologie ihrer Berufe. Münster. Beitr. Ant. Handelsgesch. 2/1, 1983, 73–90; zu weiteren Begriffen vgl. SCHLIPPSCHUH 1974, 7–10.

4   JACOBSEN 1995, 56–59, bes. 57.

5   DREXHAGE U. A. 2002, 120.

6   Vgl. ALFÖLDY 2011, 25. 54. 123 f.; 150–168; SCHLIPPSCHUH 1974, 158–164.

7   SCHLIPPSCHUH 1974, 158 f.; JACOBSEN 1995, 61–71.

8   Vgl. Th. Schmidts, Akteure und Organisation der Handelsschifffahrt in den nordwestlichen Provinzen des Römischen Reiches. Monogr. RGZM 97 (Mainz 2011) [= SCHMIDTS 2011] 97–100 mit Abb. 47.

9   P. Stuart/J. E. Bogaers (†), Nehalennia. Römische Steindenkmäler aus der Oosterschelde bei Colijnsplaat. Coll. Nat. Mus. Ant. Leiden 11 (Leiden 2001) [= STUART/BOGAERS 2001] 53 f. A3; zur Inschrift vgl. ebd. 34 f.; 39 f.

10 Vgl. die Auflistung bei MARTIN-KILCHER 2005, 427.

11 DREXHAGE U. A. 2002, 119 f.

12 Einblicke in das mediterrane Nahrungsmittelangebot größerer römischer Siedlungen am Rhein und am Alpennordrand bieten die Untersuchungen der Amphorenbestände von Augst und Kaiseraugst: St. Martin-Kilcher, Die römischen Amphoren aus Augst und Kaiseraugst. Ein Beitrag zur römischen Handels- und Kulturgeschichte. 1: Die südspanischen Ölamphoren (Gruppe 1). Forsch. Augst 7/1 (Augst 1987). 2: Die Amphoren für Wein, Fischsauce und Südfrüchte (Gruppen 2–24) und Gesamtauswertung. Forsch. Augst 7/2 (Augst 1994) [= MARTIN-KILCHER 1994]. 3: Archäologische und naturwissenschaftliche Tonbestimmungen, Katalog und Tafeln (Gruppen 2–24). Forsch. Augst 7/3 (Augst 1994); *Mogontiacum* (Mainz): U. Ehmig, Die römischen Amphoren aus Mainz 1–2. Frankfurter Arch. Schr. 4 (Möhnesee 2003); *Cambodunum* (Kempten): F. Schimmer, Amphoren aus Cambodunum/Kempten. Ein Beitrag zur Handelsgeschichte der römischen Provinz Raetia. Münchner Beitr. Provinzialröm. Arch. 1 (Wiesbaden ²2012); s. auch die Arbeit von A. Wegert, Studien zu den frühen Amphoren aus Neuss. Kölner Jahrb. 44, 2011, 7–99.

13 Zu Fässern bzw. Lederschläuchen z. B. É. Marlière, L'outre et le tonneau dans l'Occident romain. Monogr. Instrumentum 22 (Montagnac 2002); I. Tamerl, Das Holzfass in der römischen Antike (Innsbruck, Wien, Bozen 2010).

14 Zum Land- und Fluss-/Seetransport DREXHAGE U. A. 2002, 138–145; vgl. auch U. Ehmig,

Über alle Berge. Früheste mediterrane Warenlieferungen in den römischen Ostalpenraum. Röm. Österreich 34/35, 2011/2012, 13–36, zu römischen Straßen M. Klee, Lebensadern des Imperiums. Straßen im Römischen Reich (Stuttgart 2010), jeweils mit weiterer Literatur.

15 Zur Handelsschifffahrt in den Nordwestprovinzen MARTIN-KILCHER 1994a, 525–553; zuletzt ausführlich SCHMIDTS 2011 mit umfassender Bibliographie.

16 Zu antiken Prahmen und Schwergutfrachtern R. Bockius, Antike Prahme. Monumentale Zeugnisse keltisch-römischer Binnenschifffahrt aus der Zeit vom 2. Jh. v. Chr. bis ins 3. Jh. n. Chr. Jahrb. RGZM 47, 2000, 439–493; ders., Antike Schwergutfrachter – Zeugnisse römischen Schiffbaus und Gütertransports. In: Steinbruch und Bergwerk. Denkmäler Römischer Technikgeschichte zwischen Eifel und Rhein. Vulkanpark-Forsch. 2 (Mainz 2000) 110–132.

17 Vgl. MARTIN-KILCHER 1994a, 536 f.; SCHMIDTS 2011, 4.

18 Diskussion bei SCHMIDTS 2011, 81–86.

19 Zu den *navicularii (marini)* MARTIN-KILCHER 1994a, 530; SCHMIDTS 2011, 46–67.

20 E. Rodríguez Almeida, Il Monte Testaccio. Ambiente, storia, materiali (Roma 1984); A. Aguilera Martín, El monte Testaccio y la llanura subaventina. Topografía extra portam Trigeminam. Ser. Arqu. (Roma) 6 (Roma 2002). Die Ergebnisse der neueren spanischen Ausgrabungen werden seit 1999 (Blázquez Martínez/Remesal Rodríguez 1999) in der Reihe ‚Estudios sobre el Monte Testaccio‘ publiziert.

21 SCHMIDTS 2011, 55 Tab. 10. 56 f. Zur genauen Funktion des Baukomplexes mit seinen um einen Innenhof gruppierten ‚Büro‘-Räumen, auf deren Mosaiken zahlreiche Händler- und Schiffervereinigungen aus verschiedenen Städten genannt und dargestellt sind, vgl. D. Rohde, Der Piazzale delle Corporazioni in Ostia: wirtschaftliche Funktion und soziale Bedeutung. Marburger Beitr. Ant. Handelsgesch. 27, 2009, 31–61.

22 SCHMIDTS 2011, 11–13.

23 Zu den *nautae* MARTIN-KILCHER 1994a, 530–533; SCHMIDTS 2011, 13–46.

24 Y. Le Bohec, Inscriptions de la cite des Lingons. Inscriptions sur pierre. Inscriptiones latinae Galliae Belgicae 1: Lingones (Paris 2003) 67 f. Nr. 67 mit älterer Literatur; SCHMIDTS 2011, 22; 144 Nr. 62. Die Inschrift (CIL XIII 5489) lautet: *Nauta Araricus / h(oc) m(onumentum) s(ive) l(ocus) h(eredem) n(on) s(equetur)*. Weitere Darstellung auf der Nebenseite.

25 P. Kneißl, Die Berufsvereine im römischen Gallien. Eine Interpretation der epigraphischen Zeugnisse. In: Imperium Romanum. Studien zu Geschichte und Rezeption. Festschr. Karl Christ (Stuttgart 1998) 431–449, hier 444 f. mit Anm. 81 f. [= KNEISSL 1998]; SCHMIDTS 2011, 95–97 mit Tab. 17.

26 Vgl. MARTIN-KILCHER 1994a, 533–536; SCHMIDTS 2011, 72–81 mit weiterer Literatur.

27 Zu den Berufsvereinigungen der Binnenschiffer SCHMIDTS 2011, 27–44 (*nautae*). 56–66 (*navicularii*), zu den Händlervereinigungen SCHLIPPSCHUH 1974, 109–123; JACOBSEN 1995, 59–64; vgl. ebenso MARTIN-KILCHER 1994a, 526–538.

28 Vgl. SCHLIPPSCHUH 1974, 122 f.; JACOBSEN 1995, 61; KNEISSL 1998, 445; DREXHAGE U. A. 2002, 128 f. (mit Betonung des wirtschaftlichen Aspekts).

29 Vgl. SCHMIDTS 2011, 42 f. mit weiterer Literatur.

30 Vgl. JACOBSEN 1995, 62–64; SCHMIDTS 2011, 28–36.

31 MARTIN-KILCHER 1994a, 537 f.; G. Walser, Studien zur Alpengeschichte in antiker Zeit. Historia Einzelschr. 86 (Stuttgart 1994) 73–85; KNEISSL 1998, 443 f.

32 KNEISSL 1998, 443 f. mit Anm. 77; zum Weinhandel s. auch JACOBSEN 1995, 27–30, zu den baetischen Ölhändlern J. Remesal Rodríguez, L. Marius Phoebus mercator olei Hispani ex provincia Baetica. Consideraciones en torno a los términos mercator, negotiator y diffusor olearius ex Baetica. In: G. Paci (Hrsg.), Epigraphai. Miscellanea epigrafica in onore di Lidio Gasperini. Ichnia 5 (Tivoli 2000) 781–797.

33 KNEISSL 1998, 448 f.; SCHMIDTS 2011, 42.

34 Zusammenfassend DREXHAGE U. A. 2002, 134 f. mit weiterer Literatur und antiken Quellen.

35 Tac. Germ. 41; vgl. W. Czysz/K. Dietz in: W. Czysz/K. Dietz/Th. Fischer/H.-J. Kellner, Die Römer in Bayern (Stuttgart 1995) 202 f.

36 K. Tausend, Die Bedeutung des Importes aus Germanien für den römischen Markt. Tyche 2, 1987, 217–227 [= TAUSEND 1987] 218 f.

37 TAUSEND 1987, 219 f.

38 Ebd. 220–227.

39 Vgl. J. Kunow, Der römische Import in der Germania libera bis zu den Markomannenkriegen. Studien zu Bronze- und Glasgefäßen. Göttinger Schr. Vor- u. Frühgesch. 21 (Neumünster 1983); U. Lund Hansen, Römischer Import im Norden. Warenaustausch zwischen dem Römischen Reich und dem freien Germanien während der Kaiserzeit unter besonderer Berücksichtigung Nordeuropas. Nordiske Fortidsminder B 10 (København 1987).

40 Zusammenfassend DREXHAGE U. A. 2002, 136–138 mit weiterer Literatur und antiken Quellen; R. McLaughlin, Rome and the Distant East. Trade Routes to the Ancient Lands of Arabia, India and China (London, New York 2010).

41 F. Laubenheimer, Le vin gaulois de Narbonnaise exporté dans le monde romain, sous le Haut-Empire. In: Dies. (Hrsg.), 20 ans de recherches à Sallèles d'Aude (Paris 2001) 51–65, hier 58 Abb. 5.

ZWANGSWEISE FREMD – MOBILITÄT VON SKLAVEN IM RÖMISCHEN REICH

Leonhard Schumacher

„Die Abschaffung der Sklaverei in all ihren Formen bleibt eine der höchsten Prioritäten der Vereinten Nationen", proklamierte 2002 ihr Generalsekretär Kofi Annan am Jahrestag der Ächtung des Menschenhandels durch die UN-Konvention vom 2. Dezember 1949. Tatsächlich sind die gesetzlichen Initiativen zur Sanktionierung dieses Verbots auf allen politischen Ebenen zahlreich, ohne allerdings das Problem gänzlich lösen zu können. Auch in unserer Gegenwart floriert der Menschenhandel, überwiegend zur Zwangsprostitution, und wirft beträchtliche Gewinne ab[1]. Ebenso war der Handel mit menschlicher Ware natürlich in der Antike auf Gewinn ausgerichtet und am Gewinn orientiert. Im Unterschied zur Gegenwart war aber die Institution der antiken Sklaverei ein integrierter Faktor des gesellschaftlichen Lebens, war gewissermaßen „allgegenwärtig" sowohl in der griechischen Polis als auch im Römischen Reich, auf das wir uns nun konzentrieren wollen. Zutreffend galten hier die beiden letzten Jahrhunderte vor der Zeitwende als „Blütezeit der Sklavenwirtschaft". Die Eroberungen der republikanischen Feldherren im gesamten Mittelmeerraum brachten nicht nur gewaltige Reichtümer an Gold, Silber, Kunstschätzen und Luxusgütern nach Rom und Italien, sondern führten auch zu einer bislang beispiellosen Sklavenschwemme. Die besiegten Gegner in Griechenland, Vorderasien, Nordafrika, Spanien und Gallien wurden in der Regel versklavt, sofern sich nicht lukrativere Alternativen boten wie etwa der Freikauf Kriegsgefangener durch Verwandte und Freunde.

Mit dem gewaltsamen Verlust persönlicher Freiheit verband sich die Trennung von Familie, ethnischer und kultureller Identität, der Verlust des gesamten sprachlichen und sozialen Umfeldes. Die Bewertung von Sklaven als „lebender Toter" bezieht sich in erster Linie auf diese „Entfremdung" (*alienation*)[2], darüber hinaus aber auch auf ihre „Entpersonalisierung". Nicht einfach gestaltet sich dabei eine Definition des Sklaven. Unter globalen sozialwissenschaftlichen Aspekten, vor allem auch im Blick auf aktuelle Befunde der Sklaverei in unserer Gegenwart, wird eine allgemeine Definition bevorzugt: Sklaverei ist „die vollkommene Beherrschung einer Person durch eine andere zum Zwecke wirtschaftlicher Ausbeutung"[3]. Im Kerngehalt trifft dies natürlich auch auf die römischen Verhältnisse zu, doch zeichnet sich hier ein facettenreicheres Spektrum ab. Nicht jede einer fremden Gewalt unterworfene Person, auch wenn sie wirtschaftlich ausgebeutet wurde, war deshalb versklavt, andererseits kann man nicht behaupten, dass jeder Sklave auch wirtschaftlich ausgebeutet wurde. Personaler und sozialer Status waren in Rom nicht deckungsgleich[4].
Unter diesen Voraussetzungen empfiehlt sich zum besseren Verständnis der Sklaverei in römischer Zeit eine stärker abstrahierende Definition, die nicht die wirtschaftliche Ausbeutung durch ge-

60 Säulensockel mit Darstellung zweier nackter „Barbaren". Mainz, Legionslager, 2. Hälfte 1. Jh. n. Chr.

waltsam erzwungene Arbeits- und Dienstleistung, sondern den rechtlichen Status akzentuiert: Demnach kennzeichnete den Sklaven als Eigentum die unbeschränkte und dauerhafte Unterwerfung unter die direkte Gewalt eines Herrn (*dominus*). Fiel der Gewalthaber aus, fielen seine Herrenrechte an den Rechtsnachfolger. Die unbegrenzte Herrengewalt über den Tod des individuellen Machthabers hinaus war konstitutiv für den Stand des Sklaven und unterschied ihn von anderen Gewaltunterworfenen. Die Beendigung des Sklavenstatus konnte nur durch freie Willensäußerung des Eigentümers, nicht durch die Vernichtung seiner Existenz erfolgen.

Unser Thema bietet in Bezug auf seine beiden Elemente der Sklaverei „Zwangsweise fremd" und „Mobilität" ein gewisses Spannungsverhältnis, insofern beim ersten Aspekt die erzwungene Fremdheit negativ akzentuiert ist, während Mobilität auch wertneutral verstanden werden könnte. Vorab muss daher betont werden, dass der Sklave natürlich immer auch in seinem Arbeitseinsatz durch den Willen seines Herrn fremdbestimmt wurde. Besonders deutlich wird die zwangsweise Entfremdung, wie angesprochen, im Vorgang der Versklavung selbst.

Herkunft – Einsatz – soziale Mobilität von Sklaven

Kriegsgefangene – Männer, Frauen und Kinder – wurden in der Regel als Sklaven vermarktet. Der siegreiche Feldherr ließ sie als Kriegsbeute an seine Soldaten verteilen oder versteigern. Erworben wurden sie von Händlern, die das römische Heer zahlreich begleiteten, um dann auf den Sklavenmärkten weiter verkauft zu werden. Die Soldaten konnten ihren Anteil behalten oder ebenfalls vermarkten. Dieses traumatische Erlebnis, isoliert und hilflos fremden Eigentümern ausgeliefert zu sein, deren Sprache sie meist nicht verstanden, Anweisungen aber Folge leisten mussten, um Strafen zu vermeiden, wirkte auf die Opfer prägend. Ihre weitere Distribution in alle Regionen des Römischen Reiches auf dem See- und Landwege steigerte die Entfremdung noch erheblich.

In Bezug auf archäologische Bildzeugnisse zur Sklaverei ist allerdings Vorsicht geboten[5]. Nicht jede gefesselte Person kann als versklavt gewertet werden. Den Übergang vom Kriegsgefangenen zum Sklaven markiert sein Erwerb durch Dritte, sei es durch Kauf oder Schenkung. Eine Beendigung der Gefangenschaft durch Freikauf[6] wurde schon oben erwähnt. Wenn Caesar in der Endphase des Gallischen Krieges 52 v. Chr. nach seinem Sieg über Vercingetorix bei *Alesia* aus politischen Gründen 20.000 Häduer und Averner freiließ und von den übrigen Stämmen jedem seiner Soldaten einen Gefangenen als Kriegsbeute zuteilte[7], so wurden faktisch nur die letzteren versklavt, Häduer und Averner aber aus der Kriegsgefangenschaft entlassen.

Im Falle der Kleinbronzen aus *Carnuntum* (Abb. 157) fällt daher eine Entscheidung schwer, ob es sich in der Intention des Künstlers noch um „barbarische" Kriegsgefangene oder bereits um Sklaven handelt. Vergleichbar ist ein Relief auf der Säulenbasis einer Wandelhalle (*porticus*) in Mainz (Abb. 60). Die Darstellung zeigt zwei nackte „Barbaren", die mit einer Kette am Hals zusammengeschmiedet sind. Aufgrund des architektonischen Kontextes – ein weiteres Relief zeigt römische Legionäre auf dem Marsch – dürfte es sich hier eher um Kriegsgefangene handeln. Auch bei den als Möbelverzierung verwandten Kleinbronzen liegt der Gedanke nahe, dass die Darstellung von „Barbaren", nicht die von Sklaven im Vordergrund stand. Als bereits versklavt dürften hingegen die beiden männlichen Personen im unteren Relief der Schmalseite einer Grabanlage in Nickenich (Abb. 61) zu werten sein. Beide tragen einen Umhang, der auch ihre Arme bedeckt. Haartracht und Habitus weisen sie als gefangene „Barbaren" aus. Auf der oberen Bildebene hält eine männliche Person in gegürteter Tunika, bewaffnet mit einer Keule, mit der linken Hand eine Kette, die in den Halseisen der unteren Personen endet. Als Zivilist könnte es sich um einen Sklavenhändler handeln, doch ziehe ich nun die Interpretation vor, dass es sich bei dem Keulenträger um einen Soldaten römischer Auxiliartruppen handelte, der sein ihm zugeteiltes Kontingent an menschlicher Kriegsbeute abführte. In Bezug auf die Differenzierung von Gefangenschaft und Sklaverei bieten kaiserliche Siegesmonumente oder Siegesprägungen mit Personifizierungen des unterlegenen Feindes natürlich keine Aufschlüsse.

Die Distribution versklavter Kriegsgefangener erfolgte meist über die großen Sklavenmärkte Syriens und Kleinasiens[8]. Für den Zwischenhandel galten Delos, Syrakus, *Brundisium* und *Puteoli*

61 Seitenrelief eines Nischengrabmals mit Darstellung Gefangener. Nickenich, 1. Jh. n. Chr.

als Zentren. Neben Rom waren Nordafrika und Spanien wichtige Absatzmärkte. Allerdings wurden diese Märkte nur zum Teil durch römische Kriegsgefangene gespeist. Hinzu kamen Tausende durch Raub oder Aussetzung versklavte Personen und die aus dem Ausland importierten sogenannten „Kaufsklaven".

Eindrucksvoll hat die Grabstele des A(ulus) Caprilius Timotheus aus *Amphipolis* im Mündungsgebiet des *Strymon* (Nordgriechenland) solche Geschäfte ins Bild gesetzt (Abb. 62). Die griechische Inschrift[9] bezeichnet den Freigelassenen als Sklavenhändler (*somatemporos*). Das untere Relief zeigt acht männliche Personen in kurzer Tunika nach rechts schreitend, gefolgt von zwei Frauen mit je einem Kind an ihrer Seite. Die Männer tragen Halsringe, die mit einer Kette verbunden sind. Bei Frauen und Kindern schien diese Sicherungsmaßnahme entbehrlich. Es handelt sich also um eine Gruppe von Sklaven beiderlei Geschlechts, deren Zug von einem Mann im Kapuzenmantel angeführt wird. Dieser dürfte als der Sklavenhändler zu identifizieren sein, der in einem Relief oberhalb der Inschrift als Verstorbener beim „Totenmahl" dargestellt ist. Im Kontext der Bildfolge kann auch das mittlere Relief nur auf dessen Geschäfte Bezug nehmen. Die Person rechts trägt in gebückter Haltung eine Amphore auf dem Rücken und nimmt mit der linken Hand eine Kanne vom Boden auf. Beide Gefäße legen eine Verbindung zum Weinhandel nahe, so dass sich auch für die an Stangen getragenen Bronzekessel eine entsprechende Deutung empfiehlt. Da es sich hier um große offene Gefäße handelt, dürfte sich das Bild eher auf die Traubenlese als auf den Weintransport beziehen.

62 Grabstele des Sklavenhändlers A(ulus) Caprilius Timotheus aus Amphipolis (Nordgriechenland).

Die einander korrespondierenden Reliefs illustrieren somit einen Bericht des Historikers Diodor für den Handel zwischen mediterraner Welt und dem nördlichen Gallien: „(Infolge gallischer Trunksucht) schätzen viele italische Kaufleute in üblicher Liebe zum Geld deren Hinneigung zum Wein als glückliche Gabe des (Händlergottes) Hermes. Indem sie nämlich den Wein auf Booten über die schiffbaren Flüsse, mit Wagen auf dem flachen Land transportieren, erzielen sie unglaubliche Gewinne. Denn im Tausch gegen eine Amphore Wein (knapp 40 Liter) erhalten sie einen Sklaven, d. h. sie bekommen einen (unfreien) Diener um einen Trunk"[10]. Ähnliche Geschäfte überlieferte der Geograph Strabo in Bezug auf den Tauschhandel mit den Skythen am Don (*Tanais*): „Dort liegt die gleichnamige Stadt Tanais, … ein Handelsplatz der Nomaden aus Europa und

Asien mit den Kaufleuten, die vom Bosporus her diesen Hafen ansegeln. Erstere bringen Sklaven, Tierhäute und andere Erzeugnisse der Nomaden, letztere im Gegenzug Kleidung, Wein und weitere Zivilisationsgüter"[11]. Für den westlichen Bereich erfolgte dieser Handel nach seiner Darstellung[12] hauptsächlich über Aquileia im Nordosten Italiens. Hier wurden die Früchte des Meeres, Wein in Holzfässern und Olivenöl auf Wagen geladen und landeinwärts zu den illyrischen Stämmen bis zur Donau (*Ister*) transportiert, während im Austausch Sklaven, Vieh und Tierhäute geliefert wurden.

Namentlich kennen wir verhältnismäßig wenige dieser Sklavenhändler: Einen Alexander in *Thyatira*, Lentulus Batiatus in Capua, Aeschines Flavianus, Sempronius Nicocrates[13]. Ihre lateinische Berufsbezeichnung lautete (*mercator*) *venalicius* bzw. *mango*. So bezeichnete sich C(aius) Domitius Carassounus, der um die Mitte des 2. Jahrhunderts n. Chr. auf der Passhöhe des Großen St. Bernhard dem *Iuppiter Optimus Maximus Poeninus* eine Votivgabe stiftete und damit sein Gelübde einlöste (Abb. 109). Erhalten ist das eigentliche Votivtäfelchen, dessen Inschrift den Stifter als einen Helvetier ausweist. Die Wortfolge *Hel(vetius) mango* berechtigt die Schlussfolgerung, dass *mango* hier als Berufsbezeichnung zu verstehen ist.

Hingegen entzieht sich der Kölner Grabstein des C(aius) Aiacius Man-

go[14] einer diesbezüglichen Entscheidung (Abb. 63). *Mango* kann hier ebenso die Tätigkeit des Bestatteten im Sklavenhandel angeben wie als Beiname (*cognomen*) aufgefasst werden. Im letzteren Fall wäre der Verstorbene als verschlagener Geschäftsmann gekennzeichnet, der seine Waren (Wein, Parfüm, Gewürze) arglistig verfälschte – ein „Schlitzohr" also, dem nicht zu trauen war. Diese negative Charakteristik wurde besonders auf Sklavenhändler bezogen, die ihre menschliche Ware aufputzen ließen, um höhere Gewinne zu erzielen. Beim angeblichen Zwillingspärchen, das ein Toranius Flaccus dem Triumvirn Marcus Antonius für 200.000 Sesterzen verkauft hatte, stellte sich anschließend heraus, dass der eine nördlich der Alpen, der andere in Kleinasien geboren war[15].

Jeder Verkauf bedeutete für die Opfer den Weg in eine ungewisse Zukunft. Schon ihr Angebot auf dem Markt oder im privaten Geschäft gestaltete sich meist entwürdigend, unabhängig davon, ob sie auf einem Schaugerüst (*catasta*) ausgestellt[16] oder persönlich inspiziert wurden[17], wie ein nur in einer Umzeichnung überliefertes Grabrelief aus Arlon den Vorgang darstellte (Abb. 64)[18]. Drei Männer stehen auf ebener Erde, von denen der rechte (mit erhobenem Arm) eine Toga trägt, der linke einen gallischen Kapuzenmantel (*cucullus*). In der Mitte steht in Rückenansicht eine etwas kleinere Person, deren Hemd von dem links stehenden Mann bis zur Hüfte aufgekrempelt wird, um das nackte Gesäß in Augenschein zu nehmen.

Körperliche Konstitution und äußeres Erscheinungsbild bestimmten neben intellektuellen Fähigkeiten oder musischen Begabungen den Arbeitseinsatz der Sklaven. Herkunft und versteckte „Sachmängel" mussten bei jedem Verkauf deklariert werden[19]. Land- und Weidewirtschaft erforderten vor allem eine robuste Gesundheit, Haushalt und Verwaltung wohlhabender Familien stellten durchweg gewisse Anforderungen an Erscheinungsbild, Umgangsformen und Bildung ihres Personals. Äthiopier als Türsteher, Germanen als Sicherungspersonal, Syrer als Kammerdiener und Zofen, Griechen als Pädagogen – so mag sich ein arrivierter Geschäftsmann die ideale Besetzung seiner persönlichen Umgebung vorgestellt haben. Alle Aufgaben des Wirtschaftslebens konnten im Prinzip auch von Sklaven wahrgenommen werden.

Bei Wohlverhalten durften Sklaven auf Privilegien hoffen, die vom Herrn aber jederzeit auch wieder entzogen werden konnten und deshalb zum Gehorsam konditionierten. Als probate Anreize galten die Gewährung eines „Sonderguts" (*peculium*) zur eigenverantwortlichen Nutzung, die Tolerierung von Lebensgemeinschaften (*contubernia*) innerhalb der Sklavenschaft (*familia*) und natürlich die Hoffnung auf Freilassung (*manumissio*). Kinder von Sklavinnen folgten unabhängig vom Vater jeweils dem Stand ihrer Mutter, waren „im Hause geborene Sklaven" (*vernae*), über die der Gewalthaber frei verfügen konnte. Zur Privilegierung bot der Einsatz in Haushalt und Verwaltung aufgrund enger Kontakte zum Herrn günstige Voraussetzungen.

Auch die Verwaltung der Kaiserzeit benötigte unfreies Personal auf allen Ebenen[20]. Jeder Statthalter, jeder Legionslegat, jeder zivile Funktionär wurde von zahlreichen Sklaven in die Provinz begleitet. Dazu gehörte natürlich das Personal seiner persönlichen Bedienung, aber ebenso Schreib- und Verwaltungspersonal. Den Platz eines Sklaven mit diesen Funktionen bestimmte der Aufenthalt des Herrn, der ihn auch zu Botengängen einsetzen konnte. Gleichermaßen galt dies im Prinzip für Händler und Kaufleute. Allerdings konnten hier auch andere Prioritäten gesetzt und die Sklaven mit eigenverantwortlichen Aufgaben im Interesse des Herrn beauftragt werden. Im Ergebnis zeichnet sich also zumindest für Teile des unfreien Dienstpersonals eine beachtliche Mobilität im Bereich des Imperium Romanum ab.

65 Grabstein dreier Sklaven des Centurio M(arcus) Audasius Max(imus). Astorga, 1. Hälfte 1. Jh. n. Chr.

Sklaven aktiver Soldaten können diese Mobilität verdeutlichen, da ihr Einsatz durch die Stationierung des Herrn bestimmt wurde. Dass Offiziere über Sklaven verfügten, überrascht vielleicht weniger als der Befund, dass auch einfache Soldaten Sklaven besaßen[21]. Einen Hinweis darauf boten bereits Nachrichten über eine Zuteilung von Kriegsgefangenen durch den siegreichen Feldherrn an die Truppen und die Darstellung des Reliefs von Nickenich (Abb. 61).

In julisch-claudischer Zeit ließ M(arcus) Audasius Max(imus), Hauptmann (*centurio*) der *legio X Gemina*, drei seiner Sklaven mit einem schlichten Grabstein (Abb. 65) im spanischen Astorga beisetzen[22]. Alle drei – Sabinus, Secundio und Lentinus – starben mit 20 bzw. 22 Jahren vermutlich in Folge einer Epidemie. Zumindest über zwei Sklaven verfügte Iulius Gemellinus, *centurio* der in Ägypten garnisonierten *legio II Traiana Fortis*. Beide begleiteten ihren Herrn auf Feldzügen. Bei solchem Anlass verstarb im 2. Jahrhundert n. Chr. der Sklave Callistus mit 20 Jahren in Konya, dem antiken *Iconium*, an der Heerstraße, die von Tarsus zum Bosporus führte. Sein Mitsklave (*conservus*) Vitalis sorgte für die Bestattung[23]. Um 150 n. Chr. verkaufte Aeschines Flavianus, Sklavenhändler aus Milet, in Ravenna dem Flottensoldaten T(itus) Memmius Montanus eine erfahrene Sklavin (*puella veterana*) aus der Cyrenaica, dem heutigen Libyen, für 625 Denare. Der Vertrag garantierte dem Käufer die Übergabe „in bestem Zustand" (*optimis condicionibus*), d. h. dass der Händler keine körperlichen oder charakterlichen Mängel wissentlich verschwiegen hatte[24]. Ob Montanus damals in der Flotte von Ravenna diente oder als Soldat der Flotte von Alexandria zeitweise dorthin abkommandiert war, lässt sich nicht entscheiden. Jedenfalls hat er sich nach seiner Entlassung im ägyptischen Fayum angesiedelt, wo das Wachstäfelchen gefunden wurde.

In Mainz starb um die Mitte des 1. Jahrhunderts n. Chr. C(aius) Faltonius Secundus, Soldat der *legio XXII Primigenia*, mit 46 Jahren nach 21 Jahren Militärdienst[25]. In der Nische seines Grabmals wird er bewaffnet mit Schwert und Dolch von zwei kleineren männlichen Personen flankiert, von denen die linke ein Schreibtäfelchen mit Griffel in den Händen hält, die rechte eine Schabracke über der Schulter trägt (Abb. 66). Es handelt sich also um Dienstpersonal in der Funktion eines Sekretärs und eines Trossknechtes (*mulio*). Aufgrund der schriftlichen Überlieferung dürfen wir den Schluss ziehen, dass sich die Darstellung auf Sklaven des Faltonius bezieht. Allenfalls könnten Freigelassene gemeint sein, wie sie auf dem bekannten Xantener Kenotaph des M(arcus) Caelius links und rechts des *centurio* als Büsten mit ihren Namen abgebildet sind[26]. Zusammen mit ihrem *patronus* hatten sie in der Varus-Katastrophe den Tod gefunden. Die Grabstele des bei Andernach bestatteten Axiliarsoldaten Firmus, Sohn des Ecco, bezeichnet die kleinere Person zu seiner Rechten als seinen Sklaven (*ser[vus]*) Fuscus.

Häufig werden Sklaven in Verbindung mit Reitersoldaten genannt oder auch abgebildet. So sorgte T(itus) Avidius Cordus, Reiter der *legio XXII Primigenia*, um 50 n. Chr. für die Bestattung seines Sklaven Romanus, der mit 27 Jahren in Mainz verstorben war[27]. Reitergrabstelen des 1. Jahrhunderts n. Chr. bieten häufig Darstellungen von Trossknechten (*calones*), die entweder hinter dem Pferd des Soldaten platziert sind oder in einer unteren Ebene eine Funktion als „Pferdeführer" wahrnehmen. Zwei Grabsteine des 1. Jahrhunderts im Rheinischen Landesmuseum Bonn bieten im oberen Bildfeld den nach rechts gelagerten Verstorbenen beim Totenmahl, links einen Sklaven in Wartehaltung. Unterschiedlich gestaltet ist die untere Bildebene. Die Stele des M(arcus) Aemilius Durises[28], der als Reiter in der *ala Sulpicia* diente, zeigt den „Pferdeführer" bewaffnet mit Helm und Lanzen in Seitenansicht hinter dem Tier (Abb. 67). Der zweite Grabstein für einen Reiter der *ala Moesica*[29] platziert die Person als Zivilisten in frontal abwartender Stellung rechts neben das Pferd (Abb. 68). Bemerkenswert scheint die deutliche Entsprechung zum Sklaven der Totenmahlszene im oberen Bildfeld. Um den Aspekt der Mobilität von Sklaven im militärischen Kontext abzuschließen, dürfen wir festhalten, dass zahlreiche Soldaten der Legionen und Hilfstruppen über einen oder mehrere Sklaven verfügten, wir deren Aufgaben im Detail aber kaum bestimmen können.

67 Grabstele des M(arcus) Aemilius Durises mit bewaffnetem *calo*. Bonn, Ende 1. Jh. n. Chr.

68 Grabstele eines Reiters der *ala Moesica*. Bonn.

Die Chancen zum sozialen Aufstieg innerhalb der Sklavenschaft wurden hauptsächlich durch drei Faktoren bestimmt: Arbeitseinsatz, Nähe oder Ferne zum Herrn sowie dessen gesellschaftlicher Status. In der Landwirtschaft boten sich den Sklaven kaum Chancen zur Profilierung. Bei Eignung und Wohlverhalten durften sie vielleicht auf die Funktion eines Gutsverwalters (*vilicus*) hoffen. Günstigere Bedingungen boten Gewerbe, Handel und Dienstleistungen aufgrund praktischer Kenntnisse und handwerklicher Fähigkeiten.

Der Einsatz als Geschäftsführer (*institor*) eines Ladenlokals, Aufgaben der Rechnungsprüfung als *dipensator* und der Münzprüfung als *nummularius* bedeuteten wie alle Aufsichtsfunktionen des Haushalts sozialen Aufstieg in der „Sklavenhierarchie". Besonders privilegiert waren die öffentlichen Sklaven (*servi publici*) der Kommunalverwaltung und die Sklaven des Kaiserhauses (*servi Caesaris*).

Beendigung der Sklaverei

Höchstes Ziel und Erfüllung aller Hoffnungen der Sklaven blieb aber die Freilassung (*manumissio*), um meist in den bisher ausgeübten Tätigkeiten eigenverantwortlich handeln zu können. Oft wurden zu diesem Zweck Mittel des „Sondervermögens" (*peculium*) eingesetzt. Den besonders hohen Betrag von 50.000 Sesterzen bezahlte der Arzt P(ublius) Decimius Merula zu diesem Zweck in Assisi[30]. Offenbar hatte er bereits als Sklave sehr erfolgreich praktiziert. Ein Freikauf, meist verbunden mit der Verpflichtung zu Tagewerken (*operae*), erfolgte im Interesse des Herrn wie des Sklaven. Der Freigelassene (*libertus*) arbeitete nun auf eigene Rechnung, der Freilasser (*patronus*) war durch die *operae* am Gewinn beteiligt. Negativ fiel allenfalls die mögliche Konkurrenz ins Gewicht.

Nicht selten gelangten Freigelassene zu beachtlichen Vermögen und großem Einfluss. So hinterließ der genannte Merula bei seinem Tode ein Vermögen von mehr als einer halben Million Sesterzen, der freigelassene Pädagoge Q(uintus) Remmius Palaemon erwarb bei Rom ein Grundstück für

600.000 Sesterzen, um erfolgreich Weinbau zu betreiben[31]. Über noch größeren Reichtum verfügten Freigelassene des Kaisers, deren Vermögen sich auf 300 bis 400 Millionen Sesterzen belief. Trotz dieser Befunde gelang es aber Freigelassenen nie, den Makel ihres ehemaligen Sklavenstandes vergessen zu machen[32]. Erst ihre Nachkommen wurden von der römischen Gesellschaft als vollwertige Mitglieder anerkannt. So konnte P(ublius) Helvius Pertinax als Sohn eines Freigelassenen zunächst Offizier, dann römischer Ritter und Senator, schließlich sogar Kaiser werden.

Den Abschluss unserer Überlegungen zur Mobilität von Sklaven in der römischen Kaiserzeit soll das außergewöhnliche Schicksal einer italischen Sklavin namens Musa bilden, die Augustus um 20 v. Chr. dem Partherkönig Phraates IV. zum Geschenk machte[33]. Als freigelassene Konkubine gebar sie dem Herrscher den Sohn Phraataces und sicherte ihm die Nachfolge. Dynastisch wird er meist als Phraates V. gezählt. Mit seiner Mutter als Mitregentin, die er einige Jahre später sogar zu seiner Gemahlin erhob, beherrschte er sechs Jahre das Partherreich. Silberprägungen des Königs bieten für die Jahre 2 bis 4 n. Chr. auch das Porträt seiner Mutter-Gemahlin, die in der Legende als *Thea Urania Musa Basilissa* (im Genitiv) bezeichnet wird (Abb. 69), also den Titel „Königin" führte[34].

1   Cho Seo-Young u. a., The Spread of Anti-trafficking Policies – Evidence from a New Index, http//www.human-trafficking-research.org.; A. von Schmiedeburg, Menschenhandel – ein Bericht aus staatsanwaltlicher Praxis. In: H. Heinen (Hrsg.), Menschenraub, Menschenhandel und Sklaverei in antiker und moderner Perspektive (Stuttgart 2008) 9–19; FOCUS Online 3.12.2007: Menschenhandel; SPIEGEL Online 24.10.2012: Großrazzia in Deutschland.

2   O. Patterson, Slavery and Social Death. A Comparative Study (London 1982) 9–10; E. Flaig, Weltgeschichte der Sklaverei (München 2009) 16–22.

3   K. Bales, Die neue Sklaverei (München 2001) 13.

4   Vgl. L. Schumacher, Slaves in Roman Society. In: M. Peachin (Hrsg.), The Oxford Handbook of Social Relations in the Roman World (New York 2011) 589–608, hier 590.

5   Vgl. L. Schumacher, Sklaverei in der Antike. Alltag und Schicksal der Unfreien (München 2001) 65–90.

6   Diod. 23,18,5.

7   Caes. Gall. 7,89,5 und 90,3.

8   S. R. Joshel, Slavery in the Roman World (New York 2010) 77–110.

9   AE 1946, 229.

10 Diod. 5,26,3.

11 Strab. 11,2,3.

12 Strab. 5,1,8.

13 TAM V 2, 932; Plut. Crass. 8,2; AE 1922, 135; IGUR III 1326.

14 CIL XIII 8348.

15 Suet. Aug. 69,1; Plin. nat. 7,56.

16 CIL X 8222.

17 Suet. Aug. 69,1; Sen. epist. 80,9.

18 A. Deman/Th. Raepsaet-Charlier (Hrsg.), Les inscriptions latines de Belgique (Brüssel 1985) 119–120 Nr. 72 u. Taf. 40.

19 É. Jakab, *Praedicere* und *cavere* beim Marktkauf. Sachmängel im griechischen und römischen Recht (München 1997) 123–152 [= JAKAB 1997].

20 Vgl. L. Schumacher, Hausgesinde – Hofgesinde. Terminologische Überlegungen zur Funktion

der *familia Caesaris* im 1. Jh. n. Chr. In: H. Bellen/H. Heinen (Hrsg.), Fünfzig Jahre Forschungen zur antiken Sklaverei an der Mainzer Akademie 1950–2000 (Stuttgart 2001) 331–352 [= Bellen/Heinen 2001].

21 Vgl. M. P. Speidel, The Soldiers' Servants. Ancient Society 20, 1989, 239–248 = ders., Roman Army Studies 2 (Stuttgart 1992) 342–352.

22 IRG III 38.

23 AE 1912,17.

24 AE 1922,135; vgl. A. Söllner, Der Kauf einer Sklavin, beurkundet in Ravenna um die Mitte des 2. Jahrhunderts n. Chr. In: Bellen/Heinen 2001, 83–96; Jakab 1997, 165–196.

25 CIL XIII 6960.

26 CIL XIII 8648.

27 CIL XIII 6954.

28 CIL XIII 8311.

29 CIL XIII 8592.

30 CIL XI 5400.

31 Plin. nat. 14,49–51.

32 Vgl. H. Mouritsen, The Freedmen in the Roman World (Cambridge 2011).

33 Ios. ant. Iud. 18,40.

34 Vgl. H. Richter, Das Angesicht des Feindes – Beobachtungen an parthischen Münzen zur Zeit des Oktavian/Augustus. In: D. Kreikenbom u. a. (Hrsg.), Augustus – Der Blick von außen (Wiesbaden 2008) 271–296, hier 284–288.

MIT KIND UND KEGEL – MIGRATION UND ZWANGSUMSIEDLUNG VON GEMEINWESEN IN RÖMISCHER ZEIT

Patrick Jung

Einleitung

Menschen leben in Gemeinschaften. Diese einfache Feststellung trifft epochenübergreifend auf fast die gesamte Bevölkerung der Erde zu. Zusammensetzung und innere Struktur dieser sozialen Gruppen können jedoch sehr verschieden sein. Dies war in der Antike nicht anders als heute. In den Jahrhunderten um Christi Geburt organisierten sich die Menschen des Mittelmeerraumes in Gemeinwesen mit einem urbanen Zentrum und dazu gehörigem Territorium. Die Bürger waren in Familienverbände eingebunden, für deren Identität und Zusammenhalt die gemeinsame Abstammung ihrer Mitglieder von besonderer Bedeutung war[1].

Diesen Staatsformen standen Gesellschaften gegenüber, die man häufig vereinfachend als Stämme bezeichnet. Der Begriff bezeichnet wenig komplex organisierte Abstammungsgemeinschaften. Dieses Bild wird jedoch in vielen Fällen der historischen Realität nicht gerecht. Häufig entsprachen vor- und frühgeschichtliche Gesellschaften eher offenen Interessens- und Sozialverbänden. Sie konnten sich aus verschiedenen und bisweilen wechselnden Teilgruppen zusammensetzen. Oft waren sie in Form von personenbezogenen Zugehörigkeiten – im Sinne von Gefolgschaften – organisiert. Zu ihren Merkmalen gehörte meist die Schriftlosigkeit, weshalb wir besonders über ihren inneren Aufbau in der Regel nur unzureichend durch die Nachrichten griechischer oder römischer Autoren unterrichtet sind. Als Beispiele ließen sich die Nomaden Nordafrikas und des Nahen Ostens ebenso nennen wie die in Mitteleuropa siedelnden Germanen. Letztlich ist häufig sogar unklar, ob bzw. wie die überlieferten „Stammesnamen" mit Ethnien gleichzusetzen sind, also ob überhaupt eine gemeinsame Identität vorhanden war oder ob es sich nur um pragmatische Zweckbündnisse auf Zeit handelte. Nationalstaatliches Denken, wie es sich im Europa des 18. und 19. Jahrhunderts herausbildete, war in der Antike unbekannt.

Ungeachtet der Ursachen für ihren Zusammenhalt ist die Bevölkerung einer Region ihrer Heimat in der Regel räumlich und emotional verbunden. Dazu führten in der Antike bereits ökonomische Notwendigkeiten, da Ackerbau, Viehzucht und die Nutzung von Bodenschätzen die Lebensgrundlagen von sesshaften Gemeinschaften bildeten. Verließen größere Teile einer Bevölkerung oder sogar ein gesamtes Gemeinwesen die Heimatregion, mussten gewichtige Gründe die Ursache sein. Wirklich freiwillig – etwa aus purer Abenteuerlust heraus, wie es manche antike Autoren berichten – dürfte dies nur in den seltensten Fällen geschehen sein. Zwang spielte als Ursache für Mobilität fast immer eine Rolle: Ressourcenmangel, feindliche Übergriffe oder interne Streitigkeiten konnten zu der Entscheidung führen, die alten Siedlungsgebiete zu verlassen und das Glück in der Fremde zu suchen. Im Falle einer kriegerischen Auseinandersetzung konnte der Zwang jedoch auch von außen kommen, wenn die siegreiche Partei eine Umsiedlung der Besiegten erzwang.

Nicht an die Scholle gebunden – Migration von Gemeinwesen

Die Auseinandersetzungen der Römer mit umherziehenden fremden – aus römischer Sicht „barbarischen" – Gruppen begannen bereits in der Frühphase des römischen Staates, in der Zeit der sogenannten keltischen Wanderungen. 387 v. Chr. eroberten die keltischen Senonen Rom; 279 v. Chr. standen andere keltische Verbände vor dem griechischen Delphi. Es kam nicht nur zu Plünderungszügen, sondern auch zu Landnahmen, die die Mittelmeerwelt erschütterten. Wiederum größte Anstrengungen mussten die Römer in den letzten zwei Jahrzehnten des 2. Jahrhunderts v. Chr. unternehmen, um die germanischen Verbünde der Kimbern, Teutonen und Ambronen abzuwehren. Die Zusammenstöße mit den umherziehenden Kriegerscharen aus dem Norden gruben sich tief in das kollektive Gedächtnis der Römer ein – der *furor Teutonicus*[2], die angeblich wütende Raserei der Teutonen, wurde zum Ausdruck für die Furcht vor den Barbaren des Nordens[3].

In Rom empfand man solche Wanderzüge großer Barbarengruppen als besondere Art der Bedrohung. Als Hintergründe vermutete man deren angeblich generell unstete Lebensweise, ihre Gier nach Beute oder auch Überbevölkerung, Hungersnöte und Naturkatastrophen[4]. Heute zieht man verstärkt klimatische Ursachen, die zu wiederholt kalten und nassen Sommern und somit zu Nahrungsknappheit führten, oder aber interne, politisch motivierte Abspaltungsprozesse in Betracht[5]. Ein weiterer wichtiger Beweggrund war die Flucht vor Feinden. Ganz allgemein gesprochen, ging es in den meisten Fällen wohl um die Verbesserung der eigenen Lebensbedingungen, man suchte sein Glück sprichwörtlich in der Fremde[6].

Eine wichtige Quelle für frühgeschichtliche Migrationen sind die Schriften C. Iulius Caesars (Abb. 70). So beschreibt der Autor einen Vorgang, der am Beginn der römischen Eroberung Galliens 58–51 v. Chr. stehen sollte: Die keltischen Helvetier hätten beschlossen, im Wunsch nach Kriegsruhm und auf der Suche nach neuem Siedlungsland ihre Heimat zu verlassen. Daraufhin sei ein Zweijahresplan erstellt worden, in dem die notwendigen Vorbereitungen geregelt waren. Danach habe man die alten Siedlungen zerstört und sei mit allen Leuten aufgebrochen, wodurch letztlich das Eingreifen der Römer in Gallien provoziert worden sei[7]. Hinter dieser unglaubwürdigen, nicht der Wahrheit, sondern politischen Hintergründen verpflichteten Schilderung Caesars stehen möglicherweise ähnliche Kriegszüge, wie sie auch in den vergangenen Jahrhunderten vorkamen. Caesar schildert des Weiteren, dass einige gallische Fraktionen germanische Söldner zur Unterstützung in internen Streitigkeiten angeworben hatten. Daraufhin waren mehr und mehr Krieger über den (Ober-)Rhein gekommen, bis die germanischen Sueben unter ihrem König Ariovist zu einer ernsthaften Bedrohung wurden[8]. Der zunächst kontrollierte Zuzug von spezialisierten

Kämpfern drohte zu einer unerwünschten Migration auszuwachsen. Durch das Eingreifen Caesars konnte der Prozess jedoch gestoppt und letztlich der Rhein als Grenze des Römischen Reiches etabliert werden.

Doch auch jenseits dieser Grenze griffen die Römer in Migrationsvorgänge und Landnahmen ein. So unterstützte man während der augusteischen Expansionsphase mehrfach Gruppen in der *Germania Magna*, darunter die markomannisch gesteuerten Abwanderungen unter Marbod aus dem mainfränkischen Raum nach Böhmen[9].

Das Reichsgebiet selbst war erst ab dem 3. Jahrhundert n. Chr. wieder verstärkt von Migrationsbewegungen fremder Verbünde betroffen. In der Spätantike war das römische Territorium begehrtes Siedlungsland bei vielen Nichtrömern, die sich in größeren oder kleineren Gruppen innerhalb der Reichsgrenzen niederzulassen versuchten. Ein Beispiel dessen, was letztlich zum Ende der römischen Vorherrschaft in Europa führen sollte, ist die Ereigniskette am Beginn der sogenannten Völkerwanderungszeit: 375 n. Chr. vertrieben Hunnen westgotische Gruppen aus ihren Siedlungsgebieten nördlich der Donau. Diese suchten daraufhin in Scharen Zuflucht auf römischem Territorium. Der römische Kaiser Valens musste die Flüchtlinge aufnehmen. Obwohl eine friedliche Lösung angestrebt wurde, geriet die Situation außer Kontrolle; es kam zu Plünderungen, Kämpfen und schließlich zum Krieg, der den Untergang des römischen Heeres und den Tod des Kaisers zur Folge hatte. Dessen Nachfolger, Theodosius I., legalisierte 382 n. Chr. die Landnahme der Westgoten und schloss mit ihnen einen Vertrag, der das künftige Miteinander regeln sollte[10]. Anders als bei Ansiedlungen in den Jahrhunderten zuvor, konnte Rom nun jedoch nicht mehr die Regeln diktieren; den Germanen auf römischem Boden blieb erstmals ihre Souveränität erhalten[11]. Von einer durch die römische Administration initiierten und gesteuerten Umsiedlungsaktion, wie sie vielfach vorgekommen war, konnte nicht mehr die Rede sein.

70 Porträt des C. Iulius Caesar (*100 v. Chr., † 44 v. Chr.). Der römische Politiker und Feldherr unterwarf in mehreren Feldzügen Gallien bis zum Rhein und griff dabei nachhaltig in die Bevölkerungszusammensetzungen verschiedener Gebiete ein.

Kein Recht auf Heimat –
Staatlich gesteuerte Umsiedlung
Barbaren als souveräne Partner
in das Imperium aufzunehmen,
musste dem Führungsanspruch
der römischen Elite widerspre-
chen. Die Vorstellung, von den
Göttern zu den Herrschern der
Welt bestimmt worden zu sein,
war in den senatorischen Kreisen
der späteren Republik und der
Kaiserzeit fest verankert[12].
Diese hohen Ziele ließen sich
freilich auch in der Blütephase
des Römischen Reiches nicht immer verwirklichen. Konnte man
benachbarte Völker, Staaten oder
Verbände militärisch nicht besie-
gen oder sie nicht durch ge-
schickte Diplomatie zu einer

pro-römischen Haltung bewegen, griff man in zunehmendem Maße auf diplomatische Geschenke
und die Zahlung von Subsidien zurück. Dadurch band man deren Führungsschichten an Rom
und versuchte so, Plünderungszüge zu verhindern[13].
Kam es jedoch zum Konflikt, konnte Rom nach einem Sieg seine Bedingungen diktieren. Dabei
galt es zum einen, die militärische Macht des Feindes zu vernichten oder für die eigene Sache
nutzbar zu machen[14]. Zu den drastischen Mitteln der vollständigen Tilgung einer Gemeinschaft
durch Tötungen[15] oder Versklavung[16] griff man, wenn es notwendig und sinnvoll erschien. In
den meisten Fällen ging es jedoch vor allem darum, die Herrschaft über das eroberte Gebiet zu
organisieren, indem man die im Grundsatz weiterbestehenden einheimischen Strukturen neu
organisierte.

Zwar existierte in der Antike ein Kriegsrecht (*ius belli*), jedoch handelte es sich lediglich um ein
nicht schriftlich fixiertes Gewohnheitsrecht[17]. Es verlieh dem Sieger unbeschränkte Rechte über
den Besiegten. Auch eine frühzeitige Kapitulation und somit Unterwerfung (*deditio*) änderte
daran nichts (Abb. 71)[18]. Sie erhöhte lediglich die Chancen auf eine milde Behandlung für die
Unterworfenen (*dediticii*). Im günstigsten Fall wurde das künftige Miteinander vertraglich
geregelt, etwa in Form eines *foedus* (Abb. 72)[19]. Es lag jedoch vollständig im Ermessen des Siegers,
auf welche Weise er mit den Unterlegenen verfuhr (Abb. 73). Auch wurde nicht zwischen Angehörigen des Militärs und der Zivilbevölkerung unterschieden. Nichtkombattanten konnten

72 Kontrolle statt Vertrauen. Diese Münze aus dem Jahr 8 v. Chr. zeigt den erhöht auf einem kurulischen Stuhl sitzenden Kaiser Augustus, dem das Oberhaupt einer Barbarengruppe ein Kleinkind als Geisel überreicht. Auf diese Weise stellte man sicher, dass unterlegene Gegner vertraglich vereinbarte Bedingungen einhielten.

also wie Kriegsgefangene behandelt werden. Neben der Deportation von Einzelpersonen oder Gruppen aus der Führungsschicht[20] konnte so auch die Umsiedlung ganzer Gemeinwesen das Mittel der Wahl sein[21].

Wie eine solche Zwangsumsiedlung ablaufen konnte, zeigt das von Livius ausführlich beschriebene Beispiel der ligurischen Apuaner[22]. Diese wurden nach langen und verlustreichen Kämpfen 180 v. Chr. von den Römern unterworfen. Sie sollten fortan nicht mehr die Vorteile des unzugänglichen Berglands ihrer Heimat für weiteren Widerstand nutzen können. Deshalb wollte man sie in weit entferntes, ebenes Gelände umsiedeln. Dabei gingen die Sieger vergleichsweise human vor: Sie erlaubten die Mitnahme aller persönlicher Habe, organisierten die Landzuteilung und unterstützten die angeblich 40.000 Siedler samt deren Familien in ihrer neuen Heimat mit beträchtlichen finanziellen Mitteln[23]. Wenige Jahre zuvor hatten die Apuaner eine römische Armee in einen Hinterhalt gelockt, 4.000 Soldaten getötet und drei Feldzeichen erbeutet[24]. Dass nicht härtere Vergeltungsmaßnahmen durchgeführt wurden, dürften die Apuaner der Besonnenheit und wohl auch dem strategischem Kalkül der

73 Für den Umgang mit Besiegten gab es keine Regeln. In dieser Darstellung auf der Marcussäule in Rom werden unbewaffnete Gegner, durch ihr Äußeres als Barbaren charakterisiert, von römischen Soldaten massakriert.

0   5 cm

74 „Mit Kind und Kegel". Eine Gruppe von Barbaren – Flüchtlinge oder besiegte Feinde – zieht nach der Billigung durch die Kaiser mit ihren Habseligkeiten über die Mainzer Rheinbrücke.

hauptverantwortlichen Konsuln P. Cornelius Cethegus und M. Baebius Tamphilus zu verdanken haben.

Einigen der Apuaner fiel es jedoch nicht leicht, ihre Heimat zu verlassen. So erfahren wir: „Die Ligurer baten oft und dringend durch Gesandte, man solle sie nicht zwingen, ihre Hausgötter, ihre Wohnsitze, in denen sie geboren seien, und die Gräber ihrer Ahnen zu verlassen […]"[25]. Zu ähnlichen Szenen kam es sicherlich bei den meisten Zwangsumsiedlungen. Einher mit einer solchen räumlichen Verlagerung konnte sogar der Verlust bzw. eine Veränderung der kollektiven Identität einer Ethnie gehen. Man bezeichnete die Apuaner später nach den beiden Konsuln als *Ligures Corneliani* und *Ligures Baebiani*[26]. So dienten Umsiedlungen barbarischer Gruppen nicht zuletzt auch der Zerschlagung alter ethnischer Traditionen. Beispiele dieser Art ließen sich in größerer Zahl anführen.

Bei der Integration besiegter Gegner kam den Römern zugute, dass ihr Staat von Anfang an nach moderner Terminologie ein „Einwanderungsland" war. Schon Romulus soll ein Asyl eingerichtet und alle diejenigen aufgenommen haben, die beim Aufbau der Stadt mitwirken wollten[27]. Das sogenannte „Lyoner Bleimedaillon" aus der Zeit um 300 n. Chr. zeigt, wie zwei Kaiser einer Gruppe von Barbaren Aufnahme gewähren, die daraufhin über die Mainzer Rheinbrücke römisches Territorium betreten (Abb. 74)[28]. Eine ausgesprochen römische Sicht vermitteln Münzen der Constantinssöhne, auf denen wohl Zwangsumsiedlungen zur Auffüllung veröter Siedlungsräume dargestellt sind, wie sie in der Spätantike vielerorts vorgenommen wurden (Abb. 75).

75 Wunschdenken oder historische Realität? Auf dieser Münze des Constantius II. (337–361 n. Chr.) führt ein die Szene beherrschender römischer Soldat einen folgsamen Barbaren aus seiner ärmlichen Hütte[29].

Wer bin ich? Antike Bevölkerungen an Niederrhein und Maas

Die Zusammensetzung der Bevölkerung an Niederrhein und Maas war am Ende der vorrömischen und in der frührömischen Zeit großen Veränderungen unterworfen. Dies geschah den Schriftquellen zufolge im letzten Jahrhundert v. Chr. und um die Zeitenwende in Form von Migrationen germanischer Gruppen, die sich von Osten und Norden her kommend westlich des Rheins niederließen. Die Römer fassten den Fluss als eine flexible Grenze zwischen Kelten und Germanen auf[30].

Wahrscheinlich sickerten einerseits immer wieder kleinere Gruppen über den Fluss ein. Diese konnten später zu Identitätskernen größerer Verbände werden, wenn Menschen, die ihre alte Zugehörigkeit verloren hatten, dazu stießen[31]. Außerdem kam es seit den Kriegen Caesars zu römisch beeinflussten, gesteuerten oder doch zumindest legitimierten Ansiedlungen. Die Römer verfolgten damit verschiedene Ziele: Das Beseitigen feindlich gesonnener einheimischer Eliten, das Auffüllen von Siedlungslücken, das Schaffen eines siedlungsarmen Grenzvorfeldes und das Ableisten von Kriegsdiensten[32].

Am Anfang der durch literarische Quellen nachvollziehbaren Ereignisse stand die Neuordnung der Verhältnisse an Niederrhein und Maas durch Caesar, der alte, den Römern feindlich gesonnene Identitätskerne wie den der Eburonen vernichtete[33]. Durch Aktionen dieser Art entstanden Siedlungslücken, in die neue Siedler kontrolliert nachrücken mussten, wollte man nicht anderen die Initiative überlassen[34]. Die Gründe für die Rheinübergänge germanischer Gruppen, von denen die Tungrer die ersten gewesen sein sollen, waren vielfältig[35]. So soll etwa das aggressive Verhalten der Sueben die Usipeter und Tenkterer veranlasst haben, ihre Heimat zu verlassen und den unteren Niederrhein zu überschreiten[36]. In vielen Fällen sind die Details und vor allem die genaue

Rolle der Römer bei diesen Vorgängen den Quellen nicht eindeutig zu entnehmen. Wenig bekannt ist beispielsweise die Genese der im Rheinmündungsgebiet siedelnden Cannanefaten[37]. Zu einigen Verbänden pflegten die Römer besonders gute Verhältnisse: Dies waren zum einen die Bataver[38] im Rhein-Maas-Delta, die vor allem Hilfstruppen stellten, und zum anderen die Ubier[39] im Raum um Köln, die sich vergleichsweise rasch akkulturierten. Die Sugambrer[40] hingegen waren zunächst sowohl Gegner als auch Verbündete Roms, bis Teile von ihnen 8 v. Chr. linksrheinisches Land erhielten. Vermischt mit Einheimischen, wandelte sich vermutlich deren Identität und es entstanden die für die Folgezeit im Raum um Xanten belegten Cugerner/Cuberner (Abb. 36)[41].

In der mittleren Kaiserzeit war vor allem der Donauraum Schauplatz größerer Bevölkerungsverschiebungen[42]. Am Niederrhein kam es erst in der Spätantike wieder zu bedeutenden Veränderungen, die die Römer in die Defensive drängten. So ließ sich nicht verhindern, dass sich in den 350er/360er Jahren auf Reichsgebiet in Toxandrien, dem Gebiet zwischen Schelde und Maas in der niederländisch-belgischen Grenzregion, Saalfranken (*Salii*) niederließen[43]. Ähnlich wie im Fall der Westgoten an der Donau musste die römische Seite die Verhältnisse akzeptieren und versuchen, durch vertragliche Regelungen die Neuankömmlinge zu integrieren. In der Region wurde damit bereits das letzte Kapitel römischer Herrschaft eingeleitet, die sich in anderen Reichsteilen gegen die Umwälzungen der Völkerwanderungszeit noch einige Jahrzehnte länger behaupten konnte.

1   Etwa Aristot. pol. 3,1,9 (1275b).

2   Lucan. 1,255 f.

3   R. Wolters, Germanische Mobilität und römische Ansiedlungspolitik. Voraussetzungen und Strukturen germanischer Siedlungsbewegungen im römischen Grenzland. In: Th. Grünewald (Hrsg.), Germania inferior. Besiedlung, Gesellschaft und Wirtschaft an der Grenze der römisch-germanischen Welt. RGA² Ergänzungsbd. 28 (Berlin, New York 2001) 149–158 [= WOLTERS 2001].

4   A. Demandt, Die Germanen im Römischen Reich. In: A. Demandt (Hrsg.), Mit Fremden leben. Eine Kulturgeschichte von der Antike bis zur Gegenwart (München 1995) [= DEMANDT 1995] 72; WOLTERS 2001, 151 f.

5   H. Nortmann/M. Schönfelder, Latènezeit. Fürstengräber, Keltenwanderung und erste Städte.

In: F. Sirocko (Hrsg.), Wetter, Klima, Menschheitsentwicklung. Von der Eiszeit bis ins 21. Jahrhundert (Darmstadt 2009) 142; R. Schreg/F. Sirocko, Völkerwanderung und Umweltkrise. Das Ende des römischen Weltreiches. In: F. Sirocko (Hrsg.), Wetter, Klima, Menschheitsentwicklung. Von der Eiszeit bis ins 21. Jahrhundert (Darmstadt 2009) 152 f.; WOLTERS 2001, 157.

6   Dies wird z. B. deutlich durch Aufnahmegesuche der umherziehenden Friesen und Ampsivarier in neronischer Zeit. Diese wurden allerdings mit Waffengewalt zurückgewiesen (Tac. ann. 13,54–56; WOLTERS 2001, 166 Anm. 99).

7   Caes. Gall. 1,2–29.

8   Caes. Gall. 5,55,1–2. 6,2,1–2.

9   Strab. 7,1,3–4; Vell. 2,108; Wolters 2001, 157 Anm. 54 mit älterer Literatur; siehe Dio Cass.

54,36,3–4. 55,10a,2 zu weiteren Ansiedlungsvorgängen dieser Zeit.

10 Amm. 31,3,8–31,4,13; Them. or. 10; 16; A. Schwarcz, Die Westgoten und das Imperium im 4. Jahrhundert. In: Los visigodos. Historia y civilización. Actas de la semana internacional de estudios visigóticos. Antigüedad y cristianismo. Mon. Hist. Sobre Antigüedad Tardía 3 (Murcia 1986) 17–26 [= SCHWARCZ 1986]; H. Wolfram, Die Aufnahme germanischer Völker ins Römerreich. Aspekte und Konsequenzen. In: Popoli e paesi nelle cultura altomedievale, 23–29 aprile 1981. Settima Stud. Centro Italiano Stud. Alto Medioevo 29 (Spoleto 1983) 91–99; P. J. Heather, *Foedera* and *foederati* of the fourth century. In: W. Pohl (Hrsg.), Kingdoms of the Empire. The Integration of Barbarians in Late Antiquity. Transformation Roman World 1 (Leiden, New York, Köln 1997) 57–74 [= HEATHER 1997].

11 J. Heinrichs, Römische Perfidie und germanischer Edelmut? Zur Umsiedlung protocugernischer Gruppen in den Raum Xanten 8 v. Chr. In: Th. Grünewald (Hrsg.), Germania inferior. Besiedlung, Gesellschaft und Wirtschaft an der Grenze der römisch-germanischen Welt. RGA² Ergänzungsbd. 28 (Berlin, New York 2001) 63 [= HEINRICHS 2001]; SCHWARCZ 1986, 23.

12 Insbesondere Verg. Aen. 6,851–853; Mon. Ancyr. 26.

13 M. Stahl, Zwischen Abgrenzung und Integration. Die Verträge der Kaiser Marc Aurel und Commodus mit den Völkern jenseits der Donau. Chiron 19, 1989, 296–298 [= STAHL 1989]; R. Wolters, Römische Eroberung und Herrschaftsorganisation in Gallien und Germanien. Zur Entstehung und Bedeutung der sogenannten Klientel-Randstaaten. Bochumer Hist. Stud. Alte Gesch. 8 (Bochum 1990) 209 f. [= WOLTERS 1990]; HEATHER 1997, 69–71; M. Reuter, Grenzschutz durch Geld. Subsidien als Instrument römischer Sicherheitspolitik. In: A. Thiel (Hrsg.), Forschungen zur Funktion des Limes. Beiträge zum Welterbe Limes 2. 3. Fachkolloquium der Deutschen Limeskommission 17./18. Februar 2005 in Weißenburg i. Bay. (Stuttgart 2007) 27–33.

14 So bereits die Kimbern und Teutonen, siehe Flor. 1,38,2.

15 Beispiele und weiterführende Literatur bei P. Kehne, Kollektive Zwangsumsiedlungen als Mittel der Außen- und Sicherheitspolitik bei Persern, Griechen, Römern, Karthagern, Sassaniden und Byzantinern. Prolegomena zu einer Typisierung völkerrechtlich relevanter Deportationsfälle. In: E. Olshausen/H. Sonnabend (Hrsg.), „Trojaner sind wir gewesen". Migrationen in der antiken Welt. Stuttgarter Kolloquium zur Historischen Geographie des Altertums 8, 2002. Geographica Historica 21 (Stuttgart 2006) 235 f. Anm. 21. 24 [= KEHNE 2006].

16 H. Volkmann/G. Horsmann, Die Massenversklavungen der Einwohner eroberter Städte in der hellenistisch-römischen Zeit². Forsch. Ant. Sklaverei 22 (Stuttgart 1990); ebd. 51–54 zu Massenversklavungen in Gallien und Germanien.

17 Eine Zusammenfassung und Literaturzusammenstellung bei KEHNE 2006, 239–241 Anm. 48.

18 Zur Bedeutung des Begriffs *deditio* siehe HEINRICHS 2001, 63 f. Anm. 30; 78 f.

19 Zum Begriff *foedus* siehe HEATHER 1997.

20 H. Sonnabend, Deportation im antiken Rom. In: A. Gestrich/G. Hirschfeld/H. Sonnabend (Hrsg.), Ausweisung und Deportation. Formen der Zwangsmigration in der Geschichte (Stuttgart 1995) 12–22.

21 Ein älteres Beispiel für diese Praxis ist die Umsiedlung der Eretrier 490 v. Chr. durch die Perser, siehe E. Olshausen, Griechenland im Orient. Die Deportation der Eretrier nach Kleinasien (490 v. Chr.). In: A. Gestrich/G. Hirschfeld/H. Sonnabend (Hrsg.), Ausweisung und Deportation. Formen der Zwangsmigration in der Geschichte (Stuttgart 1995) 23–40.

22 Siehe WOLTERS 2001, 165 Anm. 93; KEHNE 2006, 241.

23 Liv. 40,37,8–40,38,7. 40,41,3–4.

24 Liv. 39,20, 5–10.

25 Liv. 40,38,4; Übersetzung nach H. J. Hillen (Hrsg.), T. Livius, Römische Geschichte (München, Zürich 1983).

26 Plin. nat. 3,16 (105).

27 Liv. 1,8,5–6. 4,3,13; DEMANDT 1995, 69.

28 H. U. Nuber, Das „Lyoner Bleimedaillon". Ein frühes Bildzeugnis zur Geschichte Alamanniens? Alemann. Jahrb. 57/58, 2009/10, 9–88.

29 Zu diesem Münztyp: P. R. Franke/I. Paar, Die antiken Münzen der Sammlung Heynen. Katalog mit historischen Erläuterungen (Köln 1976) 204 Nr. 2256 Taf. 75,21.35; M.-R. Alföldi, Antike Numismatik. Theorie und Praxis. Kulturgesch. Ant. Welt 2/3 (Mainz 1978) 183 f. Abb. 380.

30 Diese Sicht wird allerdings durch die archäologischen Quellen nicht bestätigt, siehe etwa H. Ament, Der Rhein und die Ethnogenese der Germanen. Prähist. Zeitschr. 59, 1984, 37–47 (zusammenfassend zur Archäologie); U. Heimberg, Was bedeutet „Romanisierung"? Das Beispiel Niedergermanien. Antike Welt 29, 1998, 19–40 [= HEIMBERG 1998]; F. Schön, Germanen sind wir gewesen? Bemerkungen zu den Tungri und Germani Cisrhenani und zum sogenannten taciteischen Namensatz (Tac. Germ. 2,2 f.). In: E. Olshausen/H. Sonnabend (Hrsg.), „Trojaner sind wir gewesen". Migrationen in der antiken Welt. Stuttgarter Kolloquium zur Historischen Geographie des Altertums 8, 2002. Geographica Historica 21 (Stuttgart 2006) 167–183 [= SCHÖN 2006].

31 WOLTERS 2001, 147; SCHÖN 2006, 167–169.

32 Vgl. HEINRICHS 2001, 69.

33 Caes. Gall. 6,34, dazu 6,5. 6,29–34. 8,24–25; H.-E. Joachim, Die späte Eisenzeit am Niederrhein. In: G. Uelsberg (Hrsg.), Krieg und Frieden. Kelten – Römer – Germanen. Ausst.-Kat. Bonn (Darmstadt 2007) 48–58 [= JOACHIM 2007].

34 Eine Gefahr, die Caesar bewusst war, siehe Caes. Gall. 1,28,3–4.

35 Caes. Gall. 1,33. 2,4; Plin. nat. 4,31 (106); Tac. Germ. 2,5.

36 Caes. Gall. 4,1,1–2. 4,4–15; HEINRICHS 2001, 57–59. 73–77.

37 Vell. 2,105; Plin. nat. 4,29 (101); Tac. hist. 4,15; Tac. ann. 4,73; WOLTERS 1990, 146 f.

38 Caes. Gall. 4,10,2; Tac. Germ. 29,1; Tac. hist. 4,12. 4, 17. 5,25; Tac. ann. 2,6; Dio Cass. 54,32,2.; HEINRICHS 2001, 60 Anm. 20; 69; WOLTERS 1990, 143–146; WOLTERS 2001, 161 f.

39 Caes. Gall. 4,16,5–7. 6,9,6–8; Strab. 4,3,4; Tac. ann. 1,39. 1,57. 12,27; Tac. Germ. 28; WOLTERS 1990, 147 f.; WOLTERS 2001, 159–161; JOACHIM 2007, 54 f.; zur Romanisierung in Niedergermanien allgemein: HEIMBERG 1998.

40 Caes. Gall. 4,16,2–4. 4,18,2–4. 6,35–41; Mon. Ancyr. 32; Strab. 7,1,3–4; Hor. carm. 4,2,33–36. 4,14,51–52; Vell. 2,97; Plin. nat. 4,28 (100); Tac. ann. 1,10. 2,26,3. 12,39; Suet. Aug. 21; Suet. Tib. 9; Dio Cass. 54,20,4–6; 54,33,4. 54,36,3. 55,6,1–3; Oros. 6,21,24; WOLTERS 1990, 175–179; HEINRICHS 2001; WOLTERS 2001, 162–165; Ch. Reichmann, Das rechtsrheinische Vorland Geldubas in frührömischer Zeit. In: D. Hopp/Ch. Trümpler (Hrsg.), Die frühe römische Kaiserzeit im Ruhrgebiet. Kolloquium des Ruhrlandmuseums und der Stadtarchäologie/Denkmalbehörde in Zusammenarbeit mit der Universität Essen (Essen 2001) 72–74; JOACHIM 2007, 50 f.; Ch. Reichmann, Die Besiedlung des Lippemündungsgebietes in frührömischer Zeit. In: G. Uelsberg (Hrsg.), Krieg und Frieden. Kelten – Römer – Germanen. Ausst.-Kat. Bonn (Darmstadt 2007) [= REICHMANN 2007] 73 f.; zu den an den Niederrhein gekommenen und archäologisch als elbgermanisch ansprechbaren Sueben: REICHMANN 2007, 74–78.

41 Tac. hist. 4,26. 5,16. 5;18; Plin. nat. 4,31 (106); HEINRICHS 2001, 70 f.; JOACHIM 2007, 56; REICHMANN 2007, 77 f.

42 Zu den Auseinandersetzungen im Donauraum des 2./3. Jahrhunderts und daraus erfolgenden Ansiedlungen siehe: K. W. Welwei, Zur Ansiedlungspolitik Mark Aurels. Bonner Jahrb. 186, 1986, 285–290; STAHL 1989; DEMANDT 1995, 72 f.; WOLTERS 2001, 166 Anm. 99; CIL XIV 3608; Strab. 7,3,10; Dio Cass. 72,11,1–5. 72,21. 73,3,3; Hist. Aug. Aur. 22,2. 24,3; Claud. 9,4; Prob. 18,1–3; Amm. 28,1,5.

43 Amm. 17,8,3–4; Zos. 3,6,2; Iul. ad Ath. 280 B; C; vgl. Amm. 20,10,1–2; zur Ansiedlung von Franken und anderen Gemeinschaften zur Zeit der Tetrarchie siehe Paneg. 6,5,3. 6,6,2. 8,21,1.

DIE MOBILITÄT RELIGIÖSER VORSTELLUNGEN – VERBREITUNGSMUSTER ZUM MITHRAS-KULT UND CHRISTENTUM

Manfred Clauss

In den Beiträgen dieses Bandes ist von den unterschiedlichen Anlässen die Rede, aus denen heraus Menschen sich in der Antike auf Reisen begaben. Das Imperium Romanum war in dieser Hinsicht ein Reich mit hoher Mobilität. Mit den Menschen reisten auch ihre Gewohnheiten, ihre Gedanken und vor allem ihre religiösen Einstellungen. Da die Antike zudem eine Zeit intensiver Religiosität war, die das Leben bei allen Gelegenheiten prägte, gingen mit den Menschen zahlreiche Kulte ‚auf Reisen‘. Die Religion war mobil, weil es ihre Anhänger waren. Dies soll an zwei Beispielen der Kaiserzeit aufgezeigt werden: Am Mithras-Kult und am Christentum.

Mithras-Kult

Ein hervorragendes Beispiel, um die Bedeutung der Mobilität für die Ausbreitung eines Kultes aufzuzeigen, die Verbreitungswege und einige seiner Trägerschichten kennenzulernen, ist der Mithras-Kult[1]. Seine Kultstätten, die als Höhlen gestalteten Anlagen mit zwei Liegebänken zu beiden Seiten eines Ganges, sind leicht zu identifizieren (Abb. 76). Wir besitzen über 1000 Inschriften und das zentrale Kultbild mit dem Gott, der den Stier tötet, ist in 700 Exemplaren gefunden und daher nahezu in jedem Museum vertreten. Der Kult ist an 500 Orten nachgewiesen. Die Überblickskarte soll einen ersten Eindruck des Verbreitungsgebietes vermitteln (Abb. 77).

Ausgangsgebiet des Mithras-Kultes, der zu Beginn der Kaiserzeit entstand, war Italien; wegen der Masse der dort gefundenen Zeugnisse lässt sich wohl auf die Gegend von Rom oder Ostia schließen. In seinem Ursprungsgebiet hat der zunächst städtische Kult einige Eigentümlichkeiten über das 1. Jahrhundert n. Chr. hinaus behalten. Hierzu gehört die Bezeichnung der Heiligtümer als *spelaeum*, als Kulthöhle. Als der Kult aus Italien in die Provinzen transportiert wurde, kam er mit Römern dorthin, und die Heiligtümer des Mithras wurden wie alle römischen Tempel *templum* genannt. Um Kulte in dem Ausmaß, in dem es bei Mithras der Fall war, in weite Teile des römischen Reiches zu transportieren, bedurfte es größerer Gruppen, die regelmäßig innerhalb des Imperium unterwegs waren. Neben den immer in Anschlag zu bringenden Händlern lassen die Inschriften für den Mithras-Kult vor allem zwei Gruppen erkennen: Soldaten und Zollpersonal[2].

Soldaten

Römische Bürger kamen als Soldaten vor allem während der ersten anderthalb Jahrhunderte der Kaiserzeit in großer Zahl aus Italien an den Rhein und an die Donau. An diesen beiden

76 Rekonstruktion des Kultraumes des Mithräums III aus Frankfurt-Heddernheim.

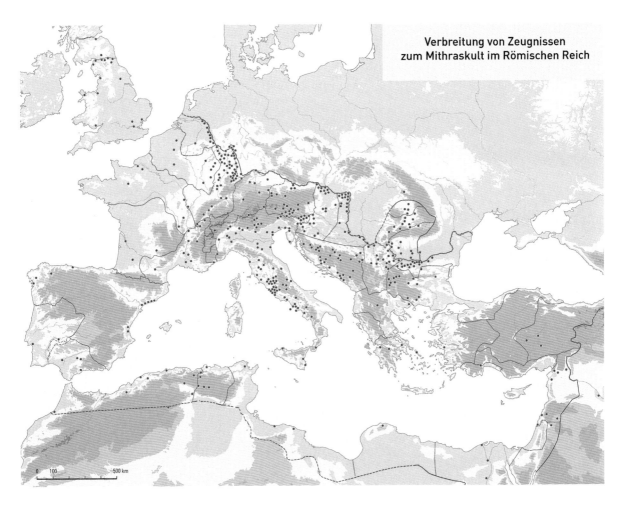

77 Fundplätze zum Mithras-Kult.

Grenzflüssen war ein großer Teil der Legionen stationiert. Nehmen wir nur die Situation am Rhein: Hier lagen vier Legionen mit etwa 25.000 Soldaten[3]. Bei einer Dienstzeit von 20 Jahren bei den Legionen kam es zu einem stetigen Nachrücken neuer römischer Bürger aus Italien, was die Zahl derer erhöhte, die möglicherweise in ihrer Heimat den Mithras-Kult kennengelernt hatten. Es spricht manches dafür, dass es die römischen Bürger in den Legionen waren, die den Mithras-Kult verbreiteten. Auch bei den wenigen Anhängern aus den Hilfstruppen sind lediglich zwei sicher als Peregrine auszumachen, die also nicht das römische Bürgerrecht besaßen[4].

Werfen wir einen Blick auf Dacia (Rumänien), wo unter Traian im Jahr 107 n. Chr. die endgültige Annexion des Gebietes begann. Ihr folgten die Romanisierung der Provinz und damit einhergehend auch die Durchdringung mit den verschiedensten Kulten. Allerdings fällt die Entscheidung schwer, ob der Mithras-Kult mit den nach Dacia verlegten Soldaten oder etwa mit den aus dem ganzen römischen Reich ins Land strömenden Siedlern eindrang, „aus dem gesamten Erdkreis" wie der Geschichtsschreiber Eutrop bemerkte[5]. Lediglich die Tatsache, dass sich die Zeugnisse wesentlich auf jene Gebiete konzentrieren, in denen Militär lag, könnte dafür sprechen, dass der Kult mit den Truppen aus dem Westen kam.

Die Angehörigen der einzelnen Dienstgrade innerhalb der Legionen sind unter den Anhängern des Mithras-Kultes unterschiedlich repräsentiert. Die höheren Dienstgrade und vor allem die Hauptleute sind in unserem Material stärker vertreten (Abb. 78). Dies entspricht der normalen epigraphischen Praxis, wonach Personen mit höherem Sozialprestige und höherem Einkommen häufiger Inschriften setzten und uns daher prozentual besser bekannt sind. Es ist anzunehmen, dass das Beispiel der Vorgesetzten Einfluss auf die Mannschaften gehabt hat. Ferner ist vorstellbar, dass bei den Soldaten ein gewisser Gruppenzwang die Verbreitung des Kultes beschleunigte. Nicht selten weihten ganze Kollegien von Unteroffizieren Altäre und Reliefs.

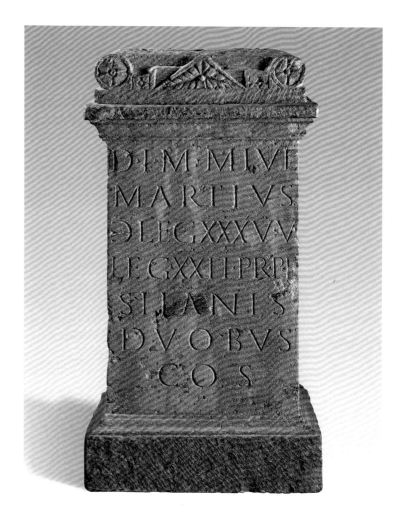

78 Ein Mithras-Verehrer aus Xanten: „Dem unbesiegbaren Gott Mithras hat Marcus Iulius Martius, Hauptmann der 30. Legion Ulpia Victrix und der 22. Legion Primigenia Pia Fidelis, im Jahr, als die beiden Silani Konsuln waren, diesen Altar geweiht". 189 n. Chr.

Die Dienstzeit eines Legionssoldaten betrug wie erwähnt 20 Jahre. Im Alter von 40 Jahren wurde er ins Privatleben entlassen; er war dann aufgrund jener Teile des Gehaltes, die der Staat für ihn angespart hatte, sowie eines Entlassungsgeldes ein vermögender Mann. Die Zugehörigkeit zum Mithras-Kult blieb in solchen Fällen mit Sicherheit bestehen. Ein Einzelbeispiel soll dies verdeutlichen: In der Provinzhauptstadt der Moesia Superior (Ungarn, Serbien), *Viminacium*, das heutige Kostolac (Serbien), wo sich ein Legionslager befand, diente ein Gaius Iulius Valens im Büro des Statthalters. Nach der Militärzeit war ihm der Aufstieg in den Stadtrat gelungen, als er auf eigene Kosten ein Mithräum wiederherstellen ließ[6]. Es ist vorstellbar, dass dieser Mann sich als aktiver Soldat in den Kult hatte einweihen lassen. Wenn Mithras half, die möglicherweise gefahrvolle Militärzeit zu überstehen, dann konnte man ihm auch den Schutz des weiteren Schicksals anvertrauen, unabhängig von allen Hoffnungen auf die Zeit nach dem Tod. So gibt der Stifter eines Altars in Künzing (Bayern) an, er sei „ein ehrenvoll entlassener Veteran", und wir dürfen davon ausgehen, dass er mit dem Altar seinem Gott Dank für sein bisheriges Leben abstatten wollte[7]. Ein Hinweis ist mir an dieser Stelle wichtig: Häufig wird die besondere Attraktivität des Mithras-Kultes für die Soldaten hervorgehoben. Der Anteil der Soldaten insgesamt an der Anhängerschaft beträgt aber nur etwa 10 Prozent[8]. Soldaten waren zwar häufig die Initiatoren der Mithras-Gemeinschaften[9], aber entlassene Soldaten wirkten als Multiplikatoren in ihrem neuen zivilen Umfeld, aus dem sich dann die eigentliche Masse der Mithras-Anhänger rekrutierte.

Zoll-Sklaven

In Ptuj (Slowenien) lernen wir eine andere Ausgangslage des Mithras-Kultes kennen. Hier waren es Bedienstete des Zolls, Sklaven, die das älteste bislang bekannte Heiligtum ausstatteten; in den Provinzen Noricum (Österreich) und Moesia Inferior (Bulgarien) war es in zahlreichen Orten ähnlich[10]. Das Römische Reich war in Zollbereiche aufgeteilt, von denen der illyrische Zoll die Gebiete von „der Quelle der Donau bis zum pontischen Meer" umfasste[11]. Ein einzelner oder mehrere Unternehmer pachteten den Zoll vom Staat und arbeiteten mit Sklaven; deren jeweilige Herren kamen aus Italien. Wie bei den Soldaten sind es Sklaven in besserer Stellung wie diejenige eines Zollverwalters oder seines Stellvertreters, die sich in den Inschriften nennen. Sklaven eines Gaius Antonius Rufus, eines solchen Pächters, stifteten Altäre für Mithras in Camporosso in Valcanale (Italien), Senj (Kroatien), und allein vier kennen wir aus Ptuj[12].

In der Mitte des 2. Jahrhunderts n. Chr. erkennen wir in diesem Mithräum in Ptuj eine homogene Gruppierung. Neun von elf einander ähnlichen Altären, sei es mit oder ohne dazugehörige Statue, stammen von Bediensteten des Zolls. Die Altäre und die Statuen sind meist gleich groß und sorgfältig gearbeitet. Auffallend ist ferner der identische Aufbau der Inschriften, für den die folgende als Beispiel dienen kann (Abb. 79)[13]:

D(eo) I(nvicto) M(ithrae)

OPTIMVS

VITALIS

SABINI VERANI

P(ublici) P(ortorii) VIL(ici) VIC(arius)

V(otum) S(olvit)

„Dem unbesiegten Gott Mithras hat Optimus, der Stellvertreter des Vitalis, (der seinerseits Sklave und) Zollverwalter des Sabinius Veranus (ist), sein Gelübde erfüllt." Neben diesem Optimus kennen wir vier weitere Sklaven des Sabinius Veranus aus dem Mithräum in Ptuj und ein anderer setzte Mithras einen Altar in Mühlthal am Inn (Bayern)[14].

79 Weihestein des Zoll-Sklaven Optimus an Mithras.

In Ptuj traten auch Beschäftigte anderer Dienstorte als Dedikanten auf. Dies hing damit zusammen, dass Ptuj eine Zeitlang die Zentralverwaltung des illyrischen Zollbezirks beherbergte, was es für manche Bedienstete mit sich brachte, sich beruflich dort aufzuhalten und den örtlichen Mysterien-Gemeinschaften beizutreten. Es ist wohl kein Zufall, dass man gerade solche Neuankömmlinge zu Stiftungen ermunterte.

Es war möglich, als Eingeweihter bei einem Ortswechsel in eine neue Kult-Gemeinschaft aufgenommen zu werden; so lassen sich Weihungen ein und derselben Person in verschiedenen Tempeln erklären. Wir können solche Wechsel ferner nachweisen, wenn in dem homogenen Material eines Heiligtums eine sonst ungebräuchliche Formulierung auf einer Inschrift oder ein außergewöhnliches Relief auftaucht. Die auf Weihealtären allgemein verwendete Formel *d(onum) d(edit)* beispielsweise – „er hat als Geschenk gegeben" – tritt auf den Inschriften des Mithras-Kultes nur in Italien in größerer Zahl auf. Geschieht dies auch einmal in Kroatien, wie in Ivoševci, dann hat offenbar der Stifter die Formulierung ‚mitgebracht'[15]. Ähnliches dürfte für ein 20 x 19 cm großes und 1 cm dickes Täfelchen mit der Darstellung der Stiertötung gelten, das in Frankfurt-Heddernheim (Hessen) im Mithräum aufgehängt war[16]. Es ist singulär im Rheinland und stammt mit seinem Stifter aus dem Donauraum.

Der Mithras-Kult ist von Italien aus an den Rhein und an die Donau gelangt. Es waren in Italien rekrutierte Soldaten, Angehörige des Personals italischer Zollpächter oder sonstige römische Bürger aus dem Mutterland, die den neuen Kult in die Provinzen trugen. Seit der Mitte des 2. Jahrhunderts n. Chr. war Mithras nahezu in sein gesamtes späteres Verbreitungsgebiet vorgedrungen; immer mehr Heiligtümer entstanden. Der Kult war längst über die ersten Trägerschichten hinausgegangen und hatte in weiteren Kreisen Anhänger gefunden. Aus Sklaven wurden Freigelassene, aus Soldaten nach der Entlassung wohlhabende Zivilisten. Beide Gruppen führten diesen Aufstieg unter anderem auf ihren Gott zurück.

Mit dieser Ausbreitung des Mithras-Kultes beginnt die Dokumentation durch inschriftliche Zeugnisse dichter zu werden. Spätestens in severischer Zeit (193–211 n. Chr.) hatte er sich in den meisten Regionen aus den städtischen Zentren in die Umgebung ausgebreitet. Im Falle von Bad Deutsch-Altenburg (Österreich) waren es Soldaten und städtische Funktionsträger, die ihn in ihre Heimatorte nach Illmitz, Fertörákos oder Stix-Neusiedl mitnahmen. Zu Beginn des 3. Jahrhunderts n. Chr. schaffte der Kult den Einzug in die einheimische Bevölkerung, wo er vor allem im Rheinland stark verbreitet war. Auch die Verteilung einiger Mithräen auf dem Balkan, etwa in den Gegenden um Prozor und Sina (Kroatien), um Konjic/Vratnica (Bosnien und Herzegowina) und um Biha (Golubi, Jezerine, Pritoka in Nordbosnien), spricht für eine Aufnahme des Kultes bei der ländlichen Bevölkerung. Vor allem in den Rhein- und Donauprovinzen folgte der Mithras-Kult den Römern und bildete somit einen Bestandteil in dem komplexen Prozess der Romanisierung: Der Mithras-Kult vermittelte römische Werte.

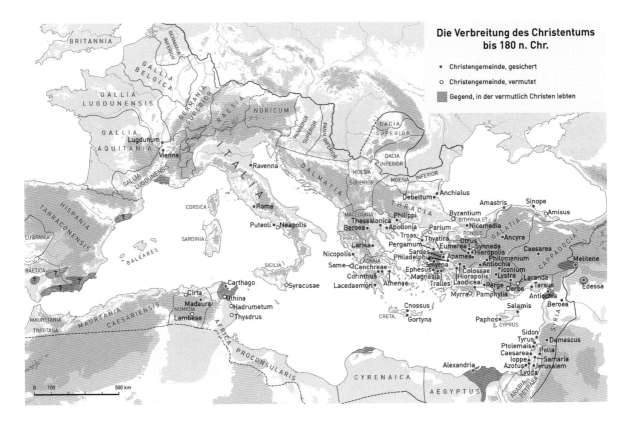

80 Das Christentum um
180 n. Chr.

Christentum

Eine ähnliche Entwicklung wie der Mithras-Kult weist das Christentum auf. Allerdings verdeutlicht dessen Verbreitungskarte um 180 n. Chr. einen signifikanten Unterschied (Abb. 80). Das Christentum verbreitete sich vom äußersten griechischen Osten aus und war – mit Ausnahme von Nordafrika – kaum über den griechischen Raum hinausgekommen. Trägerschichten wie dem Mithras-Kult standen ihm noch lange nicht zur Verfügung. Während wir bei den Anhängern des Mithras nicht wissen, ob sie dazu angehalten waren, ihren Kult aktiv zu verbreiten, war dies bei den Christen anders: Missionierung war ein wesentlicher Bestandteil der christlichen Existenz. An der Person des Paulus lässt sich gut die Verbreitung des Glaubens durch Reisen darstellen.

Dazu gilt es etwas auszuholen: Als der babylonische König Nebukadnezar zu Beginn des 6. vorchristlichen Jahrhunderts zahlreiche Juden aus Jerusalem ins Zweistromland deportierte, entstand die Vorstellung der ‚Zerstreuung' (Diaspora). Als etwa zwei Generationen später Juden nach Jerusalem zurückkehren konnten, viele aber im Zweistromland blieben, gewann der Begriff der Diaspora eine positive Bewertung. Vor allem im Hellenismus verbreiteten sich jüdische Gemeinden wie auch später im Römischen Reich. In der Mitte des 1. nachchristlichen Jahrhunderts lassen sich etwa 150 jüdische Gemeinden auf dem Gebiet des Imperium Romanum nachweisen[17]. Hier ist auch das Zeugnis für jüdische Existenz im *castrum Rauracense* (Kaiseraugst, Schweiz), ein Fingerring mit Menoradarstellung aus dem 4. Jahrhundert, einzuordnen.

Paulus

Durch dieses beträchtliche Netz jüdischer Synagogen hatten manche christlichen Missionare im 1. Jahrhundert n. Chr. eine erste Anlaufstation. Dies führt uns zurück zu Paulus. Als Jude erbte er die Bereitschaft, auch seinen neuen Christus-Glauben so zu verbreiten, wie es mit dem jüdischen schon lange der Fall war. Wir müssen uns dabei allerdings von dem Bild lösen, welches die Apostelgeschichte zeichnet.

Während Paulus in seinen Briefen Zweifel an seinen eigenen Fähigkeiten durchscheinen lässt, sieht es in der Apostelgeschichte anders aus. Lukas beschreibt hier die Geschichte eines Helden, wie es vor und nach ihm Geschichtsschreiber immer wieder taten. Paulus ist hier keineswegs der rhetorische Stümper, der oft krank und verzweifelt ist, weil er unter anderem mit Konkurrenten bzw. Menschen, die er als solche betrachtet, zu kämpfen hat; vielmehr erscheint er als von Gott begnadeter Übermensch. Er ist Prophet und Wundertäter, selbstbewusst auch in seinem Auftreten gegenüber Königen, Beamten, Soldaten oder den jüdischen Anführern. Auch wenn er verspottet oder kritisiert wird, bleibt er stets Herr der Lage. Er, der in seinen Briefen berichtet, dass er häufig arbeiten muss, um seinen Lebensunterhalt zu verdienen, verfügt bei Lukas über Geldmittel. Erst in der Apostelgeschichte wird Paulus zum erfolgreichen Missionar, der Anhänger selbst unter der jüdischen Führungsschicht findet, sich dann aber doch wegen der uneinsichtigen Haltung der Juden den Heiden zuwendet. Letzteres entsprach zumindest der historischen Realität.

Wie sah die Arbeit des Paulus vor Ort konkret aus[18]? Greifen wir seinen Aufenthalt in Philippi heraus. Paulus und seine zwei Begleiter erreichen die Stadt und steigen in einem Hotel ab[19]. Später erkundigen sie sich nach der Synagoge. Paulus will dort nicht predigen aber es ist ein wichtiger Ort, um Leute zu treffen, die über die Alltagssituation hinaus ‚theologisch‘ interessiert sind. Nach dem Gottesdienst mischen sich die Neuankömmlinge unter die Leute. Als Fremde fallen sie selbstverständlich auf, werden in Gespräche verwickelt und erklären, was sie tun. Und es gelingt ihnen, eine Frau zu überzeugen, die sich von ihnen mit ihrem ganzen Hauspersonal taufen lässt. Da sie Geld hat, ziehen die drei Männer zu ihr um. Die Synagoge ist also der Ort, um Kontakte zu potentiellen Konvertiten zu suchen.

Auch die Situation in Korinth war in gewisser Weise typisch. Der Zeltmacher Paulus sucht in der Stadt nach Arbeit, ein dortiger Zeltmacher einen Gesellen. So kommen beide zusammen, stellen fest, dass sie Juden sind – gut –, und später im Gespräch, dass sie beide Christen sind –

noch besser. Paulus bleibt bei seinem christlichen Kollegen und damit in einem beruflich wie religiös vertrauten Umfeld. Als er später aus Philippi Geld erhält, kann er seine Arbeit einstellen und sich ganz der Verkündigung widmen. Man hat aber den Eindruck, dass er fast ausschließlich mit Personen redet, die bereits Christen sind – er hält keine Bekehrungspredigten, sondern belehrt bereits Überzeugte. Es ist auffallend, dass es im Prinzip nur zwei Muster sind, die uns die Paulusbriefe und die Apostelgeschichte vorstellen: Entweder redet Paulus in der Synagoge privat mit Menschen, die seine Sprach- und Vorstellungsbilder kennen, oder er findet bei der Arbeit Zeit zu überzeugen. Wo findet man Leute, die bereit sind, etwas Neues kennenzulernen? Wie beim Mithras-Kult dürfte es vor allem das berufliche Umfeld gewesen sein, in dem sich ein Kult verbreitete.

Der Opfererlass des Decius

Bis zur Mitte des 3. Jahrhunderts existierten christliche Gemeinden bereits in vielen Städten, als im Jahr 250 n. Chr. der römische Kaiser Decius (249–251 n. Chr.) anordnete, dass alle Reichsbewohner sich an einem Opfer für die Götter beteiligen sollten (Abb. 81); für das vollzogene Opfer stellten die Behörden Bescheinigungen aus. Als auch viele Christen opferten oder zumindest Bescheinigungen erwarben – auf welchem Wege auch immer –, bedeutete dies für manche Bischöfe einen Abfall vom Glauben. Der unterschiedliche Umgang mit solchen ‚Abgefallenen‘ führte rasch zu erheblichen Konflikten innerhalb der Kirchen. Es ging dabei um die Frage, wie schnell die ‚Abgefallenen‘ wieder in die Gemeinschaft der Gläubigen aufgenommen werden konnten. Durch die Möglichkeiten, in kürzester Zeit Personen, Briefe und damit Ideen rund ums Mittelmeer zu transportieren, weiteten sich diese Konflikte rasch zu einem reichsweiten Problem aus. Ich greife zur Illustration die Lage in den Städten Rom und Karthago heraus.

Nach dem Tod des Bischofs Fabianus in Rom im Jahr 250 n. Chr. spielte im dortigen Klerus ein gewisser Novatianus eine führende Rolle. Allerdings reichte sein Anhang nicht aus, sodass ein Cornelius bei der Bischofswahl die Mehrheit erhielt. Die Diskussion um den Umgang mit den ‚Abgefallenen‘ nutzte Novatianus, um eine Gegenposition zu Cornelius aufzubauen. Novatian verfocht hinsichtlich des Bußverfahrens eine rigorose Richtung und setzte sich so von Cornelius ab. Auch ein aus Karthago nach Rom gekommener Novatus, der mit der Haltung seines dortigen Bischofs unzufrieden war, schloss sich der rigorosen Richtung in Rom an und tat sich mit Novatianus zusammen. Um seinen Ansichten und seiner Person mehr Gewicht zu verleihen, wurde Novatianus von einer Gruppierung befreundeter Bischöfe ebenfalls zum Bischof Roms geweiht. Novatianus hat mit seiner strengen Haltung viele Anhänger gefunden und begann rasch, für seine Ansichten zu missionieren. Zur Mobilität der Ideen trug auch der rege Briefwechsel bei, den wir vor allem bei der Verbreitung des Christentums kennen lernen.

Weil der zu seinen Anhängern zählende Novatus aus Karthago kam, begann Novatianus seine Vorstellungen in Nordafrika zu verbreiten. Seine Missionare zogen dort von Ort und Ort und

81 Der Kaiser als Vorbild: Marc Aurel beim Opfer.

hatten Erfolg. Dies führte in Karthago dazu, dass neben derjenigen des Bischofs Cyprian eine weitere Gemeinde entstand, die in Maximus einen Bischof fand, der von gleich gesinnten Amtsträgern geweiht wurde. Schon die Diskussion um den Umgang mit ‚Abgefallenen‘ hatte wie in Rom und Karthago in vielen Städten Kirchenspaltungen zur Folge gehabt, und der Umgang mit den Anhängern des Novatianus war die Ursache weiterer Spaltungen. Dies wurde deutlich, als Cyprian Anfang 255 n. Chr. den Brief eines Laien erhielt, der sich nach dem Aufnahmeverfahren von novatianischen Christen in die eigene Gemeinde erkundigte. Novatianus war im Sinne der damaligen Mehrheit kein Häretiker und so schien es fraglich, ob auch seine Anhänger sich wie Häretiker der Wiedertaufe unterwerfen mussten. Cyprian bestand auf einer erneuten Taufe.

Für Stephanus von Rom, seit 254 n. Chr. dort Bischof, gab es anders als für Cyprian generell nur eine Taufe, und deshalb begnügte er sich damit, den reumütigen Novatianern, aus seiner Sicht also Ketzern, nach einer Bußleistung die Hand aufzulegen. Er drohte allen, die anders handelten, mit der Exkommunikation. Damit trafen in einer kirchlich wichtigen Frage zwei Bischöfe aufeinander, die beide ihre eigene Ansicht für die allein richtige hielten. Cyprian reagierte daher auf die entsprechenden Informationen äußerst gereizt. Selbstverständlich betrachtete er seinen Konkurrenten als halsstarrig und anmaßend, ging er doch wie jener davon aus, dass es nur eine Wahrheit gab. Sein Vorwurf lautet: Wer die Taufen der Ketzer anerkennt, verteidigt die Sache der Ketzer gegen die Kirche Gottes. Cyprian stellte seine eigene Anschauung der Taufe so absolut, dass er weite Teile der westlichen Kirche des Zusammengehens mit der Ketzerei bezichtigte. Schließlich gab er Bischöfen wie Stephanus von Rom die Schuld daran, dass sich die Ketzer ausbreiteten. Und auf die Drohung des römischen Bischofs mit Exkommunikation antwortete Cyprian: „Jeder, der von dieser (von Cyprian definierten und garantierten) Einheit abweicht, muss unbedingt zu den Ketzern gezählt werden"[20].

Beide Seiten sammelten in der Folge für ihre Ansichten reichsweit Verbündete. Bedenken gegen die Wirksamkeit einer Taufe durch Ketzer hatten sich schon früher im Osten erhoben. Auch Firmilianus, der damalige Bischof von *Caesarea* in Kappadokien (Türkei), hatte sich dieser Meinung angeschlossen. Darauf drohte ihm Stephanus von Rom mit dem Ausschluss aus der kirchlichen Gemeinschaft und nannte ihn einen „falschen Christen und falschen Apostel und Ränkeschmied"[21]. Cyprian sah folglich in Firmilianus einen Bundesgenossen, und er täuschte sich nicht. Das Schreiben des Kappadokiers an Cyprian tritt mit aller Entschiedenheit für die Verwerfung der Ketzertaufe ein und überhäuft Stephanus mit Vorwürfen; dem Bischof von Rom werden Übermut, Torheit, Eitelkeit, Mangel an Demut und übergroße Milde vorgeworfen. Firmilianus scheut auch den Vergleich des römischen Amtsbruders mit Judas nicht: Stephanus trenne sich „von der Einheit der katholischen Kirche". Ich breche hier ab, nicht ohne die Bemerkung, dass sich letzten Endes die Ansicht durchsetzte, die im Jahr 254 n. Chr. der römische Bischof vertreten hatte. Konflikte innerhalb der christlichen Gemeinden – wie die hier geschilderten – zeigen in hervorragender Weise, wie schnell sich im römischen Reich Ideen ausbreiten konnten.

Ob ein Kult von West nach Ost wanderte wie derjenige des Mithras oder von Ost nach West wie das Christentum – das römische Reich bot eine hervorragende Infrastruktur für die Mobilität religiöser Vorstellungen aller Art. Man konnte ungefährdet reisen, und die entsprechenden Möglichkeiten hingen allein von den jeweiligen finanziellen Verhältnissen ab. Bei den Trägerschichten des Mithras-Kultes übernahmen bei den Soldaten der Staat und bei den Zollsklaven deren jeweilige Besitzer diese Kosten. Darüber hinaus verstärkte der rege Briefwechsel, wie man ihn bei den christlichen Gruppierungen beobachten kann, die Wanderung religiöser Anschauungen.

1 Allgemein zum Mithras-Kult: M. Clauss, Mithras. Kult und Mysterium (Darmstadt 2012).

2 Vgl. zu den Einzelheiten M. Clauss, Cultores Mithrae. Die Anhängerschaft des Mithras-Kultes (Stuttgart 1992) 36–47 [= CLAUSS 1992]. Wo möglich, werden die Quellen für den Mithras-Kult nach CIMRM zitiert. Die lateinischen Texte der hier angeführten epigraphischen Publikationen sind jederzeit über die „Epigraphik-Datenbank Clauss-Slaby" verfügbar (http://www.manfredclauss.de/). Deshalb sind die Inschriften so aufgeführt, wie sie in der Datenbank gesucht werden müssen, etwa CIMRM-02, 02350 oder AE 1998, 01007.

3 Zu den frühen Funden in den germanischen Provinzen vgl. W. Spickermann, Mysteriengemeinden und Öffentlichkeit. Integration von Mysterienkulten in die lokalen Panthea in Gallien und Germanien. In: J. Rüpke (Hrsg.), Gruppenreligionen im römischen Reich (Tübingen 2007) 127–160, hier 128–137, und R. Wiegels, Einige Überlegungen zu den Mithras-Verehrern im gallisch-germanischen Raum. In: E. Winter (Hrsg.), Vom Euphrat bis zum Bosporus. Kleinasien in der Antike 2 (Bonn 2008) 735–744.

4 Dazu CLAUSS 1992, 267.

5 Eutr. 8,6.

6 CIMRM-02, 02222.

7 AE 1998, 01007.

8 Ebenfalls etwa 10 Prozent beträgt der Anteil der Anhänger des Silvanus-Kultes; M. Clauss, Die Anhängerschaft des Silvanus-Kultes, Klio 76, 1994, 381–387, hier 383. Bei den Anhängern des Iupiter Dolichenus ist der Anteil der Soldaten 40 Prozent; dazu M. P. Speidel, The Religion of Juppiter Dolichenus in the Roman Army (Leiden 1977) 38 und 45.

9 Vgl. die Studie von K. Matijevi , Transport von Religion durch Soldaten in Obergermanien am Beispiel der Ortsfremden in Mainz/Mogontiacum und Umgebung. Studia Antiqua et Archaeologica 15, 2009, 71–144.

10 Vgl. P. Beskow, The portorium and the mysteries of Mithras. Journal Mithraic Stud. 3, 1980, 1–18.

11 App. Ill. 6.

12 Camporosso: AE 2001, 01576; Senj: CIMRM-02, 01846; zu Ptuj: CLAUSS 1992, 297–299.

13 CIMRM-02, 01491; die übrigen: CIMRM-02, 01487–01508.

14 AE 2008, 01020.

15 AE 1971, 00301.

16 CIMRM-02, 01084.

17 RAC III (1957) 973 s. v. Diaspora (A. Stuiber).

18 Dazu W. Reinbold, Propaganda und Mission im ältesten Christentum. Eine Untersuchung zu den Modalitäten der Ausbreitung der frühen Kirche (Göttingen 2000).

19 Apg. 16.

20 Cypr. epist. 74,11.

21 Alle folgenden Zitate sind aus Cypr. epist. 75.

TOURISMUS IN RÖMISCHER ZEIT

Klaus Geus

Rahmenbedingungen

Die Rahmenbedingungen für touristische Unternehmungen in der römischen Kaiserzeit waren ausgezeichnet. Erleichtert wurde das Reisen[1] vor allem dadurch, dass sich ein einheitliches Währungssystem herausgebildet hatte. Der römische Silberdenar war eine Währung, die in allen Regionen der bekannten Welt akzeptiert wurde. Außerdem war das Straßennetz relativ dicht, die Wege selbst in die entlegensten Provinzen gut erschlossen (Beitrag Th. Becker in diesem Band). Nach einer vorsichtigen Schätzung verfügte das Imperium Romanum in seiner Blütezeit über mindestens 100.000 Straßenkilometer[2].

Heutzutage sind Karten unerlässlich für die Planung einer Reise. In der Antike gab es keine maßstabsgetreuen topographischen Karten, zumindest keine für den praktischen Gebrauch. Einen gewissen Ersatz boten Routendiagramme, auf denen nach Art von U-Bahn-Fahrplänen nur die Straßen und Haltestationen eingezeichnet waren[3]. Das berühmteste Beispiel für ein solches Routendiagramm ist die Tabula Peutingeriana, bei der es sich um die mittelalterliche Kopie einer spätantiken Karte handelt (Abb. 82). Dort sind in starker Überdehnung die wichtigsten Straßen, Städte und Raststationen eingezeichnet. Für eine exakte Reiseplanung waren solche Routendiagramme natürlich nur bedingt geeignet[4]. Daneben gab es in der Antike Reisehandbücher und Touristenführer in schriftlicher Form, sogenannte Itinerare[5]. Dort waren die einzelnen Orte und Straßenstationen mit Angabe der Entfernungen in Tabellen aufgelistet.

Meist bezogen sich die Wegbeschreibungen in den Itineraren nur auf die großen Fernstraßen. Außerdem waren sie wegen des hohen Papyruspreises recht teuer und nicht überall zu bekommen. Umso wichtiger war es, sich vor dem Antritt der Reise zu informieren. Dies geschah in der Regel auf mündlichem Wege bei Freunden und Bekannten, die schon über einschlägige Reiseerfahrungen verfügten. Unterwegs holte man sich in Gasthäusern aktuelle Informationen ein oder fragte einen Beneficiarier um Rat.

Vor Reisebeginn war es außerdem ratsam, die Götter zu befragen. Das Einholen von Orakeln oder das Studium der Horoskope waren eine oft geübte Praxis. Überhaupt pflegte man sich bei allen Fahrten in die Obhut der Götter zu begeben und ihnen vor und nach der Reise ein Opfer darzubringen[6]. Wir besitzen zahlreiche Inschriften, auf denen für die glückliche Hin- und Rückreise (*pro itu et reditu*) gedankt wird. An erster Stelle stehen natürlich die dafür „zuständigen" Gottheiten. Es sind dies Hermes bzw. Merkur, der Gott des Handels und der Diebe, und Herakles bzw. Hercules, der als Zivilisationsbringer zum Schutzgott aller Reisenden avanciert

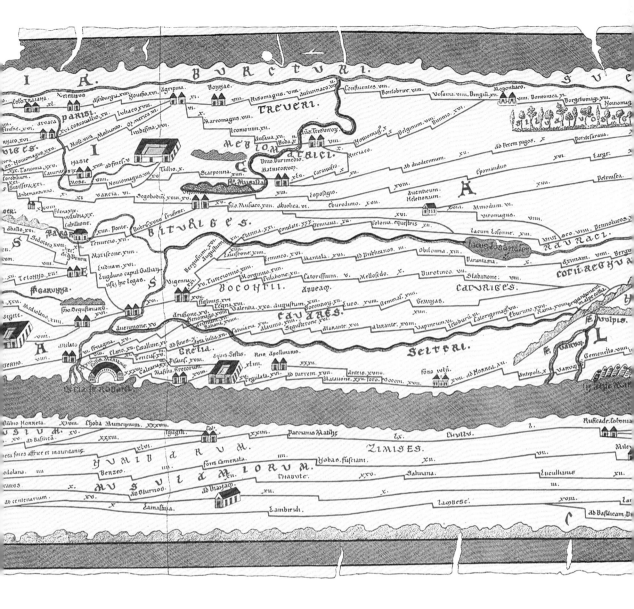

82 Ausschnitt aus der Tabula Peutingeriana.

ist[7]. In unseren Breiten opferte man gerne der Göttin Epona (Abb. 83). Bei Schiffsreisen brachte man dem Gott Neptun ein Opfer dar.

Das Reisen selbst war in der Antike nicht ungefährlich. Zwar behauptet der Historiker Velleius Paterculus, „nach Osten und Westen, nach Norden und Süden hat sich der Kaiserfriede (*Pax Augusta*) ausgebreitet und nimmt in sämtlichen Winkeln der Erde den Menschen die Angst vor Überfällen"[8], und auch der Philosoph Epiktet merkt an, dass es „weder Straßenraub noch Piraterie in größerem Ausmaß" gebe[9], doch sah die Realität in manchen Gegenden des Imperium Romanum anders aus[10]: In der frühen Kaiserzeit wurde es notwendig, in ganz Italien bewaffnete Kommandotruppen, sogenannte *stationarii*, einzusetzen, um zu verhindern, dass Reisende

83 Weiherelief für Epona. Im oberen Feld thront Epona, die Pferdegöttin und Schutzpatronin der Fuhrleute; unten links ist der Wagentransport einer großen Bütte zu sehen, rechts wird der Göttin ein Schwein geopfert. Beihingen, Kr. Ludwigsburg, 2. Jh. n. Chr.

ausgeraubt und in die Sklaverei verkauft würden[11]. Auch im Nordwesten des römischen Reiches war das Räuberunwesen verbreitet. Durch Inschriften der mittleren und späten Kaiserzeit wissen wir beispielsweise von der Existenz sogenannter *praefecti arcendis latrociniis*, Kommandeure „zur Eindämmung der Räuberei"[12]. Mancher Grabstein gibt Zeugnis davon, dass ein Reisender ein

84 Sesterz mit Portrait der Agrippina maior, sogenannter Carpentum-Sesterz.

85 Relief mit *carruca dormitoria* (Maria-Saal, Österreich).

trauriges Schicksal erlitten hat. Die Formulierung „von Räubern ermordet" (*interfectus a latronibus* oder *deceptus a fraude latronum*) findet sich vielfach auf Grabsteinen[13].

Die Durchführung einer Reise

Längere Fußmärsche unternahm der Römer nur, wenn er dazu gezwungen war. Das Wandern mit Rucksack als Freizeitaktivität, das „Globetrotting" also, ist erst eine moderne Erscheinung. Wer es sich leisten konnte, benutzte ein Reittier. Über Land reiste man mit dem Esel, dem Maultier oder dem Wagen. Reiche Römerinnen benutzten eigene Reisewagen (*carpenta*), zweirädrige, teilweise überdachte Gefährte, die von zwei Maultieren oder Pferden gezogen wurden (Abb. 84)[14]. Es gab auch vierrädrige Wagen, die einfacheren *raedae* und die aufwendigeren *carrucae*, welche teils komfortabel eingerichtet waren (Abb. 85 und Abb. 86). So konnte man in einer mit Verdeck ausgestatteten *carruca dormitoria* der Luxusklasse nicht nur schlafen, sondern sogar auf eingebauten Würfelbrettern spielen. Caesar soll während einer 24-tägigen Reise von Rom nach Südgallien das Gedicht „Die Reise" geschrieben haben[15]. Manche Reisewagen waren mit Kilometerzählern[16] und Reiseuhren[17] ausgestattet. Von Kaiser Commodus (180–192 n. Chr.) wird sogar berichtet, dass er in seinem Wagenpark Spezialfahrzeuge hatte, die zum Schutz vor der Sonne mit drehbaren Sesseln ausgestattet waren. Der vornehme Römer reiste mit einem großen Tross an Bediensteten – Pagen, Zofen, Musiker, Leibwächter usw. – und unter Mitnahme allen möglichen Hausrats. Kaiserin Poppaea, die Gemahlin des Nero (54–68 n. Chr.), soll eine Herde von 500 Eselinnen mit sich geführt haben, angeblich um jederzeit in deren Milch baden zu können[18].

Etwa zur selben Zeit wie Poppaea unternahm der Lehrer des Nero, der Philosoph Seneca, einen Ausflug, der kaum unterschiedlicher sein konnte[19]: „Mit ganz wenigen Sklaven, die ein einziges Fuhrwerk fassen konnte, und nur mit dem, was wir auf dem Leibe tragen, führen Maximus und ich nun schon zwei Tage lang das glücklichste Leben. Eine Matratze liegt auf dem Erdboden, und ich liege auf der Matratze. Von meinen beiden Mänteln ist der eine zur Unterlage, der andere zur Decke geworden ... Das Fahrzeug, auf dem ich reise, ist ein Bauernwagen: die Maultiere bezeugen durch ihr gemächliches Dahinschreiten kaum mehr als dass sie leben; der Fuhrmann ist barfüßig, nicht nur, weil es heiß ist. Aber es fällt mir schwer, das Fahrzeug als das meine auszugeben. Ich habe noch immer verkehrte Scham über das, was richtig ist. Sooft wir auf eine vornehme Reisegesellschaft treffen, werde ich unwillkürlich rot ...“.

Die Reisegeschwindigkeit in der Antike war ziemlich gering, sodass Reisende oft mehrere Monate unterwegs waren. Zu Fuß konnten nur Spezialisten längere Strecken zurücklegen. Der normale Reisende erzielte im Durchschnitt kaum mehr als 15–20 Meilen pro Tag (Abb. 87)[20], ein Pferdefuhrwerk schaffte etwa die zweifache Distanz[21]. Schneller ging es nur, wenn man den kaiserlichen Transportdienst, den sogenannten *cursus publicus*, nutzen durfte[22]. Dessen Kuriere erreichten erstaunliche Geschwindigkeiten: Man rechnet, dass sie etwa 75 Kilometer pro Tag zurücklegten[23]. Privatpersonen durften den *cursus publicus* nur in Anspruch nehmen, wenn ihnen die kaiserliche Kanzlei oder der Provinzstatthalter einen speziellen Erlaubnisschein (*diploma*, später *evectio*) ausstellte. Der Missbrauch wurde streng bestraft.

86 Rekonstruktion einer von Maultieren gezogenen *carruca dormitoria* im LVR-Archäologischen Park Xanten.

Der Kaiser Julian (360–363 n. Chr.) hatte dem Philosophen Eustathios, einem älteren Mann, einen Erlaubnisschein für den *cursus publicus* ausgestellt. Eustathios aber schrieb zurück: „Wie glücklich fügte es sich, dass mich die Fahrerlaubnis zu spät erreichte! Anstatt mit Zittern und Zagen in einem Wagen des *cursus publicus* zu fahren, betrunkenen Kutschern ausgeliefert zu sein und Maultieren, die vor Nichtstun und Überfütterung der Hafer sticht, anstatt Staubwolken, grässliches Geschrei und Peitschengeknall zu ertragen, zog ich gemächlich auf einer schattigen Straße mit Bäumen entlang, an der es viele Brunnen und Herbergen zum Einkehren gab, wo es angenehm bei der Jahreszeit war und wo man sich von den Reisestrapazen erholen konnte. Da fand ich dann einen Rastplatz im Schatten, wo ich mir es bei der Lektüre Platons gut gehen ließ. Von dieser meiner freien und ungebundenen Wanderschaft sende ich dir meine besten Grüße"[24].

87 Römische Reisende. Stobi, 2./3. Jh. n. Chr.

In der Antike lag die Planung und Durchführung der Reise in der Hand des einzelnen Touristen. Reisebüros, die beispielsweise Fahrten zu den Pilgerstätten organisierten, kamen erst im Frühmittelalter auf[25]. An den wichtigsten Ausflugszielen fanden sich jedoch einheimische Fremdenführer[26]. Es muss eine fast unglaubliche Zahl von ihnen gegeben haben, wie sich aus den Klagen über sie ablesen lässt: „Hätte mich doch Zeus vor seinen Fremdenführern in Olympia, Athene vor ihren Reiseführern in Athen geschützt", heißt es etwa bei Varro[27]. Meist versorgten Priester gegen Bezahlung[28] die Touristen mit Informationen[29]. Ebenso wie heute schwankte die Qualität der Führungen. Schon damals waren langatmige und heruntergeleierte Erläuterungen unbeliebt. Selbst ein universell interessierter Mann wie Plutarch lässt einen entnervten Touristen ausrufen[30]: „Die Führer (in Delphi) spulten ihr übliches Programm ab, ohne sich um unsere Bitten zu kümmern, ihre Ausführungen zu kürzen und den Großteil der Inschriften nicht zu erläutern."

88 *Tessera hospitalis* in Form eines halben Widderkopfes. Trasacco, wohl 3./2. Jh. v. Chr.

Unterkunft und Verpflegung

Soziale Unterschiede ließen sich nicht nur an der Art des Beförderungsmittels, sondern auch an der Unterkunft ablesen. Ein Reisender von Stand hielt sich nicht in Hotels auf, sondern zog es vor, bei Gastfreunden zu logieren. Oft mögen dies Verwandte gewesen sein, häufig jedoch konnte er auf formalisierte Freundschaftsbeziehungen, sogenannte *hospitia*, zurückgreifen. Das Institut des *hospitium* war eine komplizierte Angelegenheit, die vertraglich geregelt war. Die oberste Pflicht des Gastgebers bestand darin, dem Gast ein Quartier zur Verfügung zu stellen. Damit der Gastgeber sicher sein konnte, dass der ihm unbekannte Gast tatsächlich Anspruch auf eine Unterkunft hatte, musste sich jener mit einer speziellen Erkennungsmarke, einer *tessera hospitalis*, ausweisen (Abb. 88)[31].

Wer nicht über ein Netz sozialer Kontakte verfügte, musste in Hotels oder Pensionen ein Zimmer mieten, wenn er nicht unter freiem Himmel übernachten wollte. Es ist schwierig, den tatsächlichen Bedarf an öffentlichen Gaststätten zu ermitteln, dieser scheint aber nicht gering gewesen zu sein. In stärker besiedelten Gegenden gab es an jeder Raststation gleich mehrere Gasthäuser. Pompeji, eine mittelgroße römische Stadt mit vielleicht 10.000 Einwohnern, verfügte über 334 Hotels, Gaststätten und Imbissbuden (einschließlich zwei Dutzend Bordellen)[32].

Soweit wir Preise ermitteln und bewerten können, scheint der Aufenthalt in den römischen Hotels zwar recht billig gewesen zu sein; komfortabel war er aber mit Sicherheit nicht. Die Gastzimmer selbst waren sehr spartanisch eingerichtet. Sie enthielten kaum mehr als drei Einrichtungsgegenstände: Das Bett (*lectus*), die Lampe (*candelabrum*) und den Nachttopf (*matella*). Letzterer konnte bisweilen auch fehlen, wie ein recht derbes Distichon in der Wand eines pompejanischen Wirtshauses erzählt[33]: „Ich habe ins Bett gemacht; ich gestehe es, ich habe einen Fehler gemacht, o Gastwirt. Du fragst warum? Es war kein Nachttopf vorhanden".

Die „Reiseandenken"

Zu den Gemeinsamkeiten, die Antike und die Moderne verbinden, gehört es, dass sich der Tourist ein Reiseandenken nach Hause mitnimmt. Die antike Kleinkunst lässt sich nicht selten mit touristischem Interesse in Verbindung bringen. Meist sind es Götterbilder in Miniaturform[34] oder Flaschen, die mit gut erkennbaren Motiven verziert waren. Deren Fundorte zeigen,

89 Silhouette der antiken Stadt *Puteoli* auf einer Glasflasche des 3. Jhs. n. Chr.

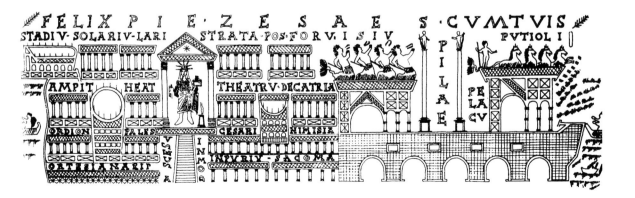

wie weit die Touristen gereist sind – so fand sich der Leuchtturm von Pharos in Afghanistan wieder oder die Silhouette der italischen Touristenstädte *Puteoli* und *Baiae* in Portugal und im Rheinland (Abb. 89)[35]. Sogar im römischen Deutschland wurde mit Souvenirs gehandelt. Terrakottafiguren von Muttergottheiten, die in Köln oder Bonn verehrt wurden, fanden sich mehrfach im obergermanischen Raum. Ganze Industriezweige scheinen von der Produktion und dem Vertrieb religiöser Devotionalien gelebt zu haben.

Nicht anders als heute nahmen die Touristen in der römischen Zeit am liebsten Kleidung und Schmuck nach Hause mit. Ein Faktor konnte jedoch die „Einkaufstour" beeinträchtigen: Das *portorium*, der Durchgangszoll, der an allen Grenzen – sogar denen zwischen den einzelnen römischen Provinzen – erhoben wurde. Ausgenommen von der Zollpflicht waren zwar das Transportmittel und der persönliche Reisebedarf, auf alles andere aber musste eine Abgabe geleistet werden. Gerade bei den beliebten Reisesouvenirs wie Parfüm, Kleidung und Aromata konnte sie bis zu 25 % betragen[36].

Eine weitere Gemeinsamkeit mit der Moderne, ja fast eine anthropologische Universalie scheint der menschliche Drang zu sein, sich vor Ort mit seinem Namen schriftlich verewigen zu müssen. Überall im Imperium Romanum finden sich Inschriften folgender Art: „Ich, Numonius Vala, bin hier gewesen[37]".

Aus der Verbreitung dieser Graffiti lässt sich ablesen, welche Objekte das größte Interesse bei den antiken Touristen gefunden haben. Eindeutig waren dies die monumentalen Bauwerke in Ägypten[38]. Anders als heute scheint das Anbringen von Inschriften auf alten Denkmälern keinen Anstoß erregt zu haben. In den Königsgräbern finden sich nicht weniger als 2100 antike Graffiti[39] und oft lassen sich die Namen mit bedeutenden Persönlichkeiten verbinden: Einer der berühmtesten Besucher Ägyptens war Kaiser Hadrian (117–138 n. Chr.). Auf den Memnon-Kolossen bei Theben hat Iulia Balbilla, eine Hofdame der Kaiserin, das Datum seines Aufenthaltes festgehalten: Es war am 28. und 29. November des Jahres 130 n. Chr. Jedoch nicht nur die Oberschicht verewigte sich in Stein, die Anzahl der Touristeninschriften aus einfachen sozialen Schichten ist überraschend hoch. Die Wände antiker Städte waren übersät mit Graffiti von Durchreisenden. In Hotels und Gasthäusern wandte man sich oft mit Grüßen und guten Ratschlägen an die nachfolgenden Gäste: „Reisender, koste in Pompeji das Brot, aber trink den Wein in Nuceria!"[40]. Man vermutet wohl nicht zu Unrecht, dass diesem Touristen der pompejanische Wein nicht gemundet hat[41].

Die Reiseziele

Bekanntlich führen alle Wege nach Rom – die Hauptstadt des römischen Reichs gehörte spätestens seit dem Ende der Republik zu den beliebtesten Touristenzielen für Leute aus Italien und den Provinzen. Es lockten vor allem die öffentlichen Spiele[42]. Sueton berichtet, dass während der mehrtägigen Zirkusspiele, die Caesar veranstaltete, die meisten Besucher im Freien übernachten mussten und dass im Gedränge mehrere Leute erdrückt wurden[43]. Auch die stadtrömischen

90 *Baiae*, der alte Hafen
der von griechischen
Kolonisten gegründeten
Stadt *Cumae*. Für seine
Quellen bekanntes und
beliebtes Heilbad und
Erholungsort römischer
Zeit.

Tempel mit ihren Sammlungen von Kunstwerken waren ein Publikumsmagnet. Da es in der Antike keine Museen gab, konnten Kunstliebhaber nur dort ihren Wissensdurst stillen. Gezeigt wurden neben repräsentativen Kunstobjekten vor allem Dinge von hohem geschichtlichem oder mythischem Wert, z. B. der Ring des Polykrates im Tempel der Concordia oder das Schwert Caesars im Tempel des Mars[44].

Während der großen Sommerhitze zogen sich die Römer gerne auf die nahgelegenen Landvillen in den Bergen Mittelitaliens zurück. Diese alljährliche Flucht aus Rom, die *peregrinatio*, konnte sich nur die oberste Klasse leisten; trotzdem stauten sich um Rom die Straßen, wenn Herr und Sklave mit dem Hausrat und der Verpflegung aufbrachen und wenn sie im Herbst nach Rom zurückkehrten.

Das beliebteste Reiseziel der Römer in Italien war *Baiae* am Golf von Neapel (Abb. 90), das wegen seiner heißen Quellen als Heilbad berühmt und als luxuriöser Badeort ausgebaut war. Hier wurden richtige Wasserkuren durchgeführt: Ärzte verordneten Bäder in kaltem und warmem Wasser, Fangopackungen mit Mineralschlamm[45] oder vergruben die Körper der Patienten in heißem Sand[46]; außerdem gab es Diätkuren und Massagen. Wegen seiner günstigen Lage war Baiae Treffpunkt sowohl der „High Society" als auch der unteren Schichten. Ein großer Teil der Touristen mag zwar zur Erholung gekommen sein, manche aber gingen zweifelhaften Vergnügungen nach – so erwähnt der Spötter Martial, dass eine Frau namens Laevina ganz als tugendhafte Penelope kam, aber als laszive Helena wieder fortging[47].

Beliebte Reiseziele im Osten des Mittelmeerraums waren vor allem die Spiele in Olympia und die Akropolis in Athen. Auch die bedeutenden Orakelstätten lockten Touristen an. Die berühmtesten waren das Zeus-Orakel von Dodona, das Apollon-Orakel von Didyma und natürlich die Pythia von Delphi. Für die patriotisch gesinnten Römer war auch das in Kleinasien gelegene Troja eine Reise wert, betrachteten sich doch die Römer als Nachfahren des Aeneas. Hier zeigten die einheimischen Führer Gräber, in denen angeblich die vor Troja gefallenen Helden lagen[48].

91 Die Pyramiden bei Memphis, Ägypten.

Außerdem wurde dort ein behauener Stein präsentiert, an den Kassandra gefesselt gewesen sein soll. Angeblich quoll bei der Berührung des Steins aus der Vorderseite Blut, aus der Rückseite Milch[49].

Für den reichen Römer war das Touristenziel schlechthin jedoch Ägypten. Das „Land der Wunder" war während der frühen Kaiserzeit im römischen Bewusstsein omnipräsent, wie die Dichtung, die Mosaikkunst und die Wandmalerei zeigen[50]. Flora und Fauna hatten nichts Vergleichbares: Der römische Tourist fand in Ägypten unheimliche Tiere wie das Krokodil oder das Flusspferd, naturwissenschaftliche Sensationen wie das Anschwellen des Nil ohne ersichtlichem Regenfall und monumentale Bauwerke wie die Tempel und Königsgräber in Theben oder die Pyramiden bei Memphis (Abb. 91). Letztere waren zweifellos das beliebteste Reiseziel aller Ägypten-Touristen, auch wenn pragmatische Römer wie der ältere Plinius sie für eine „unnütze und dumme Zurschaustellung des Reichtums der Pharaonen[51]" hielten. Die geheimnisvolle Kultur am Nil bildete einen starken Kontrast zur relativ homogenen griechisch-römischen Welt und übte daher eine große Faszination aus (Abb. 92). Ägypten war aber nicht nur durch seine Monumente berühmt. Wegen seines ganzjährigen trockenen Klimas galt es als besonders heilsam für Kranke, die an Schwindsucht oder chronischer Bronchitis litten.

92 Isis-Tempel auf der Nilinsel Philae, Ägypten. Aquarell D. M. Roberts.

Wie sah es mit unseren Breiten aus – war Germanien ein Ziel der antiken Touristen? Offenbar nicht für den vornehmen Römer der frühen Kaiserzeit: Tacitus meinte, es gebe keinen Grund, freiwillig nach Germanien zu reisen, denn dort finde man ja nur undurchdringliche Wälder, ein raues Klima und Bewohner von gleichem Schlag[52]. Allerdings änderte sich diese Sichtweise im Laufe der Zeit; der Rhein zählte zu den von Römern gerühmten Sehenswürdigkeiten[53] und gerade in der Spätantike muss die Gegend um die Kaiserresidenz Trier ein beliebtes Ausflugsziel gewesen sein, wie das Mosel-Gedicht (*Mosella*) des Ausonius aus dem 4. Jahrhundert n. Chr. bezeugt: „Jenen Anblick aber darf man frei und gern genießen: wenn im blauen Strom der Hügel dunkles Grün sich spiegelt, dann sieht es so aus, als grünten die Wasser des Flusses, und traun! im Strom selbst scheint die Rebe angepflanzt zu sein. Und welch ein Farbenspiel ist das erst auf den Wassern, wenn seine späten Schatten der Abendstern schon sandte und dann den Moselstrom gleichsam im Grün der Berge badet"[54].

Resümee

Ebenso wie heute gab es auch in der Antike Ferien[55], doch schränkten die primitiven Fortbewegungsmittel den Aktionsradius stark rein. Reisen in andere Provinzen dauerten oft mehrere Wochen oder Monate. Das konnten sich nur Leute erlauben, die über ausreichend Vermögen und Freizeit verfügten.

Touristisches Interesse im heutigen Sinne war dabei ein sekundäres Motiv und fast immer mit konkreten Zwecken verbunden, sei es dass man auf Geschäftsreise ging, in diplomatischem Auftrag unterwegs war, durch Missionsreisen religiöse Ideen verbreitete oder aus gesundheitlichen Gründen zu einem Kurort reiste. In geringem Umfang reiste man auch, um sich wissenschaftliche und künstlerische Bildung anzueignen. Massenhaft in Erscheinung traten Touristen auf den Straßen um Rom nur während der Sommerferien und in anderen Gegenden nur zu den Zeiten der großen Spiele, wie etwa den alle vier Jahre stattfindenden olympischen Spielen.

1 Für Hinweise und Unterstützung danke ich Dr. Anca Dan, Dr. Ekatarina Ilyushechkina und Dr. Gian Franco Chiai. Allgemeine Literatur zum Reisen: M. Giebel, Reisen in der Antike (Darmstadt 1999) [= GIEBEL 1999]; L. Casson, Reisen in der Alten Welt (München 1976) [= CASSON 1976]; J.-M. André/M.-F. Baslez, Voyager dans l'Antiquité (Paris 1993); H. Duchêne (Hrsg.), Voyageurs et Antiquité classique (Dijon 2003); C. Adams/R. Laurence, Travel and Geography in the Roman Empire (New York 2008, unveränderter Nachdruck 2001).

2 Nach GIEBEL 1999, 131 nur ca. 70.000 km.

3 Vgl. K. Brodersen, Neue Entdeckungen zu antiken Karten. Gymnasium 108, 2001, 137–148 mit älterer Literatur.

4 Zur Deutung der Symbole auf der Tabula Peutingeriana vgl. CASSON 1976, 218 mit sehr weitreichenden Schlüssen: Ein von vier Seiten umschlossenes Gebäude mit einem zentralen Hof bezeichnet ein komfortables Rasthaus der gehobenen Kategorie. Eine Fassade mit einem doppelten Spitzdach deutet auf eine weniger luxuriöse Ausstattung hin. Eine doppelte Kuppel läßt darauf schließen, daß sich in dieser Unterkunft Bademöglichkeiten befinden. Die einfachste Übernachtungsmöglichkeit wird anhand einer kastenartigen Hütte mit einer Spitze erkannt.

5 Der erste „Baedeker" der Antike war Philons von Byzanz „Reiseführer zu den Sieben Weltwundern" (um 200 v. Chr.). Zu Pausanias, dem bekanntesten Reiseschriftsteller der Antike, vgl. K. W. Arafat, Pausanias Greece: ancient artists and Roman rulers (Cambridge 1996).

6 Zu den Opfern nach Seereisen, die noch an Bord oder im Tempel des Hafens verrichtet wurden, vgl. D. Wachsmuth, Pompimos o Daimon: Untersuchungen zu den antiken Sakralhandlungen bei Seereisen. Diss. Berlin 1960 (Berlin 1967) 451–462.

7 Die Ausführungen der folgenden Abschnitte beziehen sich grundlegend auf die Zusammenstellungen bei H. Bender, Römischer Reiseverkehr. Cursus publicus und Privatreisen. Schr. Limesmus. Aalen 20 (Stuttgart 1978) 17–33.

8 Vell. II 126, 3.

9 Epict. diss. III 13, 9.

10 Trotz entsprechender Übertreibungen durch die antiken Romanschriftsteller sind die Berichte von Gefahren durch Überfälle und Unwetter nicht immer aus der Luft gegriffen. Es möge hier genügen, neben den Mythen um Prokrustes und Skiron auf Caesar, Paulus, Plinius und die

hier zitierten epigraphischen Belege zu verweisen; jüngst zum Thema auch P. Jung, *Latrones!* – Wegelagerei und Räuberunwesen im Römischen Reich. In: M. Reuter/R. Schiavone (Hrsg.), Gefährliches Pflaster. Kriminalität im Römischen Reich. Xantener Ber. 21 (Mainz 2011) [= REUTER/SCHIAVONE 2011] 173–185 und Ch. Golüke, *Mare pacavi a praedonibus* – Die römische Vision von einem piratenfreien Meer. Ebd. 197–211, jeweils mit weiterer Literatur.

11 Vgl. Suet. Aug. 32, 2. Tib. 37, 1. Nach E. J. Holmberg, Zur Geschichte des Cursus publicus (Uppsala 1933) [= HOLMBERG 1933]102 waren die *stationarii* an festen Poststationen tätig. Man muss aber wohl eher an mobile Eingreiftruppen denken, die an verschiedenen Orten stationiert waren; vgl. auch M. Petraccia Lucernoni, Gli Stationarii in età imperiale. Serta Antiqua et Mediaevalia 3 (Roma 2001).

12 CIL XIII 5010 = ILS 7007 und AE 1978, 567 (Nyon, Schweiz); AE 1982, 716 (Bois l'Abbé, Frankreich); CIL XIII 6211 (Bingen am Rhein); zur Interpretation dieser Inschriften vgl. zuletzt E. Grzybek, Nyon à l'époque romaine et sa lutte contre le Brigandage. Genava N. S. 50, 2002, 309–316 mit älterer Literatur sowie R. Schiavone, *Agens at latrunculum* – Strafverfolgung im Römischen Reich. In: REUTER/SCHIAVONE 2011, 225–239.

13 Vgl. B. D. Shaw, Bandits in the Roman Empire. Past & Present 105, 1984, 3–52 bes. 10 f. *Deceptus a fraude latronum* bzw. *deceptus a latronibus*: CIL XIII 3689 (Trier); ILS 5112 (Salona); 8505 (Rom); *Interfectus a latronibus*: CIL III 8242 (Moesia superior); VI 20307a (Rom); XIII 259; CIL XIII 2282 (Lyon); ILS 2646 (bei Tergeste); 8504 (Ravna). Vgl. auch CIL XIII 6429 (Darmstadt): *hic in[terfec]re latrones*. Vgl. auch CIL III 1559. 1579. 1583 (*interfecta a latron[ibus] et vindicata*); weitere Belege bei M. Reuter, Steinerne Zeugnisse antiker Gewaltverbrechen – Mord und Totschlag in römischen Grabinschriften. In: REUTER/SCHIAVONE 2011, 187–194.

14 Zum *carpentum* vgl. J. Marquardt, Das Privatleben der Römer. Teil I–II (Darmstadt 1975 = Leipzig ²1886) 735 f.

15 Suet. Iul. 56, 5.

16 Beschreibung eines „Taxameters" für Wagen und Schiff von Vitruv, De architectura X 9, 1–7.

17 Vgl. Vitruv, De architectura IX 8, 1; dazu E. Bucher, Antike Reiseuhren. Chiron 1, 1971, 457–482 mit Taf. XII–XIII.

18 Vgl. Plin. nat. 11, 238; 28, 183.

19 Sen. epist. 87, 2–4.

20 Aus Horazens *Iter Brundisinum* (sat. I 5) lässt sich eine durchschnittliche Tagesleistung von 18 römischen Meilen errechnen. Vgl. O. A. W. Dilke, Greek and Roman Maps (London 1985) [= DILKE 1985] 129. Nach frdl. Hinweis von Prof. Dr. L. Wehr (Eichstätt-Ingolstadt) betrug der Tagesdurchschnitt bei den Missionsreisen zwischen 20 und 30 km.

21 Klagen über Maultiertreiber und Fuhrknechte waren häufig. Vgl. CIL IV 5092 = K.-W. Weeber, Decius war hier: Das Beste aus der römischen Graffiti-Szene (Zürich, Düsseldorf 1996) [= WEEBER 1996] 74: „Wenn du das Feuer der Liebe spüren würdest, Maultiertreiber, würdest du dich mehr beeilen, um die Liebe zu sehen. Ich liebe den [Jüngling] Venustus. Bitte, knall die Peitsche! Lass uns fahren! Du hast ausgetrunken: Lass uns fahren! Nimm die Zügel und hau drauflos! Bring mich nach Pompeji, wo meine süße Liebe ist".

22 Zum *cursus publicus* vgl. HOLMBERG 1933; A. Kolb, Transport und Nachrichtenverkehr im Römischen Reich. Klio Beih. 2 (Berlin 2000) 40–226. Die *publicani*, die Steuereintreiber, scheinen einen eigenen Transportdienst gehabt zu haben: GIEBEL 1999, 143.

23 Bei wichtigen Nachrichten erzielte man mehr als 180 Kilometer am Tag, auf Nebenstrecken allerdings auch wesentlich weniger; vgl. P. Stoffel, Über die Staatspost, die Ochsengespanne und die requirierten Ochsengespanne: eine Darstellung des römischen Postwesens auf Grund der Gesetze des Codex Theodosianus und des Codex Iustinianus (Bern u. a. 1994) 161–165.

24 Epist. 76.

25 Anders offenbar K. Fuß, Geschichte der Reisebüros (Darmstadt 1960) 11; H. E. Scholz, Tausend Türen in die weite Welt (Frankfurt 1987) 10 (in Ägypten angeblich seit dem Mittleren Reich).

26 Zu diesen *periegetai* vgl. Casson 1976, 308.

27 Men. 34.

28 Für Athen gab es anscheinend auch „Reiseführer", vgl. P.Hawara 80/1; außerdem Diodoros Periegetes; Heliodoros (FgrHist 372/373); Polemon (FHG II, 116 ff.)

29 Cic. Verr. II 4, 132 (Mystagogen); Strab. XVII 1, 29, C. 806 (Memphis).

30 Plutarch, Warum die Pythia nicht mehr in Versen spricht 2 (Moralia 395a). Vgl. auch die Parodie des Lukian, in der ein Reiseführer eine Gruppe furchtloser Reisender in die Unterwelt mitnimmt (Casson 1976, 309).

31 *Tesserae hospitales* aus Rom: CIL I² 2, 1, 23. 611. 828 (?). 1764.

32 L. Eschebach (Hrsg.), Gebäudeverzeichnis und Stadtplan der antiken Stadt Pompeji. (Köln u. a. 1993) 466. Andere Zahlen noch bei T. Kleberg, In den Wirtshäusern und Weinstuben des antiken Rom (Darmstadt ²1966) 9.

33 CIL IV 4957 = Weeber 1996, 263.

34 Die Besucher der Olympischen Spiele nahmen häufig kleine Zeusfiguren aus Bronze oder Ton mit nach Hause.

35 K. S. Painter, Roman flasks with scenes of Baiae and Puteoli. Journal Glass Stud. 17, 1975, 54–67; Dilke 1985, 124. 147 f.

36 Casson 1976, 349 f. (nach S. J. de Laet, Portorium: étude sur l organisation douanière chez les Romains, surtout a l époque du haut-empire [Brügge 1949] 305–310. 425–431. 450 f.). Das reguläre *portorium* betrug 2,5%. Vgl. Quint. decl. 359: Außer der Reiseausrüstung sind alle Dinge beim Zöllner mit 2,5 % zu verzollen. Den Zöllnern ist es erlaubt, eine Durchsuchung durchzuführen. Was einer nicht deklariert, soll er verlieren. Es ist nicht erlaubt, eine Matrona zu berühren. Vgl. Cod. Iust. 4, 61, 5.

37 Vgl. CIL IV 6702.

38 Die ersten waren griechische Söldner, die Anfang des 6. Jhs. v. Chr. ihre Namen auf den Kolossalstatuen von Abu Simbel (Nubien, nördlich des 2. Nilkatarakts) eingravierten; vgl. zu den griechischen Inschriften aus Ägypten und Nubien E. Bernand, Inscriptions grècques d'Égypte et de Nubie: répertoire bibliographique des IGRR (Paris 1983).

39 Vgl. F. Hoffmann, Ägypten – Kultur und Lebenswelt in griechisch-römischer Zeit. Eine Darstellung nach den demotischen Quellen (Berlin 2000) 152. Danach sind von den 2100 Besucherinschriften die Mehrzahl griechische Inschriften, zum geringen Teil lateinische sowie ca. 100 demotische Graffiti.

40 CIL IV 8903.

41 Vielleicht auch wegen der Feindschaft zwischen Nuceria und Pompeji nach der Massenschlägerei im Amphitheater von Pompeji 59 n. Chr.

42 Mart. 7, 30; Suet. Iul. 39, 4; Calp. Sic. VII; Ov. ars I 74. – Zum Ziel christlicher Pilgerreisen hingegen (St. Peter) wurde Rom erst am Ende des 4. Jhs. n. Chr.; vgl. G. Bardy, Pèlerinages à Rome vers la fin du IVe siècle. Analecta Bollandiana 67, 1949, 224–235.

43 Suet. Caes. 39, 4.

44 Suet. Vit. 8, 1; Plin. nat. 37, 14.

45 Plin. nat. 30, 22.

46 Celsus III 21, 3–6.

47 Mart. ep. 1, 62. – Diese Stelle zählt zu den wenigen in den antiken Quellen, die zeigen, dass auch Frauen als Touristen unterwegs waren.

48 Lucan. phars. IX 961ff. Bei Iope in Palästina zeigte man die Abdrücke von den Fesseln der Andromeda (Ios. bell. III 420; Plin. nat. 5, 69). Unter dem Ädil M. Scaurus wurden die 40 Fuß langen *ossa* des Ungeheuers, dem Andromeda vorgeworfen wurde, von Iope nach Rom geschafft, vgl. Plin. nat. 9, 11; vgl. auch Mela I 11, 64.

49 Vgl. Casson 1976, 272.

50 In Pompeji v. a. in der Zeit des „3. Stils »; vgl. J.-M. André, Griechische Feste, römische Spiele: die Freizeitkultur der Antike (Stuttgart 1994) 249 ; außerdem M. Söldner, „...fruchtbar im Sommer der Nil strömt voll erquickender Flut..." (Tibull 1, 7, 21 ff.). Ägyptenrezeption im augusteischen Rom, Ant. Welt 31, 2000, 383–393.

50 Plin. nat. 36, 75.

51 Tac. Germ. 2.

52 Vgl. Casson 1976, 271.

53 Auson Mos. 192 f.

54 Ein Papyrus (BGU XIV 1647) erwähnt, dass sogar einer Sklavin in einer Weberei 18 freie Tage im Jahr zustanden.

IM GEFOLGE DER MÄNNER? – MOBILITÄT VON FRAUEN IN RÖMISCHER ZEIT

Romina Schiavone

„[…] Wenn du diesen Brief von mir erhältst, dann bereite dich darauf vor, sofort zu mir zu kommen, wenn ich nach dir schicke." schreibt Paniskus in einem an seine Frau Plutogenia gerichteten Brief aus dem Jahr 296/297 n. Chr.[1]. Der Papyrus aus dem ägyptischen Philadelphia enthält außerdem weitere Anweisungen: „Wenn du kommst, dann bring zehn Schaffelle mit, sechs Töpfe Oliven, vier Töpfe des honigsüßen Weins, meinen Schild – nur den neuen – und meinen Helm. Bring auch meine Lanzen mit und das Zeltzubehör. Bei Möglichkeit reise in guter Gesellschaft; nimm Nonnos mit. Bring auch alle deine Kleider und den Schmuck, aber trage ihn nicht bei der Bootsfahrt. […]"[2] (Abb. 93). Paniskus schreibt seiner Gattin aus dem mehrere Hundert Kilometer entfernten Koptos, wo er sich wahrscheinlich als Angehöriger des Militärs aufhielt[3]. Die genauen Gründe für die Trennung des Ehepaares entziehen sich jedoch unserer Kenntnis. Deutlich wird jedenfalls, dass Paniskus wohl fern seiner Heimat war und nun nach seiner Frau schickte. Allerdings vergeblich: Wie wir aus weiteren Briefen an Plutogenia erfahren, hatte diese sich nicht auf den Weg gemacht, sie hatte nicht einmal geantwortet, sondern war wohl – trotz des Verbots durch ihren Gatten – zu sich nach Hause nach Heliopolis gereist[4]. Es lief also nicht immer nach dem Willen der Männer.

Dem zitierten Schreiben sind verschiedene interessante Aspekte zum Thema zu entnehmen: Neben der Aufforderung, mit umfangreichem Gepäck wohl für einen längeren Zeitraum nach Koptos zu kommen – Plutogenia soll all ihre Kleider und den Schmuck mitbringen –, rät Paniskus seiner Gattin: Sie solle in guter Gesellschaft reisen, am besten einen Verwandten mitnehmen und während der Reise kein Aufsehen durch ihren Schmuck erregen. Der besorgte Ehemann tat gut daran, Plutogenia diese Tipps zu geben, denn alleine zu reisen konnte mitunter sehr gefährlich sein, lauerten Räuber und Diebe überall[5].

Dieser winzige Einblick in das Leben zweier Menschen, die am Ende des 3. Jahrhunderts n. Chr. lebten, soll beispielhaft die Mobilität von Personen beiderlei Geschlechts in römischer Zeit veranschaulichen. Die Gründe dafür sind vielfältig: Die Versetzung an einen neuen Militärstandort, eine Geschäfts- oder Handelsreise, der Besuch von Verwandten oder Freunden, der Erholungsaufenthalt in Bade- oder Kurorten oder etwa eine neu geschlossene Ehe. Dafür konnten ganz unterschiedliche Zeitspannen in Frage kommen, von kurzzeitigen Besuchen bis hin zu langfristigen oder dauerhaften Aufenthalten. Und auch die Entfernung von einem Ort zum anderen konnte differieren, sodass die Mobilität einzelner Personen und Gruppen ganz verschiedene Facetten und Ausmaße annahm. Mitunter bewegte man sich innerhalb der Provinzgrenzen oder aber überbrückte große Strecken, so etwa mit dem Schiff oder Reisewagen. All dies sind Hinweise, denen man hinsichtlich der Mobilität von Menschen nachgehen kann. Die politischen Ereignisse, die wirtschaftlichen, sozialen und religiösen Verhältnisse spielen ebenfalls eine gewichtige Rolle und konnten während der römischen Herrschaft und innerhalb des Reiches stark differieren.

In diesem Beitrag wird die Mobilität insbesondere von Frauen im Römischen Reich in den Blick genommen. Doch auch innerhalb dieser, durch das Geschlecht definierten Gruppe liegen weitreichende Differenzen vor, sodass Rückschlüsse aus den überlieferten Quellen kaum zu verallgemeinern sind. Es ist daher sinnvoll, einige grundlegende Sachverhalte zur Stellung der Frau in der Römischen Kaiserzeit darzulegen, bevor die Mobilität von Frauen anhand ausgewählter Beispiele beschrieben wird.

Allein unterwegs? – Voraussetzungen

Von wenigen Ausnahmen abgesehen, unterstanden die Frauen in römischer Zeit ihr ganzes Leben lang einem Vormund[6]. Dies konnte ihr Vater (*patria potestas*), ihr Ehemann (*manus*) oder ein anderer Vormund (*tutor*) sein. Sie hingegen konnten keine Vormundschaft ausüben, auch nicht über ihre eigenen Kinder; juristisch gesehen, waren sie nicht einmal verwandt mit ihnen, sie hatten also keine eigene *familia*. Auch ihr Vermögen gehörte von Rechts wegen her ihrem jeweiligen Vormund, sie konnte daher bis in die Zeit Kaiser Hadrians kein Testament verfügen. Frauen waren also in ihrer rechtlichen Handlungsfähigkeit durch die Notwendigkeit eines Vormundes eingeschränkt, dessen Zustimmung für eine Vielzahl von Rechtshandlungen notwendig war. Unabhängig – beispielsweise bei Geschäftshandlungen – konnte sie daher nur agieren, wenn der Vormund sie dazu befähigte. Sie war ferner daran gehindert, aktiv am politischen Leben zu partizipieren und durfte nicht vor Gericht aussagen.

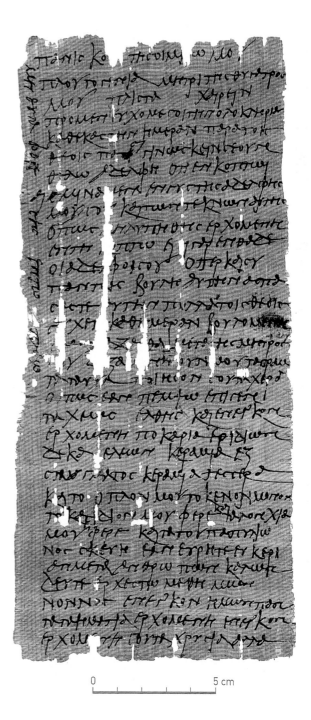

Neben den sechs vestalischen Jungfrauen waren gemäß der augusteischen Gesetzgebung der *lex Iulia et Papia* (18 v. Chr. und 9. n. Chr.) freigeborene Frauen, die drei Kinder, und freigelassene Frauen, die vier Kinder geboren hatten, von dieser Regelung ausgenommen. Sie waren damit *sui iuris* – „Personen eigenen Rechts" und nicht mehr an eine Vormundschaft gebunden. Der Handlungsspielraum erweiterte sich dadurch.

Nimm mich mit! – Beweggründe

Vor dem oben beschriebenen Hintergrund verwundert es nicht, dass die Mobilität von Frauen in römischer Zeit primär im Zusammenhang mit der Mobilität von Männern stehen dürfte. Dass Frauen mobil waren, lässt sich beispielsweise den epigraphischen Zeugnissen recht leicht entnehmen[7], allerdings sind die Gründe dafür nur mühsam oder gar nicht in Erfahrung zu bringen; häufig sind allein Indizien vorhanden.

Die Mobilität von Frauen – auch in Verbindung mit längerfristigen oder dauerhaften Aufenthalten – lässt sich im Kontext des Militärs vergleichsweise gut nachweisen. Zahlreiche Belege geben Auskunft, dass Ehefrauen oder Lebenspartnerinnen von Armeeangehörigen[8] gemeinsam mit oder wegen diesen die Wohnorte wechselten. Obwohl das Ideal der römischen Frau anders aussah, waren von diesen Verlagerungen des Lebensmittelpunktes Frauen aus unterschiedlichen gesellschaftlichen und sozialen Schichten betroffen, von der Kaisergattin bis hin zu den einfachen Soldatenfrauen[9]. Im Jahr 21 n. Chr. wurde im Senat sogar die Frage diskutiert, ob Frauen von Amtsträgern ihren Gatten in die Provinz folgen dürften. Caecina führte verschiedene Argumente gegen eine weibliche Begleitung auf, beispielsweise seien sie „schwächlich und Anstrengungen nicht gewachsen […], und wenn man die Zügel locker lasse, brutal, ehrgeizig und machtgierig". Der Antrag wurde abgelehnt: Krieg sei zwar eine reine Männersache, die schönste Erholung hätte ein Krieger jedoch bei seiner Gattin. Allzu machthungrige Frauen müssten außerdem von ihren Männern kontrolliert werden, und dies ließe sich am besten in deren unmittelbarer Nähe bewerkstelligen[10]. Nur drei Jahre später wurde ein Gesetz erlassen, das die Amtsträger für die Vergehen ihrer Frauen haftbar machte, sollten sie sich gemeinsam in einer Provinz aufhalten[11].

Hinweise zur Mobilität von Frauen sind mithilfe der Grabinschriften verstorbener Damen, deren Grabmal von Militärangehörigen errichtet wurde, aber auch durch Grabinschriften von Soldaten oder Veteranen zu gewinnen. Ob sie gemeinsam mit ihren Männern in den Militärlagern wohnten und inwiefern sich dies mithilfe der Archäologie untersuchen lässt, wird in der Forschung diskutiert[12].

Aus Rom etwa stammte die junge Sertoria Festa, deren Grabstein in Lyon zwischen 216 und 222 n. Chr. unter anderem von ihrem Ehemann Tiberius Claudius Felix, *centurio* der *legio I Minervia Antoniniana*, gesetzt worden war[13]. Die mit 17 Jahren verstorbene junge Frau wird mit dem wahrscheinlich wesentlich älteren Mann verheiratet worden sein und wird ihn aufgrund seiner militärischen Versetzung nach Bonn, wo die *legio I Minervia* stationiert war, und von dort aus nach Lyon begleitet haben. Möglich, dass Sertoria Festa im Kindbett verstarb, wie das niedrige Sterbealter vermitteln könnte.

In einem anderen Fall lässt sich der militärische Kontext nur indirekt unter Berücksichtigung der historischen Ereignisse nachvollziehen. So verzeichnet die Inschrift auf dem Grabstein des mit 23 Jahren verstorbenen Valerius Honoratus als Dedikantin seine Mutter Ianuarinia Ianuaria (Abb. 94)[14]. Die Herkunft des jungen Mannes wird mit *natione Troianensis* – „gebürtig aus der Traiana" angegeben, der römischen Stadt *Colonia Ulpia Traiana*, nahe dem heutigen Xanten. Die Mutter stammte aus dem Rheinland, wie das mit -inia endende (Pseudo) Gentiliz verrät[15]. Der etwa in die Zeit um 200 n. Chr. datierbare Grabstein wurde im französischen Lyon gefunden – die Familie stammte also aus dem römischen Xanten und siedelte später in die Stadt an der Rhône über[16]. Die Gründe für den Umzug gibt die Inschrift nicht direkt preis. Allerdings entsendete die im römischen Xanten stationierte 30. Legion ab 197 n. Chr. regelmäßig Soldaten nach Lyon, um die dortige Münzprägestätte zu schützen. Es liegt also durchaus nahe, dass Ianuarinia die niederrheinische Heimat wegen eines nach Lyon versetzten Soldaten der *legio XXX* verließ – ein Schicksal, das sie mit weiteren Soldatenfrauen teilte[17]. Zum Zeitpunkt der Grabsteinsetzung war Ianuarinia offensichtlich bereits verwitwet oder alleinstehend, da sie allein als Dedizierende genannt wird.

94 Grabstein des Valerius Honoratus, der von seiner Mutter Ianuarinia Ianuaria, die ursprünglich aus dem Rheinland kam, in Lyon gesetzt worden war.

Auch die Militärdiplome, die den Soldaten der Auxiliareinheiten nach 25-jähriger Dienstzeit die ehrenvolle Entlassung beurkundeten und ihnen und ihren Familien das römische Bürgerrecht zusprachen, liefern Belege für die Mobilität von Frauen[18].

Das in Weißenburg entdeckte Militärdiplom, das am 30. Juni 107 n. Chr. für den Reiter Mogetissa aus der *ala I Hispanorum Auriana* ausgestellt wurde, nennt auch seine Frau Verecunda vom Stamm der Sequaner sowie deren Tochter Matrulla (Abb. 95)[19]. Die Frau des ehemaligen Auxiliarsoldaten kam aus dem Gebiet um die französische Stadt Besançon nach Rätien, während Mogetissa aus dem Donauraum stammte. Wo sich die beiden kennenlernten und auf welchem Weg Verecunda in das mehrere Hundert Kilometer von ihrer Heimat entfernte Weißenburg kam, ist nicht bekannt.

Die Begegnung des Batavers M. Ulpius Fronto mit seiner späteren Frau Muttua dürfte hingegen bereits im Heimatland stattgefunden haben. Die Gattin des Auxiliarsoldaten der *cohors I Batavorum Milliaria* war ebenfalls Bataverin (Abb. 41)[20]. Vermutlich verließ Muttua das Heimatgebiet um die Rheinmündung in den heutigen Niederlanden gemeinsam mit ihrem Mann, der dort rekrutiert und später in der Pannonia Inferior, dem heutigen Ungarn, stationiert wurde. Gefunden wurde die am 16. Dezember 113 n. Chr. ausgestellte Entlassungsurkunde in Regensburg, wo sich Fronto mit seiner Familie in der sogenannten Donausiedlung nach seiner Dienstzeit niedergelassen hatte. Die Heimat sahen sie wohl nicht mehr.

Verschiedene Weiheinschriften legen Zeugnis ab, dass Frauen durchaus selbstständig und ohne männlichen Beistand auskommen konnten, wenngleich diese Hinweise selten sind. Die überlieferten Damen dürften allerdings eher der betuchteren und gesellschaftlich angeseheneren Schicht angehört haben.

Aus der zweiten Hälfte des 2. bzw. des 3. Jahrhunderts n. Chr. ist die Weihung der Cassia Touta überliefert, einer Segusiaverin aus Feurs nahe Lyon in Frankreich an die Nymphen des heutigen Ortes Bagnères-de-Luchon[21]. Es darf angenommen werden, dass sich die Dedikantin als Bade- oder Kurgast[22] dort aufgehalten hat, da in Luchon derartige Weihe- und Votivinschriften in größerer Zahl gefunden wurden. Auf der Suche nach Heilung und Erholung wird auch Sextilia, die Tochter des Sextus, aus der Gegend um Metz gewesen sein, als sie einen Stein mit der Weihung an Borvo und Damona im bekannten antiken Kurort Bourbonne-les-Bains errichten ließ[23].

Frauen, die im Händler- und Handwerksbereich tätig und aus diesem Grund mobil waren, sind als eigenständige Personen in dieser Tätigkeit kaum zu fassen[24]. Dass Frauen, die wohlhabend waren oder zu Wohlstand gekommen waren, gereist sind, lässt sich anhand von Weiheinschriften belegen[25]. Aufgrund ihrer angesehenen und hervorgehobenen gesellschaftlichen Stellung ist eine Gruppe von eigenständigen und mobilen Frauen vergleichsweise gut nach-

weisbar: Priesterinnen[26]. So dürfte die Kaiserpriesterin Sammia Honorata ursprünglich aus dem französischen Nîmes stammen, obgleich ihr ins 2./3. Jahrhundert n. Chr. datierter Grabstein in Rom gefunden wurde[27]. Ebenfalls eine Kaiserpriesterin war Iulia Titullina, die ihr Amt im französischen Cavaillon ausübte, wie es aus ihrer Grabinschrift hervorgeht. Durch eine Heirat mit einem der führenden Männer der dortigen Gesellschaft war sie ins nahegelegene Nîmes gekommen, wie eine weitere Inschrift verrät[28]. Als letzte sei hier Egnatia Aulina genannt, die ihr Priesterinnenamt in der Provinz Narbonensis ausübte, jedoch zwischen etwa 50 und 100 n. Chr. in Monteleone in Italien bestattet wurde[29].

Frauen aus dem Sklavenstand waren unfreiwillig mobil[30]. Dieses Schicksal konnte sie aus den verschiedensten Gründen ereilen: In den niedrigsten gesellschaftlichen Stand geboren, von

96 Kaufvertrag aus dem ägyptischen Hermupolis, in dem der Verkauf einer Arbeitssklavin namens Stephane geregelt wird.

Eltern, Verwandten oder Besitzern feilgeboten, durch Gefangennahme im Krieg oder andere Formen des Menschenraubes zu Sklavinnen gemacht, mussten sie durch Verschleppung oder Verkauf fern ihrer Heimat oder ihres Geburtsortes ihren Dienst leisten. Nachweisen lässt sich dies etwa durch Kaufverträge, die sich auf Papyrus in Ägypten erhalten haben. Um spätere Reklamationen zu verhindern, wurde die menschliche Ware vor Abschluss des Vertrages genau begutachtet und der Verkäufer war in der Regel dazu verpflichtet, im Vertrag das Verkaufsobjekt zu beschreiben und Angaben über physische und psychische Eigenschaften, berufliche Qualifikation und die Abstammung zu machen[31]. Auf die Nennung der Herkunft legte auch der antike Rechtsgelehrte Ulpian besonderen Wert: „Wer Sklaven verkauft, muss die Volkszugehörigkeit eines jeden beim Verkauf angeben, denn sehr häufig motiviert diese zum Kauf eines Sklaven oder hält davon ab. […] Unterbleiben Angaben zur Volkszugehörigkeit, so wird dem Käufer und allen Personen, welche das Geschäft angeht, freie Entscheidung bezüglich einer Rückgabe des Sklaven durch den Käufer gewährt"[32]. Ein auf den 10. September 293 n. Chr. datierter Kaufvertrag plus Abschrift und Quittung aus dem ägyptischen Hermupolis

97 Quittung über den Empfang einer Geldzahlung, die den Verkauf einer Sklavin an einen Flottensoldaten dokumentiert.

98 Grabstein der Regina vom Stamm der Catuvellauni, der von ihrem Mann Barates in South Shields (Großbritannien) gesetzt worden war.

beurkundet, dass „[…] Aurelios Kastor alias Eudaimon […] der Aurelia Kyrillous […] eine Arbeitssklavin namens Stephane […], von Geburt Kreterin, mit gerader Nase, eine Narbe über dem Knöchel des rechten Fußes, ungefähr 20 Jahre alt […]"[33] verkauft hat (Abb. 96). Unter welchen Umständen Stephane nach Ägypten kam, entzieht sich leider unserer Kenntnis, sie muss jedoch mit einem Schiff von ihrer Heimat aus in das Land am Nil gekommen sein.

Auf einer im ägyptischen Fayum entdeckten Quittung, die ursprünglich Bestandteil eines nicht mehr erhaltenen Kaufvertrages war, ist auf einer Wachstafel ein weiterer Handel überliefert (Abb. 97)[34]. Aischines Flavianus aus Milet, wohl ein Sklavenhändler, bestätigt dem Flottensoldaten Titus Memmius Montanus am 2. Oktober um das Jahr 151 n. Chr. den Empfang einer Geldsumme für den Verkauf einer Sklavin aus der Marmarica (Nordafrika). Der in lateinischer Sprache und in griechischer Schrift abgefasste Text gibt an, dass der Handel „im Lager der praetorischen Flotte von Ravenna" vollzogen worden war. Die nicht mit Namen genannte Sklavin war also fern ihrer nordafrikanischen Heimat in der ravennatischen Hafenstadt an einen Flottensoldaten verkauft worden, der sie anschließend mit nach Ägypten nahm und die Urkunde als Beweisstück des rechtmäßigen Besitzes und zu Identifikationszwecken mit sich führte[35]. Wie dieser Sklavin wird es zahlreichen Frauen ergangen sein, deren Schicksal jedoch nicht in schriftlicher Form überliefert ist.

Sklavinnen konnte aber auch ein angenehmeres Schicksal ereilen: Der Grabstein der Regina (Abb. 98), entdeckt im britannischen South Shields nahe dem Hadrianswall, berichtet von der Mobilität von Frauen – und Männern[36]. Die Tote ist mit den typisch weiblichen Attributen einer für römisches Empfinden sittsamen und tugendhaften Haus- und Ehefrau dargestellt: Spindel, Rocken und Wollkorb. Regina war laut lateinisch und palmyrenisch verfasster Inschrift mit 30 Jahren verstorben, sie war nicht nur Freigelassene und Ehefrau des Barates, sondern auch *natione Catuallauna* – gehörte also dem Stamm der Catuvellauni, die im Süden der britischen Insel beheimatet waren, an. Sie war – wie der Begriff *liberta* belegt – einst eine Sklavin und möglicherweise, während sie noch diesem gesellschaftlich niedrigen Stand angehörte, mit ihrem Herren Richtung Norden gezogen, oder sie hatten sich erst dort kennengelernt. Regina, eine Frau keltischer Herkunft, wurde jedenfalls im mehrere Hundert Kilometer von ihrer Heimat entfernten South Shields (*Arbeia*) von ihrem ehemaligen Patron und Mann Barates bestattet. Dieser wiederum war auch nicht Teil der einheimischen Bevölkerung, sondern stammte aus dem weit entfernten *Palmyra* in Syrien, wie die Inschrift verrät. Ein in Corbridge, unweit des römischen *Arbeia*, entdeckter Grabstein nennt möglicherweise den gleichen Barat(h)es, der, mit 68 Jahren verstorben, als *vexil[l]a[rius]* bezeichnet wird[37].

Ein wirtschaftlich aufstrebender Ort könnte der Grund für den Umzug der aus dem nordfranzösischen Raum um Reims stammenden Frau mit dem Namen Bella gewesen sein, deren Grabstein auf dem Gräberfeld um die Kirche von St. Gereon in Köln gefunden wurde (Abb.

99 Grabstein der Bella vom Stamm der Remer, der von ihrem Mann Longinus in Köln gesetzt worden war.

99)[38]. Die Inschrift gibt Auskunft über die Herkunft der Verstorbenen: „Für Bella, Tochter des Vonucus, Remerin, hat Longinus, ihr Mann, [den Grabstein] aufgestellt". Sie ist in einer Ädikula mit einem Säugling in den Armen wiedergegeben, was Anlass zu der Vermutung gab, sie sei möglicherweise im Kindbett oder kurz nach der Geburt verstorben[39]. Unter dem umgestürzten Grabstein lagen das Skelett der in spätaugusteisch-tiberischer Zeit verstorbenen, etwa 20-jährigen Frau sowie die Beigaben, bestehend aus einem Krug und zwei Salbfläschchen. Der römischen Sitte gemäß war das Grab sparsam ausgestattet, enthielt der gallischen Tradition zufolge jedoch einen Krug. Dem heimischen Umkreis ist auch die Körperbestattung der Toten zuzurechnen; die römische Bevölkerung verbrannte zu dieser Zeit ihre Verstorbenen[40]. Im Totenkult vermischten sich demzufolge die Bräuche der verschiedenen Kulturkreise. In der aufstrebenden Metropole am Rhein lernte sie möglicherweise ihren Mann Longinus kennen, der wohl der einheimischen romanisierten ubischen Bevölkerung zuzurechnen ist[41].

Aus Liebe umgezogen oder gereist war Faenia Philumene, wie es ihre Grabinschrift aus Rom verheißt: „Den Totengeistern der Faenia Philumene, die aus Liebe zu ihrem Gatten ihm in die Provinz nachreiste"[42]. Genaue Ortsangaben werden nicht gemacht. Aus den wenigen Zeilen der Inschrift darf aber geschlossen werden, dass der eigentliche Wohnort des Ehepaares in Rom lag und die Frau von dort aus zu ihrem Mann in die Provinz aufbrach. Ob sie in Rom oder in der Fremde verstarb, geht aus der Inschrift nicht hervor. Da jedoch weder ihr Mann noch sonst ein Dedizierender genannt werden, könnte der Grabstein zu ihrem Gedenken als Kenotaph in Rom errichtet worden sein.

Im nahe der bretonischen Küste gelegenen kleinen Ort Corseul wurde der Grabstein der aus Afrika stammenden Silicia Namgibbe gefunden, „die in außergewöhnlicher Liebe ihrem Sohn folgte. Caius Flavius Ianuarius, der Sohn, hat [das Grabmal] gesetzt"[43]. Die Gründe für diese ungewöhnliche Reise weit in den Norden des Römischen Reiches sind leider nicht überliefert. Möglicherweise fuhr ihr Sohn als Matrose der Kriegs- oder Handelsflotte zur See und Silicia Namgibbe folgte ihm auf diesem Weg.

Ein tragisches Schicksal spiegelt sich in einer im römischen Carsulae (nahe San Gemini, Italien) entdeckten Grabinschrift aus der Zeit um 350/400 n. Chr. wider: „Jungfrau, dem Gatten vermählt, hat das zehnte Jahr ihrer Ehe / noch nicht erreicht, o Qual, starb an dem einzigen Kind. […] Während du mir gefolgt, den Hass und Unglück belastet, / sah dich Korsika noch, Tränen dir flossen vom Aug. / Als nach Trier du fuhrst, im Reisewagen geborgen, / Trösterin, ach, des Mannes, littest du Schweres genug. […] Ich, dein Mann, der zerfließt in Tränen und heftige Seufzer, / hab diese Verse gemacht, und doch nur wenig gesagt"[44]. Die Frau hatte – ob aus Liebe oder Pflichtbewusstsein – die Heimatinsel Korsika unter Tränen verlassen und war mit dem Reisewagen bis nach Trier zu ihrem Gatten gereist. Die Inschrift vermittelt große Gefühle des Mannes gegenüber der Verstorbenen, die zu dessen Wehklagen im Kindbett verstorben war. Weder Namen noch Beruf oder Tätigkeit, Volkszugehörigkeit oder Alter werden in der Inschrift erwähnt, sondern nur der schmerzliche Verlust der Gattin beklagt.

Auch zu Totengedenken reisten Frauen über weite Strecke, etwa von Gallien bis ins italienische Asolo: „Martina, die teure Gattin, die aus Gallien in 50 Tagesreisen kam, um das Andenken des heißgeliebten Gatten zu feiern. Ruhe sanft, mein liebster Gemahl"[45].

Heimkehren?!

Die Heimat konnte über den Tod hinaus eine immense Bedeutung für die Verstorbenen oder Hinterbliebenen haben und so wollte sich der eine oder andere, wenn nicht lebend, so doch wenigstens zur letzten Ruhe in seiner Heimat wissen. Eine Grabinschrift aus dem algerischen Lambaesis legt dar, dass selbst weite Strecken dafür zurückgelegt wurden: „Der Flavia Iuliosa, seiner Gattin, die 27 Jahre lebte, Marcus Servilius Fortunatus, Adjutant, der ihre Überreste über Land und Meer aus der Provinz Dakien heimgebracht hat"[46]. Von ihren beiden Schwestern nach Hause gebracht und im Mausoleum der Familie in Lyon bestattet wurde in der Zeit zwischen etwa 150 und 200 n. Chr. auch die Kaiserpriesterin Iulia Helias, die mit 25 Jahren in Rom verstarb[47].

Viele Frauen und Männer, die ihre Heimat einst verlassen hatten, werden diese wohl nicht wieder gesehen haben.

1 Das sog. Paniskus-Archiv umfasst sieben erhaltene Briefe, die in Philadelphia im ägyptischen Fayum gefunden und etwa in einer Zeitspanne von sechs Monaten verfasst wurden. P.Mich. III 214–221; J. Rowlandson, Women and Society in Greek and Roman Egypt. A Sourcebook (Cambridge 1998) 147–151 [= ROWLANDSON 1998].

2 P.Mich. III 214 = P.Mich. inv. 1367 recto; ROWLANDSON 1998, 248 f. Nr. 111.

3 Aus einem der Briefe geht hervor, dass es zu jener Zeit eine Revolte gegeben hat, dessen Zentrum Koptos war. P.Mich. III 220; ROWLANDSON 1998, 147.

4 P.Mich. III 216; P.Mich. III 217.

5 Zum Räuberunwesen P. Jung, *Latrones*! – Wegelagerei und Räuberunwesen im Römischen Reich. In: M. Reuter/R. Schiavone (Hrsg.), Gefährliches Pflaster. Kriminalität im Römischen Reich. Xantener Ber. 21 (Mainz 2011) 173–185.

6 Grundlegend zu Frauen in römischer Zeit J. F. Gardner, Frauen im antiken Rom. Familie, Alltag, Recht (München 1995); B. von Hesberg-

Tonn, Coniunx carissima. Untersuchungen zum Normcharakter im Erscheinungsbild der römischen Frau (Stuttgart 1983). Danach sehr stark verkürzt das Folgende.

7 Z. B. L. Wierschowski, Die regionale Mobilität in Gallien nach den Inschriften des 1. bis 3. Jahrhunderts n. Chr. Quantitative Studien zur Sozial- und Wirtschaftsgeschichte der westlichen Provinzen des Römisches Reiches. Historia Einzelschr. 91 (Stuttgart 1995) [= WIERSCHOWSKI 1995]; L. Wierschowski, Fremde in Gallien – „Gallier" in der Fremde. Die epigraphisch bezeugte Mobilität in, von und nach Gallien vom 1. bis 3. Jh. n. Chr. Historia Einzelschr. 159 (Stuttgart 2001) [= WIERSCHOWSKI 2001]; A. Kakoschke, Ortsfremde in den römischen Provinzen Germania inferior und Germania superior. Eine Untersuchung zur Mobilität in den germanischen Provinzen anhand der Inschriften des 1. bis 3. Jahrhunderts n. Chr. Osnabrücker Forsch. Altertum und Antike-Rezeption 5 (Möhnesee 2002) [= KAKOSCHKE 2002]; A. Kakoschke, 'Germanen' in der Fremde. Eine Untersuchung zur Mobili-

tät aus den römischen Provinzen Germania inferior und Germania superior anhand der Inschriften des 1. bis 3. Jahrhunderts n. Chr. Osnabrücker Forsch. Altertum und Antike-Rezeption 8 (Möhnesee 2004) [= KAKOSCHKE 2004].

8 Zum *conubium* O. Behrends, Die Rechtsregelung der Militärdiplome und das die Soldaten des Prinzipats treffende Eheverbot. In: W. Eck/H. Wolff (Hrsg.), Heer und Integrationspolitik. Die römischen Militärdiplome als historische Quelle. Passauer Hist. Forsch. 2 (Köln, Wien 1986) 116–166; M. Mirković, Die Entwicklung und Bedeutung des Conubium. In: W. Eck/H. Wolff (Hrsg.), Heer und Integrationspolitik. Die römischen Militärdiplome als historische Quelle. Passauer Hist. Forsch. 2 (Köln, Wien 1986) 167–186; M. Debrunner Hall, Eine reine Männerwelt? Frauen und das römische Heer. In: M. H. Dettenhofer (Hrsg.), Reine Männersache? Frauen in Männerdomänen der antiken Welt (Köln 1994) 207–228, hier 219-228 [= DETTENBRUNNER HALL 1994].

9 Exemplarischer Überblick bei KAKOSCHKE 2002, 603–605; zur weiblichen Begleitung von Armeeangehörigen A. J. Marshall, Roman Women and the Provinces. Ancient Society 6, 1975, 109–127 [= MARSHALL 1975a]; A. J. Marshall, Tacitus and the Governor's Lady. A Note on Annals 3,33–34. Greece and Rome 22, 1975, 11–18 [= MARSHALL 1975b]; DETTENBRUNNER HALL 1994; O. Stoll, Legionäre, Frauen, Militärfamilien. Untersuchungen zur Bevölkerungsstruktur und Bevölkerungsentwicklung in den Grenzprovinzen des Imperium Romanum. Jahrb. RGZM 53/1, 2006, 217–344, hier 262–286 [= STOLL 2006].

10 Tac. ann. 3,33 f.; MARSHALL 1975b; STOLL 2006, 264.

11 Tac. ann. 4,20; MARSHALL 1975a, 120.

12 Verschiedene Beiträge dazu bei U. Brandl (Hrsg.), Frauen und römisches Militär. Beiträge eines Runden Tisches in Xanten vom 7. bis 9. Juli 2005. BAR Internat. Ser. 1759 (Oxford 2008).

13 CIL XIII 1893; WIERSCHOWSKI 2001, 313 f. Nr. 438.

14 CIL XIII 2034; WIERSCHOWSKI 1995, 169; WIERSCHOWSKI 2001, 358 f. Nr. 495; KAKOSCHKE 2004, 54 f. Nr. 1.33, 210. 270.

15 A. Kakoschke, Die Personennamen in den zwei germanischen Provinzen. Ein Katalog. Bd. 1 – Gentilnomina: ABILIUS - VOLUSIUS (Rahden/Westf. 2006) 206 GN 586; KAKOSCHKE 2004, 210 mit weiteren auf -inia endenden weiblichen Gentilnamen aus der Germania inferior, 270.

16 Zur Einwanderung in die Provinz Lugdunensis und nach Lyon WIERSCHOWSKI 1995, 146–170.

17 WIERSCHOWSKI 2001, 312 Nr. 436 u. 437. 316 f. Nr. 441. 330 f. Nr. 458; KAKOSCHKE 2004, 210 (Gentilnamen auf -inia). 191 und 270 f. (Zusammenstellung von Frauen, die in Begleitung eines Armeeangehörigen aus den germanischen Provinzen vor allem in Lyon erscheinen).

18 Grundlegend: RMD.

19 CIL XVI 55; KAKOSCHKE 2004, 113 f. Nr. 1.92; N. Lambert/J. Scheuerbrandt, Das Militärdiplom. Quelle zur römischen Armee und zum Urkundenwesen. Schr. Limesmuseum Aalen 55 (Stuttgart 2002), 20–25; STOLL 2006, 274.

20 AE 1988, 906; RMD 86; KAKOSCHKE 2004, 115–117 Nr. 1.94; K. Dietz, Das älteste Militärdiplom für die Provinz Pannonia Superior. Ber. RGK 65, 1984, 159–268.

21 CIL XIII 352; WIERSCHOWSKI 2001, 262 Nr. 354; W. Spickermann, „Mulieres ex voto". Untersuchungen zur Götterverehrung von Frauen im römischen Gallien, Germanien, Rätien (1.-3. Jahrhundert n. Chr.). Bochumer Hist. Stud. Alte Geschichte 12 (Bochum 1994) 129 Nr. 2 [= SPICKERMANN 1994a].

22 Weitere Beispiele bei KAKOSCHKE 2002, 605 f.

23 CIL XIII 5919; WIERSCHOWSKI 2001, 396 Nr. 560; SPICKERMANN 1994a, 292 f.; KAKOSCHKE 2002, 607.

24 Um zu seiner gültigen Aussagen zu gelangen, müssten eingehende Studien des umfassenden Quellenmaterials geleistet werden. (Mögliche) Frauen von Händlern: KAKOSCHKE 2002, 607. 609; KAKOSCHKE 2004, 272.

25 Z. B. Spickermann 1994a, 419 f. Nr. 7 u. 8.

26 Z. B. Wierschowski 2001, 132 f. Nr. 158. 363 f. Nr. 502. 395 f. Nr. 559. 432 f. Nr. 626; Kakoschke 2002 Nr. 1.165. Nr. 2.79. 607; allgemein W. Spickermann, Priesterinnen im römischen Gallien, Germanien und den Alpenprovinzen (1.-3. Jahrhundert n. Chr.). Historia 43, 1994, 189–240 [= Spickermann 1994b].

27 CIL VI 29711; Spickermann 1994b, 204 f. Nr. 26; Wierschowski 2001, 83 Nr. 95.

28 CIL XII 3242; Spickermann 1994b, 199 Nr. 13; Wierschowski 2001, 180 f. Nr. 222 mit Anm. 346.

29 CIL IX 4881; Spickermann 1994b, 213 f. Nr. 44; Wierschowski 2001, 89 Nr. 104.

30 Weitere Beispiele bei W. Eck/J. Heinrichs, Sklaven und Freigelassene in der Gesellschaft der römischen Kaiserzeit. Texte zur Forschung 61 (Darmstadt 1993) 31 Nr. 46 [= Eck/Heinrichs 1993]; J. Nollé, Side im Altertum. Geschichte und Zeugnisse 2. Inschriften griechischer Städte aus Kleinasien 44 (Bonn 2001) 613–622; Kakoschke 2002, 608; Sklavinnen und Sklaven in militärischem Kontext: Stoll 2006, 281–284.

31 W. Scheidel, Frauen als Ware: Sklavinnen in der Wirtschaft der griechisch-römischen Welt. In: E. Specht (Hrsg.), Frauenreichtum. Frauen als Wirtschaftsfaktor im Altertum. Reihe Frauenforsch. 27 (Wien 1994) 143–180, hier 151.

32 Ulp. Dig. 21,1,31,21; Eck/Heinrichs 1993, 29.

33 Kaufvertrag: P.Lips. I 4 = P.Lips. inv. 410 + P.Lips. inv. 1258; Abschrift und Quittung: P.Lips. I 5 = P.Lips. inv. 603

34 SB 6304 = P.B.U.G. inv. 566; H. G. Gundel, Antiker Kaufvertrag auf einer Wachstafel aus Ravenna. Universitäts-Bibliothek Gießen. Kurzber. Papyrusslg. 10, 1960, 1–11 [= Gundel 1960].

35 Gundel 1960, 6.

36 RIB 1065.

37 RIB 1171.

38 B. u. H. Galsterer, Die römischen Steininschriften aus Köln. IKöln². Kölner Forsch. 10 (Mainz 2010) 24. 344 f. [= Galsterer 2010]; C. Höpken, Frührömische Gräber in Köln. In: G. Uelsberg (Hrsg.), Krieg und Frieden. Kelten – Germanen – Römer. Ausst.-Kat. Bonn 2007/2008 (Darmstadt 2007) 295–301, hier 298 f. [= Höpken 2007]; Wierschowski 2001, 453 Nr. 660; M. Riedel, Frühe römische Gräber in Köln. In: P. Fasold/Th. Fischer/H. von Hesberg/M. Witteyer (Hrsg.), Bestattungssitte und kulturelle Identität. Grabanlagen und Grabbeigaben der frühen römischen Kaiserzeit in Italien und den Nordwest-Provinzen. Xantener Ber. 7 (Köln 1998) 307–318, hier 310–312 [= Riedel 1998].

39 Galsterer 2010, 345; Riedel 1998, 312.

40 Höpken 2007, 299.

41 Galsterer 2010, 345; Wierschowski 2001, 453 vermutet, dass Longinus aufgrund seines fehlerhaften Lateins ebenfalls Angehöriger des Stammes der Remer war.

42 CIL VI 17690; H. Geist/G. Pfohl, Römische Grabinschriften (München ²1976) 30 Nr. 18 [= Geist/Pfohl 1976].

43 CIL XIII 3147; Wierschowski 2001, 383 Nr. 535.

44 CLE 1846; Geist/Pfohl 1976, 37 f. Nr. 38.

45 DE 8453; Geist/Pfohl 1976, 33 Nr. 27.

46 CIL VIII 2772; Geist/Pfohl 1976, 208 Nr. 564.

47 CIL XIII 2181; Spickermann 1994b, 215 f. Nr. 47; Wierschowski 2001, 363 f. Nr. 502.

HEIMAT IN DER INTERKULTURELLEN LEBENSWELT – PERSPEKTIVEN JUNGER MENSCHEN

Gabriele Dafft

‚Heimat' wurde poetisch beschrieben, politisch instrumentalisiert, kritisiert und kommerzialisiert. Die Begriffsgeschichte ist bewegt und in den letzten zwei Jahrhunderten kam es immer wieder zu Konjunkturen im gesellschaftlichen Diskurs um Heimat. Die Inhalte sind dabei äußerst unterschiedlich: Vom romantischen Heimatentwurf des 19. Jahrhunderts über die nationalistische Aufladung des Begriffs bis hin zu seinem Missbrauch im Dritten Reich, vom ländlichen Idyll in der Heimatfilmwelle der 1960er Jahre bis zur kritischen Auseinandersetzung der 1970er Jahre mit ihrer Suche nach einem neuen Heimatbegriff. In der Gegenwart wird Heimat verstärkt als regionaler Gegenentwurf zu einer globalisierten Welt diskutiert und auch Tourismus, Unterhaltungsindustrie oder Werbung bedienen sich des Begriffs, haben ihn längst als Marketingfaktor entdeckt. Gelegentlich kommt Heimat sogar im Plural vor, wie in der Aussage des 16-jährigen Kroaten Ivan, der in Köln aufgewachsen ist: *„Heimat ist der Ort, wo meine Wurzeln herstammen und wo ich mich wohlfühle. Ich habe zwei Heimate, mein eigenes Land und meine jetzige Stadt Köln."* Es gibt eine ganze Reihe wissenschaftlicher Publikationen, die dem Konzept Heimat mit seiner Bedeutungsvielfalt auf den Grund gehen wollen, es analysieren und kritisch zu hinterfragen suchen[1]. Die Auseinandersetzung mit Heimat erreichte zwischenzeitlich eine so große Intensität, dass Herbert Schwedt von einem Begriff sprach, dessen Definieren „längst und wieder zum beliebten Gesellschaftsspiel"[2] geworden sei. Das große Interesse am Heimatbegriff ist durchaus nachvollziehbar, denn in den jeweiligen Diskursen spiegeln sich auch zeitgenössische Problemlagen, das macht Heimat zu einer vielversprechenden Folie, um gesellschaftlichen Befindlichkeiten auf die Spur zu kommen. Wenn an dieser Stelle eine erneute Annäherung an den Heimatbegriff erfolgt, dann geschieht das auf empirischer Basis und aus der Perspektive junger Menschen im Rheinland, Schülerinnen und Schüler, wie der oben zitierte Ivan. Ihre Sehweisen können einen wertvollen Beitrag zum aktuellen Heimatdiskurs leisten und klären, wie Heimat in einer interkulturellen Gesellschaft funktioniert. Denn seit einigen Jahren ist eine neuerliche Konjunkturwelle im Heimatdiskurs zu beobachten, die „eindeutiger als zuvor unter dem Vorzeichen von Mobilität und Migration" steht[3]. Im Zusammenhang mit dem Thema Zuwanderung begegnet häufig die stereotype Redewendung von Migranten, die ihre alte Heimat verlassen und in ein anderes Land einwandern, um dort eine neue Heimat zu finden. Aber ‚Heimat', was ist das überhaupt? Wie findet man sie? Und: Was ist eigentlich mit den sesshaften Menschen in der sogenannten Aufnahmegesellschaft, ist für sie Heimat einfach so da?

Antworten auf diese Fragen gibt das Projekt „Interkulturelle Lebenswelten" des LVR-Instituts für Landeskunde und Regionalgeschichte (ILR), darüber hinaus lotet es aus, wie Jugendliche zum Thema Integration stehen. Denn gerade für junge Menschen in einer migrationsintensiven Region wie dem Rheinland sind vielfältige interkulturelle Begegnungen und Erfahrungen Bestandteil ihrer alltäglichen Lebenswelt. Sie wachsen inmitten von Entwicklungsprozessen auf, die durch internationale Verflechtungen, Mobilität und Migration geprägt sind und die unter dem Begriff Globalisierung subsumiert werden. Bereits in der Schule oder im Sportverein erleben sie, worauf es ankommt, wenn Menschen türkischer, polnischer, deutscher oder anderer Herkunft miteinander klarkommen müssen. Dieser Beitrag gibt Einblicke in exemplarische Ergebnisse des Projekts, doch zuvor folgt eine kurze Bestandsaufnahme zur Interkulturalität des Alltags und zur kulturwissenschaftlichen Perspektive auf Migration und Integration.

Rund ein Viertel der Einwohnerinnen und Einwohner von NRW haben einen Migrationshintergrund; darunter bilden türkischstämmige Menschen die mit Abstand größte Gruppe der nicht-deutschen Zuwanderer, gefolgt von Menschen italienischer und polnischer Herkunft. In einer Großstadt wie Köln wird der interkulturelle Alltag besonders augenfällig: 31,5 % der Menschen, die dort wohnen, haben einen Migrationshintergrund. Auch kleinere Städte wie Leverkusen (33,0 %) oder Wuppertal (33,2 %) kennen vergleichbare Situationen[4]. Wenngleich Migration kein grundsätzlich neues Phänomen ist, sondern historische Normalität, so verweisen zeitgenössische Vorstellungen doch auf eine qualitative und einzigartig quantitative Bedeutung von Migration im globalen Zeitalter[5]. Inwieweit der Eindruck außergewöhnlich intensiver Migrationsbewegungen durch die Präsenz des Themas in der öffentlichen Debatte beeinflusst ist, oder ob wir es vielmehr mit einer „zuvor nie da gewesenen Dimension von Fremdbegegnungen zu tun haben, die ohne historisches Vorbild"[6] ist, muss an anderer Stelle ausgehandelt werden[7]. Festzuhalten ist: Der Zuzug von Menschen aus anderen Ländern und die damit verbundenen Fragen des friedlichen Zusammenlebens in einer heterogenen Gesellschaft beschäftigen die Öffentlichkeit, sorgen für Diskussionsstoff in Medien und Politik. Zeichen dieser heterogenen Gesellschaft sind im Alltag deutlich sichtbar, etwa im Zusammentreffen unterschiedlicher Nationalitäten an Schulen und Universitäten, in interkulturellen Teams am Arbeitsplatz oder auf Märkten mit mediterranen Händlern. Die zunehmende Interkulturalität des Alltags spiegelt sich ebenso in internationalen Gastronomieangeboten, vielfach diskutierten Moschee-Bauten oder in einer deutschen Fußballnationalmannschaft, die als „Vorbild für gelungene Integration"[8] gehandelt wird – um hier nur einige lose zusammengetragene Bespiele zu nennen. Die „Alltäglichkeit und Normalität der Migration" rückt spätestens seit den 1990er Jahren ins Bewusstsein der Öffentlichkeit[9]. Dagegen war bis in die jüngste Vergangenheit die Perspektive auf Menschen aus anderen Ländern durch ein Paradigma geprägt, das in ihnen eher das exotisch Andere, etwas Außergewöhnliches sah. Sprachlich greifbar wurde dieses Paradigma zum Beispiel im Begriff Gastarbeiter, der den Ausnahmezustand, die temporäre Erscheinung impliziert, von der man in der BRD mit Beginn der Arbeitsmigration noch ausging.
Wenn es heißt, die Wahrnehmung „kultureller Alterität"[10] sei inzwischen Alltagsnormalität, ist nicht gemeint, dass damit zwangsläufig ein selbstverständlicher Umgang mit fremden Menschen

oder die durchweg positive Bewertung einer interkulturellen Gesellschaft einhergeht. Vielmehr oszilliert die Debatte um Migration zwischen Bedrohung und Bereicherung, Ressentiments gegenüber Ausländern prägen die Reaktionen auf Zuwanderung ebenso wie die Wertschätzung einer kulturellen Vielfalt. Darüber hinaus artikuliert sich der Migrationsdiskurs tendenziell als Problem- oder Defizitdiskurs[11]. Auf die Herausforderung, in einer heterogenen Gesellschaft miteinander klarzukommen, zielt das Schlagwort Integration, das oftmals in einem Atemzug mit Migration fällt. Nach einem gängigen Verständnis meint Integration einen Annäherungsprozess zwischen den Zugewanderten und der Aufnahmegesellschaft, wobei sich die Migranten an die ‚Kultur' des Einwanderungslandes anpassen und in bestehende Sozialstrukturen eingliedern. Die ‚Eingliederungsforderung'[12] ist primär an die zugewanderten Menschen adressiert, nicht an die Einheimischen, wie Beiträge aus den Kultur- und Sozialwissenschaften kritisch anmerken. Kritische Blicke richten sich auch auf andere Aspekte, die bei der Beschäftigung mit Integration zu Fallstricken werden können[13]. So liegt der Thematisierung von Integration häufig eine dichotome Betrachtungsweise zugrunde, die schematisch zwischen der Aufnahmegesellschaft und den Zugezogenen unterscheidet oder die Gegensatzpaare wie fremd – vertraut, das Eigene – das Andere aufstellt. Durch solche Zweiteilung können unbewusst und ungewollt Differenzen zementiert, statt integrative Annäherung erzielt werden. Darüber hinaus neigt die öffentliche Debatte über Zuwanderung und Integration zu einem Denken in nationalstaatlichen Kategorien, nach denen sich Menschen entsprechend ihrer ethnischen Herkunft in unterschiedliche Kulturen und Nationalitäten wie in Container einsortieren lassen. Hier äußert sich ein Kulturverständnis, das die vereinfachende

100 In einem Video-projekt setzen sich Kölner Schülerinnen und Schüler mit ihrem interkulturellen Umfeld auseinander.

Gleichung Nation = Ethnie = Kultur aufstellt und soziale Unterschiedlichkeit auf kulturelle Differenz reduziert[14]. Durch die homogenisierende Betrachtung von Migrantinnen und Migranten, zum Beispiel durch Verallgemeinerungen wie ‚die türkische Kultur', besteht die Gefahr, soziale, politische oder ökonomische Faktoren auszublenden. Ebenso suggeriert eine pauschale Rede von der Anpassung an ‚die deutsche Kultur' eine Homogenität, die nicht den realen sozialen Verhältnissen einer pluralen Gesellschaft entspricht. Vor diesem Hintergrund nehmen die Kulturwissenschaften neue Perspektiven – etwa den transnationalen Ansatz – ein, um die gegenwärtige Einwanderungsgesellschaft beschreiben zu können und Lebensentwürfen gerecht zu werden, die über Grenzen hinweg verlaufen. Diese neuen Konzepte tragen der Tatsache Rechnung, dass Migrationsprozesse nicht immer Einbahnstraßen sind und Migranten nicht unbedingt die Brücken zu ihren Herkunftsländern abbrechen, sondern vielfältige Beziehungen zu ihnen aufrecht erhalten[15]. Hinterfragt wird dabei auch das heute noch vorherrschende Bild einer „national begrenzten Gesellschaft mit ihren sesshaften ‚Normalbürgern' im Zentrum und den Zugewanderten am Rand"[16].

Die sich wandelnde Perspektive auf Migration macht es besonders spannend zu untersuchen, wie eine junge Generation ihr interkulturelles Umfeld erlebt. Im Rahmen des Projektes „Interkulturelle Lebenswelten" hat das ILR (LVR-Institut für Landeskunde und Regionalgeschichte) mit verschiedenen Schulen kooperiert, um mit Jugendlichen über die Themen Integration und Heimat in die Diskussion zu kommen und empirische Daten über ihre Sehweisen zu gewinnen. Das Pilotprojekt startete in den Kölner Stadtteilen Mülheim und Deutz in Zusammenarbeit mit dem Rhein-Gymnasium und dem Berufskolleg Deutzer Freiheit. Gerade Köln-Mülheim ist weithin bekannt für einen hohen Anteil türkischer Einwohner; rund 50 % der Menschen, die hier leben haben einen Migrationshintergrund, entsprechend heterogen waren die beteiligten Klassen. Um auch Einblicke aus ländlichen Regionen zu bekommen, in denen ein interkulturelles Umfeld weniger markant hervortritt, bezog das ILR auch Schulen in Xanten ein: Das Städtische Stiftsgymnasium und die Walter-Bader-Realschule. An dieser Stelle sei allen beteiligten Schulen herzlich gedankt. Das Projekt steht auf mehreren Säulen: Den Kern bildet eine empirische Studie auf Basis einer Befragung in den Schulklassen. Am Rhein-Gymnasium wurde zusätzlich ein kreativer Zugang mittels Videoclips gewählt, welche die Schülerinnen und Schüler über ihre interkulturellen Erfahrungen im Stadtteil drehten (Abb. 100). Die dritte Säule ist die Fotoausstellung „Wo ist dann meine Heimat …?", sie bietet den Meinungen der Jugendlichen eine öffentlichkeitswirksame Plattform (Abb. 101). Bisher haben rund 200 Schülerinnen und Schüler im Alter zwischen 13 und 18 Jahren an der Befragung teilgenommen und sich schriftlich anhand offener Fragen geäußert[17]. Die Analyse des umfangreichen Materials erfolgte mittels des qualitativen PC-gestützten Verfahrens GABEK®/WinRelan®, das die Texte in mehreren Kodierungsschritten erfasst und miteinander verknüpft[18]. Im Folgenden werden Integrationsverständnis und Heimatbild der Jugendlichen auf Basis erster Umfrageergebnisse skizziert.
Die Jugendlichen verstehen unter Integration in erster Linie eine sehr komplexe Anpassungsleistung von Migranten. Sowohl Befragte mit als auch ohne Migrationshintergrund verwenden

Ich hab Integration erlebt, als ein Schüler aus dem Ausland kam und kein Deutsch konnte. Er hat es dann schnell gelernt. Wenn wir uns heute über den Weg laufen, grüßen wir uns.

Tom (17), Deutsch-Italiener

Man sollte nicht von den Mitmenschen anders behandelt werden, nur weil man anders aussieht oder einen anderen Akzent hat. Integration und Ausgrenzung haben nichts mit Ausländern zu tun. Ein Deutscher kann genauso gut unter Deutschen ausgeschlossen sein, wie ein Türke unter Deutschen.

Lisa (16), Deutsche

101 Präsentation der Fotoausstellung „Wo ist dann meine Heimat ...?" im LVR Horion-Haus, Köln.

den Schlüsselbegriff *anpassen* ausgesprochen häufig, wenn sie sich über Integration äußern. Welch ausgeprägte Erwartungshaltung dahinter steht, davon zeugt eine Fülle von Aussagen, in denen die Befragten formulieren, was Zugewanderte alles *müssen* oder *sollen*[19]. Um nur einige Bespiele zu nennen: *Sie sollen die deutsche Sprache beherrschen,* sich *an die Gesellschaft, die Kultur* oder *den Kleidungsstil anpassen, sie sollen das Benehmen und die Kultur akzeptieren,* sie müssen *zur Gesellschaft etwas beitragen, einen Job haben, wie jeder andere, sie sollen sich bemühen nicht negativ aufzufallen* und sollen *nicht nur mit Leuten aus ihrer Heimat oder Kultur Kontakt haben.* Last but not least sollen Zugewanderte dabei *ihre Wurzeln nicht vergessen.*

Zugegeben, die Aneinanderreihung dieser Einzelzitate treibt den Eindruck eines äußerst umfangreichen Anforderungskatalogs auf die Spitze. Auf diese Weise wird jedoch deutlich, dass Integration im Denken der Jugendlichen quasi als Imperativ an die Zugewanderten abgebildet ist und den Migranten der Löwenanteil einer Integrationsleistung auferlegt wird. Zielrichtung der *Anpassung* ist in den meisten Aussagen ganz allgemein die *Kultur,* allerdings wird dieser Begriff nur wenig konkretisiert, es bleibt recht offen, was die Jugendlichen überhaupt darunter verstehen. Aspekte, die ebenfalls in Verbindung mit dem Schlüsselbegriff *anpassen* vorkommen, lassen zumindest erahnen, was gemeint sein könnte: Während *Lebensstil* häufiger genannt wird, kommen *Religion, Normen, Gesetze, Bräuche, Umgangsformen* im Material nur sporadisch vor. Möglicherweise ist das in der Umfrage artikulierte jugendliche Integrations-Verständnis ein Reflex auf die eingangs skizzierten gängigen Vorstellungen in der öffentlichen Debatte um Integration mit ihren kulturalistischen Argumentationsmustern und der einseitigen Eingliederungsforderung. Zwar wurden die Schüler gebeten, ihre persönliche Auffassung von Integration zu beschreiben, das schließt jedoch nicht aus, dass sie verbreitete gesellschaftliche Vorstellungen verinnerlicht haben und reproduzieren – wohlgemerkt gilt das für Befragte mit und ohne Migrationshintergrund. Es würde nun aber zu kurz greifen, den Integrationsbegriff der Jugendlichen auf die Gleichung Integration = Assimilation im Sinne einer vollständigen Anpassung zu reduzieren. Ihnen liegt viel daran, auch Forderungen an die Aufnahmegesellschaft zu formulieren, etwa Hilfsbereitschaft gegenüber Migranten und Interesse an Fremden, Offenheit sowie die Bereitschaft, vorurteilsfrei auf Ausländer zuzugehen und Zugezogene *nicht wegen ihrem Aussehen oder ihrer Kultur auszugrenzen.* Die Befragten sind sich durchaus bewusst, dass Integration ein wechselseitiger Prozess sein muss und Akzeptanz keine Einbahnstraße ist. Exemplarisch sollen das die beiden folgenden Zitate verdeutlichen; das erste stammt von einer deutschen, das zweite von einer türkischen Schülerin:

„Man braucht Freunde in beiden Kulturkreisen. Man muss als kulturell anders akzeptiert sein. Wenn ein Deutscher keine ausländischen Freunde hat, gehört er auch nicht dazu."

„Genauso sollten die Deutschen die Ausländer aufnehmen und als Mitbürger akzeptieren und ihnen das Gefühl geben, nicht anders als sie selbst zu sein."

Die bisherigen Ausführungen rekurrierten vor allem auf ein eher theoretisches Wissen der Jugendlichen, so wie es sich in ihren Antworten auf die Frage spiegelt: Integration, was ist das eigentlich für dich? Einen ganz anderen Tenor bekommt der Integrationsbegriff der Schüler, wenn sie von persönlichen Erfahrungen und konkreten Situationen erzählen, in denen sie Gemeinschaftsbildung oder Ausgrenzung erlebt haben. Diese Aussagen ergänzen die eher allgemeinen, theoretischen Stellungnahmen durch praktisches Wissen aus dem eigenen Alltag. Hier erweisen sich gemeinsame Erlebnisse in der Lebenswelt der Jugendlichen als stärkste Integrationsmotoren. Wo konkretes Handeln im Alltag und auf Basis gleicher Interessen möglich wird, funktioniert auch Integration. Als Beispiele nennen die Schülerinnen und Schüler den Konzertbesuch, das Hobby Tanzen, die Musikschule, das gemeinsame Training im Sportverein, den Austausch von Kochrezepten der türkischen und deutschen Mütter oder die geteilte Begeisterung für Fußball: Der 17-jährige Türke Vedat erzählt, wie er Integration eindrucksvoll bei der Fußball-WM erlebt hat, als er *mit Deutschen für Deutschland war.* Ebenso gehören auch negative oder widersprüchliche Erlebnisse zum Erfahrungsschatz junger Menschen. Denn wo prinzipiell Raum für Gemeinschaftsbildung ist, beobachten sie auch Ausgrenzung. Eine 16-jährige aus Kasachstan erzählt, dass Jugendliche, die aus einem anderen Land stammen, nicht an den Türstehern der Disco vorbeikommen, und ein Kölner Schüler berichtet, wie gut Integration in seinem Fußballverein funktioniert, dass er aber im Stadion schon rassistische Beleidigungen von Fans gehört hat.

Zum Schluss soll der persönlich-subjektive Heimatbegriff einer jungen Generation im Rheinland beleuchtet werden. Die eingangs konstatierte Bedeutungsvielfalt von Heimat spiegelt sich auch in den Beiträgen der Schülerinnen und Schüler. Aus der Fülle ihrer Aussagen und den individuellen Beschreibungen kristallisieren sich jedoch fünf Bedeutungsschwerpunkte heraus: Heimat entsteht durch das Zusammenspiel einer emotionalen, sozialen, räumlichen, zeitlichen und schließlich einer legitimierenden Dimension (Abb. 102).

Die emotionale Dimension – *„Heimat ist da, wo ich mich wohlfühle."*
So oder ähnlich lauten typische Aussagen der Befragten. In erster Linie verbinden die Jugendlichen Heimat mit einem Gefühl des Wohlbefindens. Auch Schlüsselbegriffe wie *Sicherheit*, *Geborgenheit*, *glücklich sein* docken an den emotionalen Bedeutungsgehalt an. In vielen Aussagen der Jugendlichen äußert sich Heimat als Zugehörigkeitsgefühl zu Menschen in ihrem unmittelbaren Umfeld, zu Menschen, die ihnen nahe stehen. Heimat wird durch Interaktionen in diesen Beziehungen hergestellt, die emotionale Dimension hat starke Schnittstellen zum sozialen Bedeutungsgehalt von Heimat.

102 Das Heimatverständnis Jugendlicher: Fünf Dimension greifen ineinander.

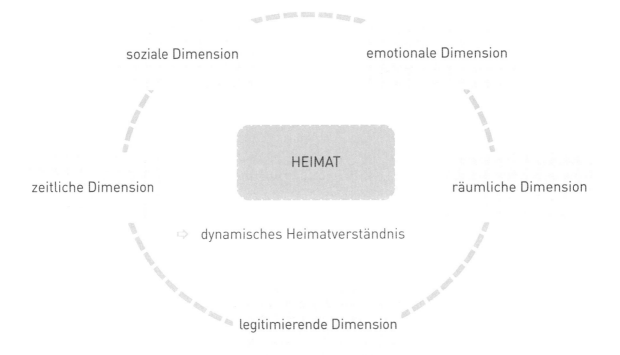

soziale Dimension · emotionale Dimension

HEIMAT

zeitliche Dimension · räumliche Dimension

⇨ dynamisches Heimatverständnis

legitimierende Dimension

»Um eine Heimat zu haben, braucht man Menschen um sich, mit denen man sich versteht, Freunde. Ich bin mit vielen Ausländern befreundet. Ich bin in Deutschland geboren, aber als Niederländer muss ich mir oft Scherze über mein Land anhören. Ist mir aber egal, ich lache dann mit.«

André (18), Niederländer

103 Die soziale Dimension von Heimat. Beispielzitat aus der Foto-Ausstellung „Wo ist dann meine Heimat ...?".

Die soziale Dimension – *„Ich glaube, dass die Heimat nichts mit dem Ort zu tun hat, in dem man lebt, sondern welche Menschen man um sich hat."*
Ein Geflecht der unterschiedlichsten sozialen Beziehungen konstituiert Heimat und in diesem Geflecht sind *Familie* und *Freunde* die wichtigsten Bezugsgrößen. Es liegt den Jugendlichen viel daran, vertraute Menschen in der Nähe zu haben, *Personen, mit denen man reden kann* oder Menschen, von denen sie sich *verstanden* fühlen, mit denen sie *etwas unternehmen, sich unterhalten* können (vgl. auch Abb. 103). Wenngleich die Einbettung in ein vertrautes Sozialgefüge den Befragten äußerst wichtig ist, so sind auch persönliche *Freiheit*, Persönlichkeitsentfaltung und Selbstbestimmung in diesem sozialen Kontext zentrale Bestandteile ihres subjektiven Heimatbegriffs: *„Heimat ist der Ort, an dem man selbst ist, wie man ist und sich nicht verstellt"* oder *„Heimat ist der Ort, wo ich mich frei fühle und meine Gedanken ausleben kann."* Wie sehr die soziale Dimension das Empfinden von Heimat beeinflusst, verdeutlicht das folgende Zitat: *„Unter Heimat verstehe ich den Ort, an dem meine Familie und Freunde sind. Wenn ich alleine in ein anderes Land ziehen würde, würde ich Heimweh haben, aber würden meine Familie und Freunde mitkommen, wäre das meine neue Heimat."* Heimat ist hier nicht auf einen Ort festgeschrieben, sondern veränderbar.

Die räumliche Dimension – *„Heimat ist der Ort, den man am meisten vermisst, wenn man gerade nicht dort ist und von dem man auch wirklich sagen kann, dass man dort wohnen (bleiben) möchte."*
Die meisten Heimatdefinitionen der Jugendlichen haben einen räumlichen Bezugspunkt, einen mehr oder minder konkreten „Ort", den sie dann weiter beschreiben. Der vorhergehende Abschnitt machte deutlich, wie flexibel dieser Ort sein kann: Ändert sich der soziale Bezugsrahmen von Heimat, kann sich auch ihr räumlicher Bezugsrahmen verschieben. Heimat kann sich dann sogar verdoppeln, das zeigt sich vor allem bei Jugendlichen mit Migrationshintergrund, die oft

von ihren *zwei Heimatländern* sprechen. Diese Jugendlichen fühlen sich mit verschiedenen Orten verbunden, weil sie entweder Verwandte in mehreren Ländern haben, persönliche Erinnerungen mit einer *alten Heimat* verbinden oder schlichtweg ein Bewusstsein für ihre *Herkunft* äußern möchten. Die räumliche Dimension von Heimat kann sich auf relativ unspezifische Orte (*„Heimat ist überall auf der Welt, solange man sich dort wohl fühlt.“*) oder auf konkrete und größere Raumeinheiten beziehen, etwa wenn sie den *Geburtsort, das Land, in dem ich lebe* oder das *Herkunftsland* meint. Es sind aber gerade die begrenzteren räumlichen Einheiten, die kleinen Maßstäbe, in denen Heimat entsteht, weil sie Überschaubarkeit und Wiedererkennung garantieren: die Stadt, in der man lebt (*unter Heimat gibt es bei mir nur Köln*), *mein Viertel*, ein Stadtteil, sogar die *eigene Wohnung* werden dann zur Heimat.

Die zeitliche Dimension – *„Heimat ist der Ort, an dem ich lange wohne.“*
Die bisher genannten Bedeutungsebenen hoben mehrfach darauf ab, dass Heimat durch eine Vertrautheit im Sinne von *sich kennen, sich auskennen* konstituiert ist. Diese Vertrautheit mit der räumlichen und sozialen Umgebung braucht Zeit, um sich zu entwickeln. Es kommt eine zeitliche Komponente ins Spiel, die Heimat als den Ort beschreibt, *wo man lange* oder *schon immer gewohnt hat.* In die zeitliche Dimension spielen auch Aussagen hinein, die Heimat als den Ort der Kindheit definieren oder als den *Ort, wo man aufgewachsen* ist, Heimat wird auf diese Weise auch zu einem Erinnerungsraum: *„Meine Heimatstadt, mit der ich viele wichtige Ereignisse aus meiner Kindheit verbinde“.* In den meisten Fällen bezieht sich diezeitliche Dimension von Heimat auf die Gegenwart oder die Vergangenheit – sie kann aber auch auf die Zukunft gerichtet sein, wie das folgende Beispiel zeigt: *„Wenn ich später eine eigene Familie habe, wird dort meine Heimat sein.“* Heimat wird hier als der künftige Lebensmittelpunkt, als Ort, an dem die berufliche oder familiäre Zukunft stattfindet, gedacht.

»Heimat ist der Ort, wo man sich wohlfühlt und willkommen ist. In Deutschland bin ich die Ausländerin, ›die Türkin‹ und in der Türkei ›die Deutsche‹! Wo ist dann meine Heimat? Wenn ich bei beiden nicht so richtig willkommen bin?!«

Merve (17), Türkin

104 Die Perspektive der 17-jährigen Berufsschülerin Merve in der Foto-Ausstellung „Wo ist dann meine Heimat …?“.

Die legitimierende Dimension – *„Man kann Heimat sagen, wenn man dort wohnt, sich dort eingelebt hat und es dort gut findet. Man muss aber auch an diesem Ort gemeldet sein!"*

Fehlt noch die Herleitung der legitimierenden Bedeutungsebene von Heimat. Sie spiegelt sich in Aussagen, die Heimat durch den *Pass*, die *Herkunft*, das *Geburtsland* definieren, wie zum Beispiel: *„Deutschland ist meine Heimat, weil ich einen deutschen Pass habe"*. Auch wenn diese Belege weniger bürokratisch daherkommen als das Zitat zu Beginn des Absatzes, so verweisen sie alle darauf, dass Heimat auch von außen zugestanden werden kann, sei es institutionell, politisch oder gesellschaftlich. Eine legitimierende Komponente ist nicht nur, aber vor allem für Befragte mit persönlicher Migrationserfahrung relevant. Die Gründe dafür dürften darin liegen, dass sie selbst oder ihre Familien sich schon einmal mit bürokratischen Belangen oder ihrem rechtlichen Status als Zuwanderer auseinandersetzen mussten.

In der Regel beschränken sich die Schülerinnen und Schüler nicht auf eine einzige Dimension von Heimat, ihr Heimatverständnis setzt sich aus mehreren Bedeutungsebenen zusammen, so wie die Übergänge der Dimensionen selbst fließend sind. Hinter all dem steht die wichtige Erkenntnis der Jugendlichen: Heimat ist nicht einfach so da, sie ist nicht von sich aus gegeben, sondern man muss sie sich erschließen und aktiv aneignen. Das geschieht vor allem in der Auseinandersetzung mit anderen Menschen und mit dem lokalen Nahbereich. Heimat ist daher nichts Statisches, sie ist weder naturgegeben noch unverrückbar auf einen Ort festgeschrieben. In den Äußerungen der Jugendlichen offenbart sich vielmehr ein dynamisches Heimatverständnis. Darin liegt eine große Chance, denn diese Definition macht es jungen Menschen prinzipiell möglich, eine neue Heimat zu finden, wenn sie eine vertraute Umgebung – aus welchen Gründen auch immer – verlassen. Umgekehrt ist diese Heimat auch für Fremde offen, sie wird auch denjenigen Menschen zugestanden, die neu an einen Ort kommen. Zugleich liegt in dieser Definition eine Herausforderung: Wenn Heimat durch Interaktion entsteht, braucht Heimat auch ein Gegenüber und das Gefühl, willkommen zu sein. Ist dies nicht gegeben, wird Heimat schnell mit einem Fragezeichen versehen. So wie bei der 17-jährigen Berufsschülerin Merve aus Köln (Abb. 104): *„In Deutschland bin ich die Ausländerin, die Türkin, in der Türkei die Deutsche. Wo ist dann meine Heimat, wenn ich bei beiden nicht willkommen bin?"*.

Solchen authentischen Erfahrungen möchte die Fotoausstellung eine Stimme geben. Das Ausstellungsprojekt macht bewusst, dass weder Heimat noch Integration von alleine funktionieren, sondern immer wieder aufs Neue hergestellt werden müssen. Heimat wird so auch zu einem „Verantwortungsraum"[20], den es in einem interkulturellen Miteinander zu gestalten gilt.

1 Überblicke zu Begriffsgeschichte, Bedeutungs-vielfalt und Funktionen von Heimat: H. Bausin-ger, Auf dem Weg zu einem neuen aktiven Hei-matverständnis. Begriffsgeschichte als Problem-geschichte. In: H. Bausinger/H.-G. Wehling (Hrsg.), Heimat heute (Stuttgart 1984) 11–27; G. Gebhard/O. Geisler/S. Schröter (Hrsg.), Hei-mat: Konturen und Konjunkturen eines umstrit-tenen Konzepts (Bielefeld 2007) [= GEBHARD/GEISLER/SCHRÖTER 2007]; J. Korfkamp, Die Er-findung der Heimat. Zur Geschichte, Gegenwart und politischen Implikation einer gesellschaftli-chen Konstruktion (Berlin 2006); H. Schilling, Heimat und Globalisierung. Skizzen zu einem ausgreifenden Thema. In: Bilder – Sachen – Men-talitäten. Arbeitsfelder historischer Kulturwissen-schaften (Regensburg 2010) 589–606.

2 H. Schwedt, Fremdheit – Chance und Schick-sal. In: I.-M. Greverus/K. Köstlin/H. Schilling, Kulturkontakt. Kulturkonflikt. Zur Erfahrung des Fremden (Frankfurt a. M. 1988) 49–57, hier 49.

3 B. Binder, Heimat als Begriff der Gegenwarts-analyse. Gefühle der Zugehörigkeit und soziale Imaginationen in der Auseinandersetzung um Einwanderung. Zeitschr. Volkskunde 103, 2008, 1–18, hier 1.

4 Die Daten sind detailliert der Zuwanderungs-statistik NRW 2011 zu entnehmen: http://www.mais.nrw.de/08_PDF/003_Integration/003_zu-wanderung/zuwanderungsstatistik_nrw-2011.pdf. (Letzter Zugriff: 25.01.2013).

5 Vgl. B. Schmidt-Lauber, Ethnizität und Migra-tion als ethnologische Forschungs- und Praxis-felder. Eine Einführung. In: dies. (Hrsg.), Eth-nizität und Migration. Einführung in Wissen-schaft und Arbeitsfelder (Berlin 2007) 7–27 [= SCHMIDT-LAUBER 2007].

6 K. Roth, Interkulturalität und Alltag. In: J. Schmidt/S. Keßler/M. Simon (Hrsg.), Interkul-turalität und Alltag (Münster, New York 2012) 13–30 [= ROTH 2012].

7 Vgl. dazu ROTH 2012, der ausführlich auf eine neue Qualität und Quantität alltäglicher Fremd-begegnungen eingeht und SCHMIDT-LAUBER 2007, 7, welche die „vorgebliche Quantität" ge-genwärtiger Migrationen mit Verweis auf die historische Normalität von Migration relativiert.

8 http://www.focus.de/sport/mehrsport/fussball-loew-nationalteam-vorbild-fuer-gelungene-integration_aid_716974.html (Letzter Zugriff: 25.01.2013).

9 Vgl. SCHMIDT-LAUBER 2007; ROTH 2012.

10 ROTH 2012, 16.

11 Vgl. G. Welz, Inszenierungen kultureller Vielfalt (Frankfurt a. M, New York 1996) 107; K. Ron-neberger/V. Tsianos, Panische Räume. Das Ghetto und die »Parallelgesellschaft«. In: S. Hess/J. Binder/J. Moser (Hrsg.), No integra-tion?! Kulturwissenschaftliche Beiträge zur In-tegrationsdebatte in Europa (Bielefeld 2009) [= HESS/BINDER/MOSER 2009] 137–152.

12 S. Hess/J. Moser, Jenseits der Integration. Kul-turwissenschaftliche Betrachtungen einer De-batte. In: HESS/BINDER/MOSER 2009, 11–25, hier 13.

13 Ausführlich zur Integrationsdebatte: HESS/BIN-DER/MOSER 2009; zur Auseinandersetzung mit Migration und Ethnizität vgl. SCHMIDT-LAUBER 2007.

14 Vgl. W. Kaschuba, Kulturalismus: Vom Ver-schwinden des Sozialen im gesellschaftlichen Diskurs. In: ders. (Hrsg.), Kulturen – Identitä-ten – Diskurse. Perspektiven Europäischer Eth-nologie (Berlin 1995) 11–30, hier 16.

15 Zum transnationalen Ansatz: S. Hess, Transna-tionalismus und die Demystifizierung des Lo-kalen. In: SCHMIDT-LAUBER 2007, 179–193; B. Römhild, Transnationale Migration und sozio-kulturelle Transformationen: Die Kosmopoliti-sierung der Gesellschaft. In: Heinrich Böll Stif-tung (Hrsg.): Transnationalismus und Migrati-on. Dosier (Berlin 2011) 35–38 [= RÖMHILD 2011].

16 RÖMHILD 2011, 35.

17 Die Auswertung war bei Drucklegung noch nicht vollständig abgeschlossen.

18 www.gabek.com

19 Originalzitate aus der Befragung werden immer kursiv gesetzt und ohne Anführungszeichen, wenn es sich nicht um ganze Sätze handelt.

20 Vgl. G. Gebhard/O. Geisler/S. Schröter, Hei-matdenken: Konjunkturen und Konturen. Statt einer Einleitung. In: GEBHARD/GEISLER/SCHRÖ-TER 2007, 9–56, hier 45.

KATALOG

Auf der
Reise

Von Alexandria nach Vindonissa –
Ein römischer Spielstein aus Elfenbein

Spielsteine aus Elfenbein sind in römischer Zeit – insbesondere in den nördlichen Provinzen – ausgesprochen selten. Ein außergewöhnliches Exemplar kam 1936 im Legionslager von *Vindonissa* (Windisch, CH) zutage. Es zeigt auf seiner Oberseite zwei Altäre; damit korrespondiert das auf der Unterseite der gedrechselten Scheibe eingeritzte griechische Wort βωμοί (Altäre).

Ein zunächst wenig auffälliges Charakteristikum erlaubt die nähere geografische Einordnung: Es handelt sich um die oberen dreieckigen Abschlüsse altarförmiger Grabmonumente, die aus *Alexandria* bekannt sind. Deren frühesten Nachweise datieren bereits in das 3. Jahrhundert v. Chr. Der Typus des alexandrinischen Altars war in der Antike außerhalb der Provinz Aegyptus gut bekannt. Darstellungen sind auf Wandmalereien in Pompeji, einem Mosaik in Praeneste (I) sowie auf Münzen und Lampen aus Alexandria überliefert. Sie legen nahe, dass sich diese Abbildungen auf ein ganz bestimmtes Baumonument von großer Bedeutung beziehen. Die älteren dieser Darstellungen gehören in spätrepublikanische Zeit, die jüngsten in die Mitte des 1. Jahrhunderts n. Chr.

Der Elfenbeinspielstein kann somit den sogenannten alexandrinischen „Altar-Spielsteinen" aus Ägypten zugewiesen werden. Einige von ihnen deuten in der Sockelzone Türen an, was zweifelsfrei auf Grabmonumente und keine einfachen Altäre schließen lässt. Von den weltweit insgesamt sechs bekannten Exemplaren ist dasjenige aus *Vindonissa* das bisher einzige nördlich des Alpenbogens nachgewiesene.

Da mit solchen Spielsteinen kein Handel getrieben wurde, ist durchaus denkbar, dass das vorliegende Exemplar im Gepäck eines Reisenden oder Soldaten den Weg über mehrere Tausend Kilometer von Ägypten nach *Vindonissa* fand.

105

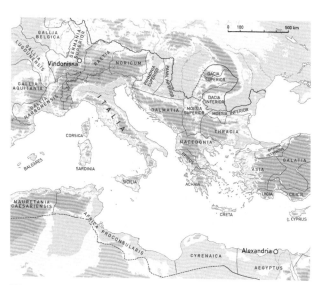

106

Annina Wyss Schildknecht

LIT
Chr. Simonett, Die erste, in der deutschen Schweiz gefundene griechische Inschrift. Brugger Neujahrsbl. 46, 1936, 45–46.
E. Alföldi-Rosenbaum, Alexandriaca. Studies on Roman Game Counters VI. Chiron 6, 1976, 205–239.
Chr. und C. Holliger, Römische Spielsteine und Brettspiele. Jahresber. Ges. Pro Vindonissa 1983, 13–24.

Spielstein, Elfenbein; Dm. 28,5 mm; Oberseite: Zwei Altäre; Unterseite: IIII (römisch 4), das Wort βωμοί (griechisch für „Altäre") und abschließend Δ (griechisch 4). FO: Windisch (Kanton Aargau, CH); Legionslager *Vindonissa*, im Bereich der Lagerthermen und des Hospitals (*valetudinarium*). AO: Vindonissa-Museum, Brugg (CH), Inv.-Nr.: 36.655. 1. Jh. n. Chr.

Schweizer Messer – Beliebte Souvenirs bereits in der Antike?

Die sogenannten Thekenbeschläge erhielten ihren Namen, weil auf manchen Exemplaren die Bezeichnung *theca* (allgemein Behältnis, in diesem Fall Futteral) zu lesen war. Diese Beschläge zierten besondere Messerfutterale, hergestellt von Gemellianus. Seine Produkte finden sich in einem weiten Verbreitungsgebiet, das sich bei einzelnen noch weiter entfernten Fundstellen von Gallien bis nach Noricum ausdehnt. Der Fundort Avenches (*Aventicum*) liegt im Hauptverbreitungsgebiet, das sich im Schweizerischen Mittelland von Baden (*Aquae Helveticae*) bis an den Genfersee erstreckt. Diese dichte Verbreitung, zu der nördlich des Jura auch Augst (*Augusta Raurica*) gehörte, ist zweifellos durch die Nähe zu *Aquae Helveticae* bedingt. Dort war der Firmensitz des Gemellianus. Der *vicus* (Kleinstadt) war zudem, wie uns Tacitus berichtet, schon in römischer Zeit ein berühmter Badeort, und viele auswärtige Besucher werden als Andenken an den Kuraufenthalt ein Messer mit dem Futteralbeschlag des Gemellianus erworben haben. Daneben ist auch eine Ausbreitung über den Handel denkbar. Als dritte Möglichkeit kann eine lokale Imitation des Beschlages nicht ausgeschlossen werden, was einerseits für das Prestige der Gemellianus-Produkte spricht, andererseits die Beantwortung nach der Ausbreitungsdynamik des einzelnen Stücks weiter erschwert. Das Fragment einer Gussform aus gebranntem Lehm mit einem Teil der Inschrift wurde weitab von *Aquae Helveticae* in Pocking, Lkr. Passau, einer römischen Siedlung am Unterlauf des Inn gefunden. Es handelt sich ganz offensichtlich um die gelungene Abformung eines originalen Beschlages aus *Aquae Helveticae* zur Herstellung von „Raubkopien", wobei angemerkt werden muss, dass es so etwas wie Markenschutz im römischen Altertum nicht gegeben zu haben scheint. Während sich das Produkt dieser Gussform von einem originalen Beschlag nicht unterschieden haben wird, geben sich andere Beschläge durch verzeichnete Buchstaben (Kastell Friedberg) oder Unregelmässigkeiten der Durchbrüche (Legionslager Enns/*Lauriacum*) als Nachahmungen zu erkennen.

Den Beschlagtypen mit Inschrift des Gemellianus ste-

107

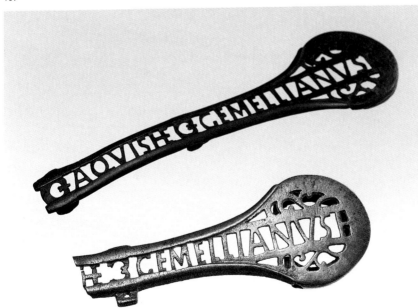

hen mit ähnlicher, teilweise noch weiterer Verbreitung die inschriftlosen Gruppen der Futteralbeschläge mit vielfältiger Ornamentik gegenüber. Auch diese zeigen zum Teil deutlich regionale Konzentrationen bestimmter Kompositionen auf, was zusammen mit den Funden von Halbfabrikaten und Modeln (Patrizen) auf eine Vielzahl von Werkstätten hinweist. Gemellianus selbst, allenfalls auch ein Filial- oder Nachfolgebetrieb, ließ sich seinerseits von ornamentalen Beschlägen beeinflussen, wie sie sich bisher an zwei römischen Fundstellen ganz in der Nähe von *Aquae Helveticae* finden lassen (Zivilsiedlung Lenzburg; *villa rustica* Pfäffikon).

Hinsichtlich der Gesamtverbreitung der Beschläge mit Inschrift sei noch auf zwei auffällige Leergebiete hingewiesen. Trotz der Nähe von

108

Aquae Helveticae fehlen inschriftliche Beschläge in der östlichen Schweiz, während immerhin vier ornamentale Exemplare nachgewiesen sind. Ferner fehlen sie in der *Germania Magna*, wo insgesamt acht Beschläge mit Ornamentik gefunden wurden. Gewiss ist nicht auszuschliessen, dass es sich um eine Zufälligkeit der Fundüberlieferung handelt. Andererseits könnte sich die in diesen Gebieten geringere Romanisierung auch in einer geringeren Akzeptanz inschriftlicher Beschläge ausgewirkt haben.

Thekenbeschläge mit der Inschrift des Gemellianus oder nur mit Ornamentik sind vor allem eine Erscheinung des späteren 2. und 3. Jahrhunderts n. Chr.

Ludwig Berger

Fragment eines Messerfutteralbeschlages (sog. Thekenbeschlag) mit der Fabrikanteninschrift des Gemellianus, Bronze; L. 12, 8 cm. FO: Avenches (Kanton Waadt, CH). AO: Musée Romain Avenches, Inv.-Nr.: 867c. In Durchbruchtechnik gefertigte Inschrift: [AQVIS] HE(lveticis) GEMELLIANVS F(ecit). Übersetzung: „In Aquae Helveticae hat Gemellianus (dies) gemacht"; späteres 2. und 3. Jh. n. Chr.

LIT
L. Berger, Durchbrochene Messerfutteral-Beschläge *(Thekenbeschläge)* aus Augusta Raurica. Ein Beitrag zur provinzial-römischen Ornamentik. Forsch. Augst 32 (Augst 2002).
Th. Fischer, Die Gussform eines Thekenbeschlags aus Pocking, Lkr. Passau. Germania 71, 1993, 539–543.

Alpenüberquerung mit menschlicher Ware – Die Weihetafel des Sklavenhändlers Carassounus vom Großen St. Bernhard

Der Große St. Bernhard schuf als höchster römischer Alpenpass (2469 m ü. NN) seit augusteischer Zeit eine direkte Verbindung von Oberitalien nach Gallien und zum Rheingebiet. Diese Route diente fortan als wichtige Heeresstraße und war auch für den transalpinen Handel von großer Bedeutung. Unmittelbar südlich der Passhöhe sind massive Abarbeitungen im Fels für die römische Straßentrasse erhalten, die während der Sommermonate befahrbar war und im Winter mit Saumtieren begangen wurde.

Trotz der infrastrukturellen Meisterleistung Roms beim Ausbau dieser hochalpinen Passstraße blieb die Überquerung des *summus Poeninus* immer eine lebensgefährliche Angelegenheit. Gegen Unwetter, Schnee, Eiseskälte und Wegelagerer war göttlicher Schutz vonnöten. Und so standen hier zur Römerzeit nicht nur Raststationen (*mansiones*), sondern auch ein Tempel für Iuppiter Poeninus – die Verschmelzung eines lokalen keltischen Berggottes mit dem höchsten römischen Staatsgott. Zahlreiche Weihegaben bezeugen, dass dieses Passheiligtum über Jahrhunderte als Anlaufstelle für Reisende diente. So auch für Caius Domitius Carassounus, der in dem Tempel ein Geschenk für Iuppiter Poeninus weihte.

109

I(ovi) O(ptimo) M(aximo) Poenino / C(aius) Domitius / Carassounus / Hel(vetius) mango / votum s(olvit) l(ibens) m(erito)

„Dem Iuppiter vom Grossen St. Bernhard erfüllte Gaius Domitius Carassounus, helvetischer Sklavenhändler, gerne und verdientermaßen sein Gelübde."

Der aus Helvetien stammende Sklavenhändler (*mango*) dankte Iuppiter Poeninus für die geglückte Alpenpassage – ein Dank, der auch für die menschliche Fracht gelten dürfte, die er auf dem Weg vom Rheinland nach Italien mit sich führte. Denn mit der Inschrift liegt ein Hinweis auf den Sklavenhandel aus den germanischen Provinzen oder der *Germania Magna* nach Italien vor.

Wo Carassounus seine Ware verkaufte und wer die Abnehmer für seine Sklaven waren, Zwischenhändler oder Privatleute, bleibt ungeklärt. Möglicherweise war er auf dem Weg in das norditalische Handelszentrum Aquileia an der Adriaküste, um auf dem dortigen Sklavenmarkt seine menschliche Ware einem ungewissen Schicksal in der Fremde zuzuführen.

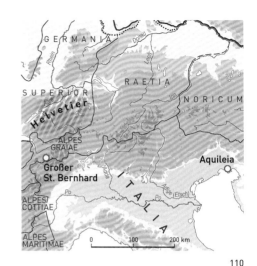

110

Maike Sieler

LIT
P. Hunt, Summus Poeninus on the Grand St. Bernard Pass. Journal Roman Arch. 11, 1998, 265–274.
G. Walser, Summus Poeninus (Wiesbaden 1984).
G. Walser, Studien zur Alpengeschichte in römischer Zeit. Historia Einzelschr. 86 (Stuttgart 1994).

Votivtafel in Form einer *tabula ansata*, Bronze; H. 24,5 cm; B. 14,5 cm. FO: Passhöhe Großer St. Bernhard (Kanton Wallis, CH). AO: Musée de l'Hospice du Grand-Saint-Bernard. 1./2. Jh. n. Chr.

111

Ein Schweizer an der Nordsee

Ein Ort am Beginn einer gefährlichen Reise, der zugleich die Rückkehr in Sicherheit bedeutete: Die Küste jenseits des Rheindeltas am Übergang in den Ärmelkanal. Hier in der niederländischen Oosterschelde stand ein Heiligtum, das der Göttin Nehalennia geweiht war. Einst eine einheimische Gottheit, galt sie in römischer Zeit insbesondere als Beschützerin der zur See Fahrenden. Zumeist wird sie sitzend auf einem Thron dargestellt, ihre Attribute deuten auf das Spenden von Fruchtbarkeit, aber auch auf das Zuteilen des Schicksals. Wer von hier aus die Überfahrt zur britischen Insel wagte, der versicherte sich vorher der Gunst der Göttin und gelobte, als Belohnung für gute Geschäfte und eine wohlbehaltene Rückkehr einen Altar zu stiften. Der Handel mit Britannien lockte auch einen gewissen Marcellus hierher, mutmaßlich nicht nur einmal. Das mit Fässern beladene Schiff auf seinem Weihegeschenk deutet darauf hin, dass er Weinhändler gewesen sein könnte.

112

Deae / N[e]hale[n]niae / I[---] Marcellus / I[IIII vir aug(ustalis) civit]at(is) / Rauracorum l(ibens) m(erito)

„Der Göttin Nehalennia hat I... Marcellus, Mitglied im Sechs-Männer-Kollegium der Augustalen aus der Stadt der Rauracer, diesen Altar gerne und verdientermaßen geweiht."

Er stammte aus der *civitas Rauracorum*, der heutigen Stadt Augst im schweizerischen Kanton Basel-Landschaft. In seiner Heimatstadt war er Mitglied in einem Gremium aus sechs Männern, das den Kult des vergöttlichten Augustus pflegte. Diesen Kollegien gehörten häufig ehemalige Sklaven an, die soziale Anerkennung in der städtischen Gemeinschaft anstrebten und im Rahmen ihres Amtes als *sevir augustalis* öffentliche Bankette veranstalteten. Seinen Reichtum erwarb Marcellus im Fernhandel.

Zahlreiche Großhändler, Reeder oder Schiffer – Ortsfremde aus Germanien, Gallien und Britannien – hinterließen auf Zeeland ihre Spuren in Form von eingelösten Gelübden. Das Heiligtum der Nehalennia versank in nachrömischer Zeit im Meer und mit ihm die Zeugnisse dieses Kultes.

Dirk Schmitz

Weihestein des Rauracers Marcellus an Nehalennia, Kalkstein; H. 98,5 cm; B. 56,5 cm; T. 27 cm. FO: In der Oosterschelde vor Colijnsplaat, in einer Tiefe von ca. 25 m. AO: Rijksmuseum van Oudheden Leiden, Inv.-Nr.: RMO i 1971/11.65. Ende 2./ Anfang 3. Jh. n. Chr.

113

LIT
P. Stuart/J. E. Bogaers, Nehalennia. Römische Steindenkmäler aus der Oosterschelde bei Colijnsplaat. CSIR 11 Niederlande (Leiden 2001) 79 f. A 41.

Fremdes Geld in der *Colonia Ulpia Traiana* (Xanten)

Der Geldumlauf in den Nordwestprovinzen des Römischen Imperiums war durch die kaiserlichen Reichsprägungen charakterisiert. Provinzialrömische Prägungen aus den östlichen Reichsteilen sind äußerst selten. Einige solcher Münzen fanden sich auch in der *Colonia Ulpia Traiana* (CUT). Bei diesen als „fremd" zu bezeichnenden Geldstücken handelt es sich fast ausschließlich um Bronzemünzen. Die einzige Ausnahme bildet eine in Caesarea (Kappadokien) in der Zeit Kaiser Traians (98–117 n. Chr.) geprägte Silberdrachme.

In iulisch-claudischer Zeit hat eine unter der ptolemäischen Königin Kleopatra VII. (51–30 v. Chr.) im ägyptischen *Alexandria* geprägte Bronzemünze ihren Weg an den Rhein gefunden. Für ihre Verbringung dürften vermutlich nicht Truppenbewegungen, sondern vielmehr die regen Handelskontakte zwischen Nordafrika und Italien verantwortlich sein; die Münze gelangte wohl über eine Hafenstadt wie *Aquileia* und von da aus über Oberitalien und die Alpenpässe in den germanischen Raum. Die Halbierung wurde erst in den Nordwestprovinzen vorgenommen; eine Maßnahme, die der Behebung des dortigen Mangels an Kleingeld diente.

Ebenfalls fremd wirken zwei griechische Kleinbronzen, die im 4. Jahrhundert v. Chr. in *Paros* auf den Kykladen und Mitte des 3. Jahrhunderts v. Chr. in Sardes geprägt wurden. Sie dürften ebenfalls in iulisch-claudischer Zeit in die Nordwestprovinzen gelangt sein und aufgrund des in jener Zeit herrschenden Mangels an Kleinnominalen als römische „Ersatzmünzen" gedient haben. Die in *Paros* geprägte Münze kann aus dem Geldumlauf auf der vor der dalmatinischen Küste gelegenen Insel *Pharia* stammen. Denn in den Jahren 385/384 v. Chr. gründete die Stadt *Paros* dort eine Kolonie und unter den Fundmünzen von dieser Insel befinden sich auch paronische Bronzeprägungen.

Weitere fremde Münzen sind einige Städteprägungen der römischen Kaiserzeit: Eine Kleinbronze der Stadt *Thessalonica* (Makedonien), eine Großbronze aus der thrakischen Stadt *Perinthus* und eine Mittelbronze von der Stadt *Caesarea* (Kappadokien). Letztere zeigt den heiligen Hausberg, den

114

115

116

Argaeus. Die caesareische Mittel- wie auch die thessalische Kleinbronze weisen je eine Lochung auf; diese wurden zu einem unbekannten Zeitpunkt vorgenommen und funktionierten die Münzen zu Schmuckstücken um. Zwei fast völlig abgegriffene Mittelbronzen sind ebenfalls den Städteprägungen zuzuordnen. Eine von beiden trägt einen rechteckigen Gegenstempel, der einen nach rechts gewendeten Kopf mit Lorbeerkranz zeigt. Ein vergleichbarer Typus ist bei Münzen belegt, die in der Provinz Iudaea sowie in der Provinz Syria zur Zeit der Kaiser Titus (79–81 n. Chr.) und Domitian (81–96 n. Chr.) geprägt wurden. Die zweite Mittelbronze trägt das Bildnis Traians und ist eine Gussmünze. Bei ihr ist die Zuweisung in den griechischen Osten eine Mutmaßung.

117

Die östlichen Städtemünzen gelangten im 2. Jahrhundert und in der ersten Hälfte des 3. Jahrhunderts n. Chr. sehr wahrscheinlich im Zuge der Orientfeldzüge mit den zurückkehrenden Soldaten entweder direkt in die Nordwestprovinzen oder zunächst einmal in die auf dem

Balkan gelegenen Etappenorte, von wo aus sie den nordalpinen Raum – wiederum über Truppenbewegungen – erreichten.

Abschließend ist noch eine Gruppe von drei unter Traian geprägten Münzen anzusprechen. Stilistisch weisen sie auf einen Ursprung aus der Reichsmünzstätte Rom hin, ihre metrologischen Daten und das verwandte Orichalcum-Metall (Messing) deuten auf eine primäre Bestimmung für ein östliches Umlaufsgebiet. Der Rückseitentyp S C, umgeben von einem Lorbeerkranz, ist charakteristisch für die von der Verwaltung der Provinz Syria in *Antiochia* geprägten Bronzemünzen. Die Geldstücke wurden offensichtlich in Rom zwischen 114 und 117 n. Chr. geprägt, anschließend mit dem Schiff nach der am Orontes gelegenen Stadt *Antiochia* gebracht und dort in Umlauf gesetzt. Mutmaßlich wurden die traianischen Orichalcum-Münzen auf Anordnung der kaiserlichen Verwaltung in den ersten Regierungsjahren des Kaisers Hadrian (117–138 n. Chr.) von Syrien in die Nordwestprovinzen transferiert.

Holger Komnick

LIT
K. Butcher, Coinage in Roman Syria. Royal Numismatic Society Special Publication No. 34 (London 2004).
H.-Chr. Noeske, Ein Reich – ein Geld?, Arch. Deutschland 1999, H. 3, 30–33.

Fundmünzen östlicher Herkunft auf dem Gebiet der *Colonia Ulpia Traiana*

· Silberdrachme, Traianus (98–117 n. Chr.), 112–117 n. Chr., Caesarea, Kappadokien, 19 mm, 2,64 g, BMC Galatia 83, [C 5519 a]
· Mittelbronze, halbiert, ptolemäische Königin Kleopatra VII. (51–30 v. Chr.), Alexandria, Ägypten, 27 mm, 7,25 g, BMC Ptolemies 4–5, [C 8741 b]
· Kleinbronze, 4. Jh. v. Chr., Paros (Kykladen), Ägäische Inseln, 11 mm, 1 g, BMC Crete S. 113 Nr. 7?, [C 45250 cu]
· Kleinbronze, seleukidischer König Antiochus II. (261–246 v. Chr.), ca. 250–246 v. Chr., Sardes, Lydien, 12 mm, 1,64 g, Newell, Western Seleucid mints 1408, [C 42100 mz01]
· Kleinbronze, gelocht, 27 v. Chr.–268 n. Chr., Thessalonica, Makedonien, 14,5 mm, 1,75 g, Gaebler, Makedonia II, 31, [C 25090 e02]
· Großbronze, Severus Alexander? (222–235 n. Chr.), Perinthus, Thrakien, 36 mm, 17,13 g, Schönert, Perinthos Nr. 739?, [C 14296 e03]
· Mittelbronze, gelocht, Gordianus III. (238–244 n. Chr.), Caesarea, Kappadokien, 25 mm, 10,25 g, zu SNG Aulock 6528, [C 27114 e01]
· Mittelbronze, Rs. Gegenstempel, Titus (79–81 n. Chr.) oder Domitianus (81–96 n. Chr.)? (Zuweisung aufgrund des Gegenstempels), griechischer Osten?, 22–24 mm, 7,49 g, [C 48978 mz01]
· Mittelbronze, Gussmünze, Traianus (98–117 n. Chr.), griechischer Osten?, 23 mm, 8,29 g, [C 9530/2]
· As (Messing), Traianus (98–117 n. Chr.), 116 n. Chr. in Rom für Umlauf in der Provinz Syria geprägt, 21–22 mm, 4,87 g, RIC 644/646–648/659/684? [C 184]
· As (Messing), Traianus (98–117 n. Chr.), 116 n. Chr., in Rom für Umlauf in der Provinz Syria geprägt, 21–23 mm, 5,51 g, RIC 644/646/648?, [C 3271]
· As (Messing), Traianus (98–117 n. Chr.), 116 n. Chr., in Rom für Umlauf in der Provinz Syria geprägt, 22 mm, 6,68 g, RIC 644?, [C 12571e01]

Mediterranes Erbe – Eine reiche Dame aus Bonn

In den Jahren 2006/07 fand auf dem Gelände des World Conference Center Bonn (WCCB) im ehemaligen Bonner Regierungsviertel eine Großgrabung statt. Dort befand sich in römischer Zeit – außer den *canabae* des Legionslagers – die zweite Bonner Zivilsiedlung. Ein Tempelbezirk mit einem Monumentalbau, ein öffentliches Badegebäude sowie mehrere Handwerkerhäuser zeugen von einem fast städtischen Leben in der Siedlung. Am südlichen Rand der Grabungsfläche konnte ein kleines Gräberfeld mit 16 spätantiken Brand- und Körperbestattungen aufgedeckt werden. Daraus lässt sich eine Gruppe mit neun Körperbestattungen in Holzsärgen abgrenzen. Diese lagen sehr dicht beisammen, waren

118 Grabungsbefund.

in ihrer Ausrichtung aufeinander bezogen und wiesen keine Überschneidungen auf.

Unter ihnen ist ein besonders reiches, mit exklusiven Beigaben versehenes Frauengrab hervorzuheben, das in die Mitte des 3. bis an den Anfang des 4. Jahrhunderts zu datieren ist. Obwohl das Skelett nahezu vollständig vergangen war, konnte aufgrund des Zahnbefundes das Alter der Bestatteten auf 30 bis 40 Jahre bestimmt werden.

In zwei Nischen und in zwei weiteren Bereichen auf unterschiedlichen Ebenen waren der Toten insgesamt 13 Keramik- und 8 Glasgefäße mit ins Grab gegeben worden. Darunter waren ein 10-teiliges Ess- und Trinkgeschirr, eine kerbschnittverzierte TS-Schale und ein Trierer Spruch-

119 Stelle 531.

becher mit der Aufschrift „AMAME" (Liebe mich!). Unter den Glasgefäßen ist ein hervorragend

120 Stelle 871.

gearbeiteter Kettenhenkelkrug hervorzuheben. Eisennägel und Beschlagteile aus Bronze stammen von einem Schmuckkästchen, dessen Inhalt aus einem achteckigen Silberring, einem keulen-

förmigen Silberanhänger und einem Nadelkopf aus hauchfein gehämmertem Goldblech mit geometrischem Muster sowie einem Aryballos („Parfumgefäß") und möglicherweise Textilien bestand. Im Bereich einer scharf umrissenen Erdverfärbung am Fußende lag neben dem Kettenhenkelkrug ein bronzenes Ringfibelpaar, das auf die Niederlegung eines Mantels hinweist. Die Tote selbst trug bei ihrer Bestattung drei unterschiedliche, sehr qualitätvolle Perlenketten aus kostbarem Gagat und einen Armreif aus Lignit, eine Grabsitte, die bei reicheren Personen im 3. Jahrhundert n. Chr. gebräuchlich wurde. Neben seiner exklusiven Ausstattung wies das Grab eine weitere Besonderheit auf: Fünf Bronzemünzen u. a. aus Kleinasien, die zusammen, vermutlich in einem Beutel, in der Nähe des Kopfes lagen (Beitrag C. Klages in diesem Band). Dieses Grab war nicht das einzige mit einer mediterranen Beigabe. So lag in einer benachbarten Brandbestattung eine große Meeresschnecke („Tritonshorn") als Gabe für die Ewigkeit. Vielleicht deuten sich hier verwandtschaftliche Beziehungen unter den Verstorbenen an.

Petra M. Krebs und Cornelius Ulbert

LIT
C. Ulbert, Die Grabung im römischen Zivilvicus von Bonn auf dem Gelände des WCCB – Eine erste Übersicht. In: A. Thiel (Hrsg.), Neue Forschungen am Limes. 4. Fachkoll. der Deutschen Limeskommission 2007 in Osterburken (Stuttgart 2008) 18–29.
C. Ulbert/C. Klages/P. Krebs, Mediterranes aus Bonn. In: Arch. Deutschland 2008, H. 1, 46.

Grab 531 und zugehörige Stellen

Außenniederlegung oberhalb der Grabgrubenverfüllung: Weißtoniger Becher (17).

Beigabennischen: Stelle 871, am Kopfende: Rippenbecher mit Glanztonüberzug, NB 32/33 (9); Dellenbecher aus Glas (10); Glasflasche mit eingeschnürtem Halsansatz (11); Kugeltrichterhalsflasche aus Glas (12); Trierer Spruchbecher „AMA ME" (13); Messerfragmente, Eisen (14 u. 15). Stelle 872, am Fußende: kreisförmiges Spiegelglas (9); drei Glasflaschen mit Doppelösenhenkel, Form Trier 140 (10–12); Goldknauf einer Nadel (56)

Beigabenbereiche: Stelle 883, seitlich am Kopfende: Glanztonbecher Form NB 32/33 (16); Glanztonbecher mit Standfuß, Form NB 30 (17); weißtoniger Einhenkelkrug (18); drei Henkelkrüge mit seitlichem Ausguss (19, 20, 22); rauwandiger Henkeltopf (21); TS-Schale mit Kerbschnittdekor Form NB 12b (23); zwei rauwandige Teller (24, 25). Stelle 884, am Fußende: Glasaryballos (21); achteckiger, scheibenförmiger Silberring (22); Silberobjekt mit ringförmigem Ende (52).

Ebene der Skelettlage (Stelle 531): Kettenhenkelkrug aus Glas (130); zwei bronze Ringfibeln (131); Fußknochen, links (131); Bronzeblech, gefaltet und verbogen (132); Perlenkette aus Gagat (186): schwarz glänzende, gelochte Rundscheiben und Zylinder mit umlaufenden feinen Horizontalrillen; 80 Perlen, aufgefädelte Länge 25,8 cm, Gewicht 4 g; Schädelreste und Zähne (134); Perlenkette aus Gagat (189): schwarz glänzende, flache gelochte Rundscheiben und Zylinder mit umlaufenden feinen Schliffrillen; 51 Perlen, aufgefädelte Länge 15,3 cm,
Gewicht 4 g; Wirbel (135); Perlenkette aus Gagat (190): schwarz glänzende, flache gelochte Rundscheiben mit zickzackförmig gekerbtem Rand und gekerbter Oberfläche; 66 dicht aneinander gereihte und präzise aufeinander abgestimmte Perlen, aufgefädelte Länge 13,5 cm, Gewicht 8 g; Armreif aus Lignit (133): matt glänzend, bräunlich-schwarz, innen und an den Seiten flach, außen gewölbt (von Hagen Form B), Dm. 8,49 cm (außen) und 6,0 cm (innen), Stärke 1,6 g (max.) und 1,3 cm (min.), Gewicht 64 g; Beinnadel, Fragment (136); fünf Bronzemünzen (85).

Andenken vom Schwarzen Meer

In einem reich ausgestatteten Frauengrab aus dem Bonner *vicus* kamen – neben anderen exklusiven Beigaben wie feinen Gläsern und kostbarem Schmuck (Beitrag P. Krebs/C. Ulbert in diesem Band) – auch einige für diese Gegend ungewöhnliche Geldstücke zutage. Drei von insgesamt fünf Münzen waren nicht die üblichen reichsrömischen Zahlungsmittel, sondern Städteprägungen aus dem griechischen Osten des Reiches. Die Geldstücke stammen aus den Provinzen Thrakien, nordwestlich des Marmara-Meeres gelegen, dem östlich anschließenden Bithynien, das an Marmara- und Schwarzes Meer angrenzt, sowie dem noch weiter im Osten liegenden Kappadokien im Bereich des heutigen Zentralanatolien. Die älteste dieser Münzen entstand zur Zeit Kaiser Caracallas (198–217 n. Chr.) in *Caesarea*, der Hauptstadt Kappadokiens. Auf der Rückseite hatte man das Wahrzeichen der Stadt dargestellt, den bewaldeten Berg Argaios, der sich über bzw. hinter einem geschmückten Altar erhebt. Die kringelförmige Binnenzeichnung deutet wohl vulkanische Tätigkeit im Innern des Berges an. Die zweite Münze mit dem Bild Kaiser Gordians III. (238–244 n. Chr.) mit Strahlenkrone und Feldherrentracht auf der Vorder- sowie drei Feldzeichen auf der Rückseite wurde im bithynischen *Nicaea* geprägt. Das letzte Geldstück ist eine Emission der Stadt *Anchialus* in Thrakien. Es zeigt vorne die einander zugewandten Büsten Gordians III. und seiner Gemahlin Tranquillina, auf der Rückseite das von zwei Türmen flankierte Stadttor. Wie die Abnutzung der Münzen erkennen lässt, waren sie bereits einige Zeit als Geldstücke in Gebrauch, bevor sie an den Rhein und schließlich, um die Mitte des 3. Jahrhunderts n. Chr., in das Grab gelangten.

121 Münzen aus dem Grab.

122 Großerz von *Caesarea*, Berg Argaios und Altar (Rückseite).

123 Großerz (4 Assaria) von Anchialus, Stadttor.

Provinzialrömische Münzen wurden nur für den regionalen Geldumlauf hergestellt. In Gewicht und Größe nicht an die reichsrömischen Münzen angepasst, waren sie für den überregionalen Zahlungsverkehr ungeeignet. Entsprechend selten gelangten sie in andere Provinzen. In Bonn sind bisher, den Grabfund eingeschlossen, nicht mehr als zehn Stück nachweisbar, vier davon aus Bithynien. Dennoch lassen sich diese Funde in Bonn gut erklären. Im dortigen Legionslager

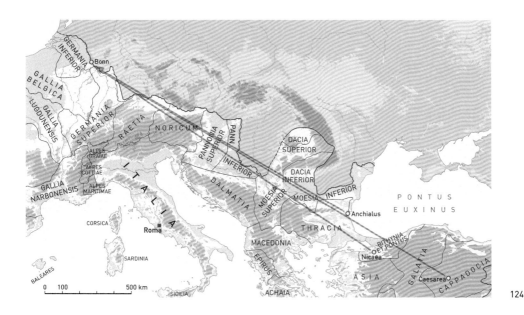

124

waren Soldaten aus allen Teilen des Römischen Reiches stationiert. Speziell Centurionen, Tribune oder Legionslegaten mussten häufig mit der Versetzung in eine andere Legion rechnen. Aber auch Zivilisten aus dem Osten lebten in Bonn, wie beispielsweise die in einer Bonner Grabinschrift genannte Demo, die aus Thessaloniki stammte (Beitrag G. Bauchhenß in diesem Band).

Zur Provenienz der Münzbeigaben im Bonner Frauengrab passt, dass die Bonner Legion im 3. Jahrhundert vor allem durch Mannschaften aus dem Balkanraum verstärkt wurde. Die eine oder andere Münze aus dem Osten dürfte damals im Gepäck eines ehemals dort stationierten Soldaten oder mitreisenden Angehörigen, Händlers oder Handwerkers an den Rhein gelangt sein – entweder unbemerkt oder absichtlich, als kleines Andenken. Die verstorbene Frau gehörte anscheinend zu dieser Gruppe von Zivilisten. Vielleicht war sie sogar die Angehörige eines hochrangigen römischen Soldaten, dem sie von Kappadokien über das Schwarzmeergebiet bis ins Rheinland gefolgt war. Die reiche Grabausstattung mit den kostbaren Beigaben scheint dafür zu sprechen.

Claudia Klages

LIT
P. Henrich, Leben, Handel und Handwerk im Bonner vicus – die Kleinfunde. Archäologie im Rheinland 2006 (Stuttgart 2007) 88–91.
C. Klages, Griechisches im römischen Bonn. In: Bonner Numismatische Stud. 1 (Bonn 2008) 11–16 (dort mit weiterer Literatur).

Reichsrömische Prägungen:

As, Severus Alexander (231-235) Rom (RIC 644).
(Aes?-)Münze, unbestimmt (Rest eines Antoninians?). 3,03 g, Dm. 15,5 mm.

Provinzialrömische Städteprägungen:

Bithynien, Nikaia, Gordian III. (238–244) Aes, 4,73 g, Dm. 18,4 mm (BMC Nr. 122, 2). Thrakien, Anchialus, Gordian III. und Tranquillina (241–244) 4 Assaria, 12,26 g, Dm. 27,1 mm (SNG Kopenhagen 450). Kappadokien, Caesarea, Caracalla, Großerz (204/205 n. Chr.) 17,15 g, Dm. 30 mm (SNG 14, Slg. Aulock Nr. 6486).

Grabstele der Demo – Eine Griechin in Bonn

Θεσσαλονείκη μ[ο]ι
πατρὶς ἔπλετο οὔν[ομα]
Δημοί. ‖ κἄμ' Ἄσιος Β[ατά-]
λοι' ὑὸς φίλτροισι δάμ[ασσεν] ‖
εὐνοῦχός περ ἐὼν [καὶ ἔ-]
κυρον ἦν λάχον [αἶσαν]. ‖
κεῖμαι δ'ἐνθάδ[ε νῦν τόσ-]
σον ἄνευθε πάτ[ρης].

„Thessalonike war meine Heimat, der Name Demo. Und mich eroberte Asios, Sohn des Batalos, mit dem Zauber seiner Liebe, obwohl er Eunuche war; und ich erlangte das Schicksal, das ich mir erlost. Hier liege ich nun so fern meiner Heimat."

Die Vorderseite der Stele ist in ein Bildfeld mit dem Relief eines Hundes und die darunter liegende Schriftzone aufgeteilt. Das Bildfeld begrenzt oben ein flacher Giebel mit Akanthusornamenten; Pilaster oder Säulen, die ihn tragen konnten, waren plastisch nicht ausgeführt, aber wohl aufgemalt. Auf der Rückseite ist zu sehen, dass der Stein zunächst für eine andere Verwendung vorgesehen war: Querliegend zur Vorderseite ist dort ein Weih- oder Grabaltar angelegt. Die Inschrift der Stele ist acht Zeilen lang. Sie ist aber ein Gedicht, das aus drei Hexametern besteht, dem Versmaß der griechischen Epen, und durch einen Pentameter beschlossen wird (Hexameterenden sind im griechischen Text durch ‖ markiert).

Vor allem am rechten Rand sind Teile der Inschrift zerstört. Sie lässt sich aber im Wesentlichen rekonstruieren. Die hier verwendeten Ergänzungen gehen auf Franz Bücheler zurück, mit einer leichten Korrektur durch Hans Lehner.

125

Zweimal weist Demo, die in dem Grabgedicht selbst zu uns spricht, auf ihre Heimat hin, die sie einmal mit Namen nennt: Thessaloniki, die Hauptstadt der römischen Provinz Macedonia. Auch die zweite Person, die in der Inschrift genannt wird, Asios, Sohn des Batalos, dürfte aus dem griechischsprachigen Osten gestammt haben – weshalb die Inschrift in der gemeinsamen Muttersprache der beiden abgefasst wurde.

In Demo hat man oft eine Sklavin vermutet, die in Bonn diente und starb. Als Beleg dafür galt neben dem einfachen Namen das Relief des Hundes, das als Bild für die Treue der Dienerin gewertet wurde. Der Hund kann aber auch das Lieblingstier der Frau gewesen sein oder auf ihre treue Liebe zu Asios hinweisen, der in der Inschrift ja so auffällig genannt wird. Schließlich wäre für eine Sklavin die Nennung einer Heimat (πατρίς, πάτρη) sehr ungewöhnlich und der einfache Name sollte bei einer Frau aus Griechenland nicht verwundern.

Der Verfasser der Inschrift zeigt sich vertraut mit der Grammatik und dem Wortschatz griechischer Epen, er spielt auch nicht ungeschickt mit dem Gegensatz zwischen dem betörenden Liebeszauber,

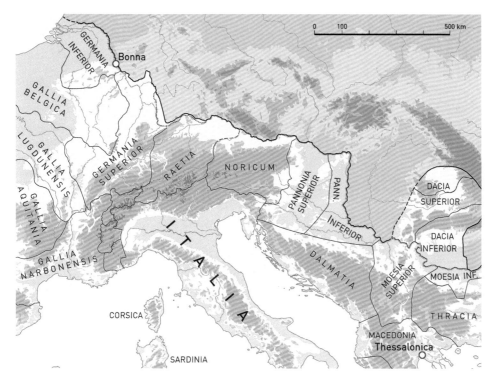

126

der von Asios ausging (φίλτροισι δάμασσεν), und seiner körperlichen Unzulänglichkeit (εὐνοῦχός περ ἐών). Ob seine poetische Begabung aber zu mehr als kurzen Epigrammen reichte, scheint fraglich.

Wann Demo in Bonn lebte und starb, lässt sich heute nicht mehr sicher sagen, da weder die Inschrift noch der Grabstein selbst sichere Datierungsindizien liefern. Es könnte die erste Hälfte des 3. Jahrhunderts n. Chr. gewesen sein.

Gerhard Bauchhenß

LIT
F. Bücheler, De bucolicorum graecorum aliquot carminibus. Rhein. Mus. Philol. 30, 1874, 37; H. Lehner, Die antiken Steindenkmäler des Provinzialmuseums in Bonn (Bonn 1918) Nr. 811; G. Bauchhenß, Zivile Grabdenkmäler. CSIR Deutschland III 2: Germania inferior, Bonn und Umgebung (Bonn 1979) 33 f. Nr. 33 Taf. 17.

Grabstele der Demo, Kalkstein; H. 79 cm; B. 42 cm; T. 16 cm. FO: Bonn, Römerplatz. AO: LVR-LandesMuseum Bonn, Inv.-Nr.: U 108.

Aus Schiffbruch gerettet

Bei Ausgrabungen in Heidenheim an der Brenz, dem antiken *Aquileia*, das unter Kaiser Traian als strategisch bedeutender Garnisonsort am so genannten „Alb-Limes" gegründet wurde, kamen Bruchstücke einer Terra Nigra-Schale mit eingeritzter Inschrift zum Vorschein. Die Form der Buchstaben bezeugt einen geübten Schreiber. Der Text ist lückenhaft, da nicht alle Scherben des Gefäßes gefunden wurden. Ein nicht anpassendes Fragment der gegenüberliegenden Gefäßseite, auf dem nur ein Efeublatt als Trennzeichen zwischen Anfang und Ende der Inschrift eingekratzt ist, zeigt, dass der Text nicht um den ganzen Schüsselrand umlief. Gleichwohl lässt der plausibel rekonstruierbare Textinhalt aufhorchen:

[Adorat tuum nume]n Erucina, hic, Amaranthus naufragi<o> fe[liciter ereptus]

„Es betet an deine göttliche Allmacht, Erycina, hier, Amaranthus, nachdem er dem Schiffbruch glücklich entronnen ist".

Amaranthus, Träger eines häufigen griechischen Namens mit der blumigen Bedeutung „Tausendschön", war ein Ortsfremder, worauf außer dem Namen auch die Weihung an eine fremde Gottheit hinweist, deren Kult in den Nordprovinzen des Reiches sonst nicht bezeugt ist. Erycina war Beiname der auf dem Berg Eryx in Sizilien verehrten Venus, die als Beschützerin der Reisenden, insbesondere von Seefahrern, angebetet wurde. Diese konnten die Göttin auch durch Losorakel über das Gelingen geplanter Unternehmungen befragen. Dem Mythos nach soll schon

127

Aeneas, der trojanische Stammvater Roms, auf seiner Überfahrt nach Italien unter ihrem Schutz gestanden haben. Das Gefäß wiederum, das vermutlich die Opfergaben (Früchte?) an die Göttin enthielt, stammt aus regionaler rätischer Produktion.

Die Bezeichnung *naufragium* für Schiffbruch ist auf einigen Grabsteinen als Todesursache erwähnt. Eine alternative Formulierung hätte *submergere* („untergehen") geboten, die ein Händler in Marbach am Neckar gebrauchte, der für seine Errettung vor dem Untergehen den Göttern des guten Schicksals (*Bonis Cassibus*) einen Altar stiftete. Wo Amaranthus dem Schiffbruch entging, wird nicht mitgeteilt, denn *hic* („hier") bezeichnet nur den Ort der Weihung. Zwar dürfte das langsam fließende und kaum mehr als knietiefe Flüsschen Brenz zum Gütertransport mit Flößen in gewissem Umfang genutzt worden sein, doch kann man sich kaum vorstellen, dass es hier zu einem lebensbedrohlichen Unfall hätte kommen können. Die Formulierung *naufragio eripere* schließt freilich nicht aus, dass Amaranthus meinte, vor wirtschaftlichem Schaden durch Kentern etwa angesichts eines Beinahe-Unfalls bewahrt worden zu sein. Wahrscheinlicher ist aber, dass sich das Ereignis, das die Weihung begründete, auf einem Meer oder einem Strom zutrug. Heidenheim kam durchaus als Zielort eines Fernhändlers in Frage, denn die hier stationierte, aus 1000 Reitern bestehende Eliteeinheit *ala II Flavia pia fidelis milliaria* bot einen Markt. Sie bestand aus Soldaten vieler Herren Länder, die vielleicht auch exklusivere Waren abnahmen.

Trotzdem ist noch eine andere Interpretation des Gebetsgrundes denkbar: *naufragium* kann im übertragenen Sinne auch schlicht „Unglück" bedeuten. Hatte Amaranthus etwa Pech im zwischenmenschlichen Bereich? Auch hier half Venus in ihrer Eigenschaft als Liebesgöttin.

Bleibt zu bemerken, dass Amaranthus möglicherweise nicht der einzige Fremde am Fundort war. Aus dem Bereich derselben Fundstelle liegen nämlich weitere Tonscherben mit eingeritzten griechischen Namen vor (in Bearbeitung durch Verfasser).

Markus Scholz

LIT
J. Hahn/S. Mratschek, Erycina in Rätien. Fundber. Baden-Württemberg 10, 1985, 147–154. M. Reuter/M. Scholz, Alles geritzt: Botschaften aus der Antike (München 2005) 91.

128

Fragmente einer Kragenschüssel (zusammengesetzt und ergänzt), Keramik (Terra Nigra); H. 9,3 cm; Dm. Kragenrand 21,6 cm. FO: Heidenheim, Planierschicht unter dem sogenannten Monumentalbau östlich des Kastells. AO: Archäologisches Landesmuseum Konstanz; 1. Hälfte 2. Jh. n. Chr.

In der
Fremde

Eine freigelassene Sklavin

Das Votivblech aus Bronze wurde 1921 im Schutthügel von *Vindonissa* (Windisch) gefunden. Es stammt ursprünglich aus einem Heiligtum im oder um das Legionslager. Das Blech war wohl auf einem anderen Gegenstand, dem Weihegeschenk, angebracht; es ist verbogen und verfügt über vier Löcher, wobei sich in einem noch Reste eines Bronzedrahtes erhalten haben.

Die Votivinschrift lässt ebenso viele Fragen offen wie Interpretationen zu. Sicheres ist zur Stifterin des Votivs zu erfahren: Ihr Name ist Fidelis, Freigelassene des Fronto. Als *liberta* erhielt sie zwar das römische Bürgerrecht – jedoch mit gewissen Einschränkungen. So blieben Freigelassene meist ihr Leben lang an den ehemaligen Herrn gebunden.

Ihr Rufname Fidelis bedeutet „die Treue": Ein sehr gebräuchlicher Name für Sklavinnen im Römischen Reich und daher nicht hilfreich, nähere Angaben zur geografischen Herkunft der Frau zu gewinnen.

129

Ebenso der Name ihres Herrn (*dominus*): Der Beiname (*cognomen*) Fronto ist zwar italischer Herkunft, war jedoch nachweislich auch in den römischen Provinzen verbreitet. Er lässt keinen Rückschluss auf die Frage zu, ob Fronto Soldat im Lager war oder sich in zivilem Auftrag, etwa als Händler, hier aufhielt. Als Soldat wäre zu jener Zeit seine Herkunft wohl Norditalien gewesen, da der größte Teil der in *Vindonissa* stationierten Truppen dort ausgehoben worden war.
Es ist davon auszugehen, dass Fidelis als Sklavin einen grossen Teil ihres Lebens fern von Heimat und Familie hatte verbringen müssen. Dass sie später von Fronto freigelassen wurde und so zum römischen Bürgerrecht kam, stellt für die fremde Frau einen bedeutenden sozialen Aufstieg dar.

Annina Wyss Schildknecht

LIT
Th. Eckinger, Nachrichten, Ausgrabungen. Anz. Schweizer. Altkde., N. F. 24, 1922, H. 2, 124.

Votivblech, Bronze; L. 19,1 cm; H. 3,3 cm. FO: Windisch (Aargau, CH). AO: Vindonissa-Museum, Brugg (CH), Inv.-Nr.: 22:1. Inschrift: Marti v(otum) s(olvit) l(ibens) m(erito) | Fidelis Frontonis liberta. Übersetzung: „Dem Mars hat Fidelis, Freigelassene des Fronto, ihr Gelübde gerne und nach Gebühr eingelöst". 1. Jh. n. Chr.

130

Fingerring mit der Darstellung des siebenarmigen Leuchters (Menora) und weiteren jüdischen Symbolen

Die Menora auf dem bronzenen Ring geht zurück auf den goldenen, siebenarmigen Leuchter, den die Römer im Jahr 70 n. Chr. bei der Eroberung und Zerstörung Jerusalems aus dem Zweiten Tempel mit den übrigen heiligen Geräten geraubt hatten und im folgenden Jahr im Triumph durch Rom führten, wie wir der Darstellung auf dem Titusbogen und dem Bericht des Flavius Josephus im „Jüdischen Krieg" übereinstimmend entnehmen können. In der Spätantike wird die Menora zum häufigsten dargestellten jüdischen Symbol. In erster Linie die Menora, aber auch ihr beigegebene weitere Ritualobjekte wie die auf unserem Ring dargestellten Symbole des Laubhüttenfests Lulav (Palmzweig, rechts von der Menora) und Etrog (wohlriechende Zitrusfrucht) sowie Schofar (Widderhorn) und Toraschrein sind die jüdische Antwort auf die christlichen Symbole Christogramm und bald auch Kreuzzeichen, die seit der Hinwendung Konstantins des Großen zum Christentum im frühen 4. Jahrhundert eine zunehmend dominierende Rolle spielten. So, wie von den Anhängern des neuen Glaubens mit Christogramm und Kreuzzeichen die *erfolgte* Ankunft des Erlösers propagiert wird, wird von jüdischer Seite mit der Menora nachdrücklich auf das *erst zukünftige* Kommen des Messias und den damit verbundenen Wiederaufbau des Tempels verwiesen.

131

Mit dem Menora-Ring von Kaiseraugst gab sich dessen Träger oder Trägerin als dem jüdischen Glauben angehörig zu erkennen und bekannte sich damit zu einer religiösen Minderheit in einer mehrheitlich christlichen oder noch heidnischen Umwelt. Woher und warum er oder sie nach Kaiseraugst gekommen war, muss offen bleiben. Denkbar ist eine Herkunft aus Italien, wo sich in der Spätantike eine große, über Rom hinausgehende jüdische Gemeinschaft findet, und sich in den Bilddarstellungen zahlreiche Parallelen zur Menora, flankiert von Lulav und Etrog, nachweisen lassen. Man könnte sich u. a. vorstellen, dass der Ring einem von Italien nach Köln reisenden Kaufmann gehörte, wo im 4. Jahrhundert höchstwahrscheinlich eine größere jüdische Gemeinde bestanden hat. War der Ring aber von einer Frau getragen worden, so wäre auch an eine jüdische Familie zu denken, die sich in der Vorstadt des *castrum Rauracense* aufhielt. Für die Annahme einer jüdi-

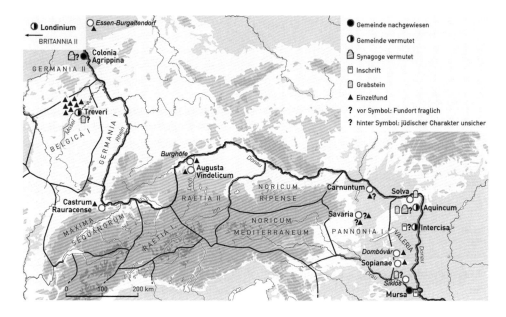

schen Gemeinde im spätrömischen Kaiseraugst reicht der Einzelfund nicht aus. Dazu wären weitere jüdische Funde nötig oder müssten – besser noch – eine *mikwe* (Ritualbad) oder ein Synagogengrundriss entdeckt werden.

Mit dem Fund des Menora-Ringes von Kaiseraugst im Jahr 2001 stellte sich die Frage, ob er ein singuläres Zeugnis ist, oder ob ihm aus den benachbarten Grenzprovinzen des Römischen Reiches weitere Dokumente für die Anwesenheit von Juden zur Seite gestellt werden können. Aus dieser Frage heraus entstand ein detaillierter Katalog römerzeitlicher Judaica und schriftlicher Zeugnisse der Zone von Britannien bis Pannonien (s. LIT). Die Verbreitungskarte hält das Fazit auf einen Blick fest: Im Rheinland mit Köln und Trier einerseits und in Pannonien anderseits sind jüdische Gemeinden nachgewiesen oder mit großer Wahrscheinlichkcit anzunehmen. Die Einzelfunde von Augsburg (*Augusta Vindelicum*), Burghöfe (*Submuntorium*) und Kaiseraugst (*castrum Rauracense*) belegen, dass auch im Gebiet zwischen Pannonien und dem Rheinland mindestens mit der Anwesenheit einzelner Juden zu rechnen ist.

Ludwig Berger

LIT

L. Berger, Der Menora-Ring von Kaiseraugst. Jüdische Zeugnisse römischer Zeit zwischen Britannien und Pannonien. Forsch. Augst 36 (Augst 2005).

L. Berger, Lulav oder Schofar? Nachlese zum Menora-Ring aus Kaiseraugst. In: Ch. Ebnöther (Hrsg.), Oleum non perdidit. Festsschr. Stefanie Martin-Kilcher. Antiqua 47 (Basel 2010) 299–303.

Fingerring mit kreisrunder Platte, Bronze; Dm. Platte 10,7 mm; Dm. rekonstruierter Reif ca. 17 mm; FO: Kaiseraugst (Kanton Aargau, CH), in der südwestlichen Vorstadt des spätrömischen *castrum Rauracense*; Museum Augusta Raurica, Augst (CH), Inv.-Nr.: 2001.01.E05174.1. AO: Jüdisches Museum der Schweiz, Basel. 4. Jh. n. Chr. Da die Darstellungen vertieft sind, war der Ring als Siegelring verwendbar.

Neue Heimat – Ein Helvetier in Oberbayern

TAXATSINGVLISINGCVLAS
A·D·XVII·K·IVLIAS
C·LAECANIO BASSO COS
M·LICINIO CRASSO FRVGI
PAG·II KAPXVI
ALAE·GEMELLIANAE·CVITRAEST
Q·POMPONIVSQ·F·COL·RVFVS
CRECALIBVS
CATTAO BARDI F HELVETIO
ETSABINAECAMVLILIAEVXORIEIVSHELVETIAE
ET·VINDELICO F EIVS
ET MATERIONAE FILIAE EIVS
DESCRIPTETRECOGNITEXTABVLAAENEAQVAEFIXAEST
ROMAEINCAPITOLIOPOSTAEDEMIOVISOMIN
BASTQ·MARCI·RECI·S TR

133

Bürgerrechtsurkunde
für den Reitersoldaten
Cattaus, Bronze;
B. 17,6 cm; H. 15 cm.
FO: Geiselprechting,
Gemeinde Vachendorf,
Lkr. Traunstein.
AO: Archäologische
Staatssammlung
München, Inv.-Nr. HV
815. 15.6.64 n. Chr.

134

Wichtige Urkunden, Gesetzestexte und andere Dokumente von dauerhafter Gültigkeit wurden zu römischer Zeit in unvergängliche Bronzeplatten gemeißelt. Für ehemalige Soldaten aus den Hilfstruppen des Imperiums war dabei ein Schriftstück von höchster Bedeutung, das mit der ehrenvollen Entlassung aus der Armee die Verleihung des römischen Bürgerrechtes und des Eherechtes dokumentierte. Da sich das Bürgerrecht nicht nur auf die Ehefrau und die Kinder, sondern auch auf die Nachfahren der Familie erstreckte, musste die Beständigkeit des Textträgers über lange Zeit gewährleistet sein. Zu diesem Zweck dienten *diptycha* aus Bronze, wie jenes in Geiselprechting gefundene, von dem aber nur eine von ehemals zwei Platten erhalten ist.

Der dem Veteranen ausgehändigte Text ging im vorliegenden Fall auf eine Konstitution des Kaisers Nero vom 15.6.64 zurück, die neben dem eigentlichen Erlass auch die Namenslisten aller an diesem Stichtag entlassenen Soldaten nach Einheiten getrennt umfasste. Dieser Originalerlass – ebenfalls eine Bronzetafel – war auf dem Kapitol in Rom hinter dem Iupitertempel am Sockel der alten Statue des Konsuls Q. Martius Rex für jedermann überprüfbar angebracht. Der Soldat Cattaus, Sohn des Bardus, vom Stamm der Helvetier, erhielt hiervon eine durch neun Zeugen beglaubigte Abschrift. Cattaus diente einst in der *ala Gemelliana*, einer Reitertruppe, die damals wahrscheinlich an der Donau in der Provinz Raetien stationiert war. Gefunden wurde die Tafel allerdings in der Nachbarprovinz Noricum, wo sich Cattaus als Veteran vermutlich niedergelassen hatte. Seine Frau Sabina war ebenfalls Helvetierin. Mit ihr lebte er bereits während der Militärzeit in „wilder Ehe" zusammen. Das Paar hatte zwei Kinder, einen Sohn Vindelicus und eine Tochter Materiona.

Der Sohn ist auffallenderweise nach dem bedeutendsten keltischen Stamm des Alpenvorlandes, den *Vindelici*, benannt, deren Zentrum im heutigen Augsburg lag.

Bis heute ist das Stück eines der wenigen frühen Beispiele für die Beurkundungspraxis im Zuge der Bürgerrechtsverleihung an Hilfstruppensoldaten der römischen Armee.

Bernd Steidl

LIT
H. K. Föringer, Nachricht über eine zu Geiselprechting, Ldg. Traunstein, aufgefundene *tabula honestae missionis* aus dem J. 64 n. Chr. Oberbayer. Archiv 4, 1843, 433–439.
H. Föringer, Facsimile der zu Geiselprechting aufgefundenen tabula honestae missionis. Oberbayer. Archiv 6, 1844/45, 448–450.
CIL XVI 5.

Eine Nadel aus dem Norden

Die Nadel kam in *Burginatium* zum Vorschein, einem Truppenstandort nahe dem heutigen Kalkar. Sie ist mit 24 cm sehr lang. In den Vertiefungen am oberen, flachen Ende befanden sich Einlagen aus buntem Email, die vollständig herausgefallen sind. Das Stück stammt ursprünglich aus Britannien, der nördlichsten Provinz des Römerreiches. Dort sind solche Nadeln häufiger gefunden worden.

Gegenstände, die aus so weit entfernten Gebieten des Imperiums kommen, fallen unter den archäologischen Funden im römischen Rheinland auf. Doch nur selten kann man ihren Weg so genau nachzeichnen wie bei dieser Nadel – durch eine Inschrift kennen wir eine Militäreinheit, die im 2. Jahrhundert n. Chr. im Kastell *Burginatium* stationiert war: Die *ala Classiana* bestand aus 500 bewaffneten Reitern, deren Aufgabe es war, die Grenze des Imperiums gegen die Germanen zu sichern. Aber auch in Britannien stand in den Jahren zwischen 105 und 122 n. Chr. eine Truppe mit diesem Namen. Und darin liegt die Erklärung für den Fund der Nadel am Rhein: Sehr wahrscheinlich war sie im Besitz eines Soldaten, der als Angehöriger der *ala Classiana* zunächst in Britannien Dienst tat, später dann in Germanien.

135

136

Historiker haben auch vermutet, dass es zwei Truppeneinheiten mit dem Namen *ala Classiana* gegeben haben könnte – je eine in Britannien und Germanien. Diese Annahme wird durch den Fund der Nadel entkräftet.

Bernd Liesen

In zwei Teile gebrochene Nadel mit scheibenförmigem, protozoomorphem Kopf, Bronze; L. 24,2 cm. FO: Altkalkar. AO: LVR-Archäologischer Park Xanten, Inv.-Nr.: Alsters 870+872; vermutlich 2. Jh. n. Chr.

LIT
U. Boelicke u. a., Antiken der Sammlung Gerhard Alsters. Urgeschichtliche und römische Funde (Uedem 2000) 65 Nr. B/66.
G. C. Boon, Two Celtic pins from Margam Beach. West Glamorg. Ant. Journ. 55, 1975, 400–404.
W. Eck/B. Paunov, Ein neues Militärdiplom für die Auxiliartruppen von Germania inferior aus dem Jahre 127. Chiron 27, 1997, 335–354.

Eine Britannierin in Worms

In der nördlichen Nekropole des römischen Worms (*Borbetomagus*), fand sich das Urnengrab einer etwa 30 bis 40 Jahre alten Frau, die sich nach provinzialrömischer Sitte mit Beigaben bestatten ließ. Diese bestehen aus Beleuchtungsgerät, Geschirr, einem Kästchen, Schmuck und Trachtelementen, Speisen (Schwein und Huhn) sowie einer Münze für die Überfahrt ins Jenseits und zeugen von bescheidenem Wohlstand.

Unter den Beigaben fällt eine emaillierte Bügelfibel mit trompetenförmig erweitertem Kopf und Drahtöse sowie rosettenförmiger Bügel- und Fußzier als fremd auf: Solche Gewandspangen sind typische Bestandteile der einheimischen Frauentracht im römischen Britannien. Sie wurden paarweise getragen und hielten – ab flavischer Zeit über Ösen durch eine Kette verbunden – das Oberkleid an den Schultern zusammen. Offenbar blieb diese, der gallischen Tradition entstammende, provinziale Kleidungsweise in Britannien bis zur Mitte des 2. Jahrhunderts n. Chr. vorherrschend. Erst dann wurde sie ersetzt durch eine lange Tunica mit weiten Ärmeln, für die keine Fibeln mehr benötigt wurden.

Fibeln waren wichtige Bestandteile der jeweiligen regionalen Tracht und wurden als solche nicht im Fernhandel vertrieben. Findet man sie außerhalb des angestammten Gebiets ihrer Trägerinnen, sind sie Hinweis auf deren Mobilität – im vorliegenden Fall von Britannien ins obergermanische Worms. Wir kennen nun umgekehrt dank Inschriften auf Grab- und Weihesteinen sowie Entlassungsurkunden römischer Hilfstruppensoldaten einige Wormser dieser Zeit im römischen Britannien: Es handelt sich um Männer des im Raum Worms/Mainz siedelnden Stammes der Vangionen, die ab flavischer Zeit und während des 2. Jahrhunderts n. Chr. als Soldaten der auxiliaren (Hilfstruppen-) Einheit *cohors I Vangionum* an unterschiedlichen Einsatzorten in Britannien stationiert waren, u. a. am Hadrianswall.

137

138

Möglicherweise haben wir hier also eine Britannierin vor uns, die ihren Mann während seiner Dienstzeit als Soldat in Britannien kennenlernte und ihm nach seiner Entlassung, nun mit römischem Bürger- und Eherecht ausgestattet, in dessen obergermanische Heimat nach *Borbetomagus* folgte. Mit ihrer aus Britannien mitgebrachten Tracht wird sie sich in ihrer neuen kontinentalen Heimat äußerlich nicht auffallend

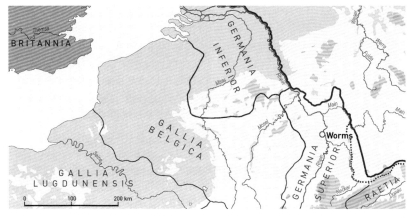

139

von den einheimischen Frauen abgehoben haben, da auch diese ihre Oberkleider mit paarweise getragenen Gewandspangen – in diesem Fall allerdings meist sogenannten Distelfibeln – an den Schultern befestigten. Einzig die Fibelform und die dazwischen getragene Kette sind hier als markante Unterschiede feststellbar.

Die auffallende Häufung weiterer Trompetenfibeln um Mainz und Worms im Gebiet der *civitas Vangionum* lässt ahnen, dass sich hier einige britannische Soldatenfrauen mit ihren Familien niederließen. Sie begannen nach Beendigung des aktiven Militärdienstes ihrer Männer in deren alter Heimat einen neuen Lebensabschnitt als *cives Romani* (römische Bürger).

Maike Sieler

LIT
M. Grünewald, Der römische Nordfriedhof in Worms. Funde von der Mainzer Straße (Worms 1990).
R. Häussler, The Romanisation of the *civitas Vangionum*. Bull. Inst. Arch. London 30, 1993, 41–104.
RGA² 33, 241 s. v. Die *civitas Vangionum* (R. Häussler).

Worms, Nordfriedhof, Grab 11. As des Vespasian, Bronze, 77/78 n. Chr.; Trompetenfibel, Bronze und Email, L. 7,6 cm; Fußfragment einer zweiten, identischen Fibel (aus gestörtem Bereich der Grabgrube); Fuchsschwanzkette, Bronze, erh. L. 4,8 cm; Schlüssel, Bronze, L. 4,8 cm; Kantenbeschlag, Bronzeblech; Kästchenbeschläge, Eisen; Nagel, Eisen; 5 Melonenperlen, Kieselkeramik, Dm. 1,1–1,5 cm; Glas, naturfarbenblaugrün; Keramik: Firmalampe mit Bodenstempel ATIMETI, ungebraucht; 5 Schalen Imit. Drag. 27, rottonig, sekundär verbrannt, 3 davon mit RDm. 8 cm, 2 mit RDm. ca. 11 cm; kalottenförmiger Glanztonbecher mit Ratterdekor, rottonig, RDm. 9,3 cm; Zweihenkelkrug mit ausbiegendem Rand, RDm. 5,4 cm, H. 17 cm; Schüssel mit getrepptem Horizontalrand, grautonig (Urnendeckel); Topf mit mehrzonigem Rollrädchendekor, grautonig, RDm. ca. 15,5 cm. H. 28,8 cm (Urne).
AO: Museum der Stadt Worms im Andreasstift, Inv.-Nr.: F 1–21. Ende 1./1. Hälfte 2. Jh. n. Chr.

140

Von Schottland in den Odenwald

Am 13. August des Jahres 232 n. Chr. wurde unter der Aufsicht des Centurio Titus Flavius Romanus aus der *legio XXII Primigenia* in Mainz das Bad des Numeruskastells von Walldürn am obergermanischen Limes wiederhergestellt.

Deae Fortuna[e] / Sanctae balineu[m] / vetustate conlap/sum expl(oratores) Stu[---] / et Brit(tones) gentiles / officiales Bri(ttonum) / deditic(iorum) [[Alexan]]/[[drianorum]] de / suo restituer(unt) cu/ra(m) agente T(ito) Fl(avio) Ro/mano (centurione) leg(ionis) XXII P(rimigeniae) P(iae) F(idelis) / Id(ibus) Aug(ustis) Lupo et Maximo // co(n)s(ulibus)

„Der heiligen Göttin Fortuna. Das Bad, das aus Altersschwäche zerfallen war, haben die Kundschaftereinheit Stu... und die freiwilligen brittonischen Unteroffiziere des (Numerus) der dediticierten Brittonen (mit dem Ehrennamen) die Alexandrinischen aus eigenen Mitteln wieder aufgebaut, unter der Leitung des Titus Flavius Romanus, Zenturio der 22. Legion Primigenia, der frommen und treuen, an den Iden des Augst, als Lupus und Maximus Konsuln waren."

Dass Legionscenturionen zu solchen Tätigkeiten an den Limes abkommandiert wurden, verwundert nicht, wie sich an zahlreichen ähnlichen Abkommandierungen zeigen lässt. Schwierig ist dagegen die genaue Identifizierung der stiftenden Einheiten und damit der Besatzung dieses Limeskastells. Neben der namentlich (*stu...*) nicht bekannten Kundschaftereinheit (*exploratores*) werden die *Brittones gentiles* genannt, bei denen es sich wohl um Angehörige britannischer Stämme von außerhalb der Provinz handelt, die eventuell nach dem Britannienfeldzug des Septimius Severus (208–211 n. Chr.) freiwillig in die römische Armee eintraten und dabei den Rechtsstatus von sogenannten *dediticii* erhielten. Dies bedeutete, dass sie zwar als Freie galten, jedoch der absoluten Verfügungsgewalt der Römer unterstanden und auch nach der allgemeinen Verleihung des Bürgerrechtes an alle freien Reichsbewohner im Jahr 212 n. Chr. (*constitutio Antoniniana*) kein Bürgerecht besaßen. Die Treue zum römischen Kaiser Severus Alexander (222–235 n. Chr.) spiegelt sich in dem ehrenvollen Beinamen wider, der allerdings nach der Ermordung des Kaisers und seiner *damnatio memoriae* aus der Inschrift ausgemeißelt wurde.

Martin Kemkes

Weihealtar der *Brittones gentiles* für Fortuna, Buntsandstein; H. 130,3 cm; B. 72,0 cm; T. 44,2 cm. FO: Walldürn, Neckar-Odenwald-Kreis. AO: Römermuseum Osterburken; Inv.-Nr. Archäologisches Landesmuseum Baden-Württemberg: 1897-1-9000-1; 13. August 232 n. Chr.

141

LIT
D. Baatz, Das Badegebäude des Limeskastells Walldürn. Saalburg-Jahrb. 35, 1978, 61–107.
RGA 5 (1984) 292–294 s. v. Dediticii [P. Tasler].

Brief für Micus

Bei dem im Schutthügel des Legionslagers *Vindonissa* (Windisch) gefundenen Schreibtäfelchen handelt es sich um die Außenseite eines Briefes. Von den insgesamt vier Zeilen ist die oberste ausgekratzt und stammt von einer früheren Verwendung. Die drei unteren Zeilen geben den Adressaten und den Absender des Briefes an. Zum vollständigen Brief gehörte ursprünglich mindestens ein weiteres Täfelchen, welches durch die Löcher am unteren Rand mit dem noch erhaltenen Täfelchen zusammengebunden war. Durch eine Schnur, die durch die Kerbe am oberen Rand des Täfelchens lief, wurden die Seiten des Briefes zusammengehalten.

Empfänger dieses Schreibens ist Micus, welcher sich offensichtlich in *Vindonissa* aufhielt; der Absender ist ein gewisser Comus. *Augusta Trevirorum* – eine unübliche Schreibweise von *Augusta Treverorum* (Trier) – dürfte im gegebenen Zusammenhang „aus Trier" bedeuten und die Herkunft des Micus beschreiben. Interessanterweise bedurfte es scheinbar keiner weiteren oder näheren Beschreibung des Empfängers wie z. B. Dienstgrad oder Aufenthaltsort, um den Brief zuzustellen. Der Fremde aus dem Triererland muss in *Vindonissa* alleine aufgrund der Nennung seiner Herkunft aufzufinden gewesen sein.

Der Inhalt des Briefes selbst ist nicht erhalten und so bleiben viele Fragen unbeantwortet: Welcher Art ist die Beziehung zwischen Absender und Empfänger des Briefes? War der Inhalt des Schreibens geschäftlicher oder privater Natur?

142

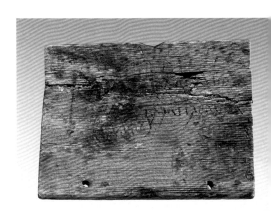

143

Über die Gründe, weshalb sich Micus in der Fremde aufhielt, kann nur spekuliert werden. Es ist denkbar, dass er als Händler (*negotiator*, *mercator*) Waren aus dem Rheinland im und um das Legionslager von *Vindonissa* zum Verkauf anbot.

Annina Wyss Schildknecht

144

LIT
M. A. Speidel, Die römischen Schreibtafeln aus Vindonissa. Veröff. Ges. Pro Vindonissa 12 (Bern 1994) 196 f. Nr. 48.
M. A. Speidel, Neue Inschriften auf Schreibtäfelchen aus dem Schutthügel des Legionslagers Vindonissa. Jahresber. Ges. Pro Vindonissa 1986, 49–54.

Fragment einer Wachstafel, Tannenholz; B. 11,6 cm; H. 8,6 cm. FO: Windisch (Kanton Aargau, CH). AO: Vindonissa-Museum Brugg (CH), Inv.-Nr.: 51:304. Inschrift: *Dabi[s] Mico / Augusta Trevirorum / Comus*. Übersetzung: „Gib (diesen Brief) Micus aus Trier. Comus"; 81 n. Chr. (Datierung wurde dendrochronologisch ermittelt).

Migration am Limes? – Zwei Zeugnisse von Sueben in Hessen

Wie heute war es auch in der Antike nicht ungewöhnlich, zur Kennzeichnung von Eigentum persönliche Gegenstände mit einer Besitzerinschrift zu versehen. Dies konnte durch eingeritzte Markierungen oder Namen des Betreffenden geschehen. Eine Besonderheit stellen dabei zwei Keramikfunde aus Hessen dar. Hier geben die Kennzeichnungen einen Hinweis auf die Herkunft der Besitzer.

Aus dem Vicus des Limeskastells auf dem Zugmantel im Taunus stammt die Randscherbe einer Terra Sigillata-Schüssel mit dem deutlich lesbaren Namen *SVEBA*. Gefunden wurde die Scherbe 1925 im östlichen Teil des Lagerdorfes. Trotz des guten Forschungsstandes zum Kastellort Zugmantel kann der genaue Fundzusammenhang der SUEBA-Scherbe anhand der Grabungsdokumentation nicht näher rekonstruiert werden. Auf dem Bruchstück ist die Reliefverzierung im Ansatz noch vorhanden. Sie erlaubt es, das Gefäß der Werkstatt des Attillus zuzuschreiben, der im frühen 3. Jahrhundert n. Chr. in Trier produzierte.

Ein vergleichbares Graffito fand sich im Bereich des Lagerdorfes eines unter Domitian auf dem Hanauer Salisberg erbauten Kastells. Während das Militärlager vermutlich bereits unter Traian (98–117 n. Chr.) wieder aufgegeben wurde und sich der Verlauf des Limes weiter nach Osten verschob, bestand die Zivilsiedlung noch bis in das 3. Jahrhundert n. Chr. Im Süden des erst 1931 entdeckten Kastells fanden bereits in den 80er Jahren des 19. Jahrhunderts Ausgrabungen statt. Bei weiteren umfangreichen Grabungen in den 1980er und 1990er Jahren konnten mehrere Parzellen des Lagerdorfes dokumentiert werden. Die Terra Sigillata-Scherbe mit dem eingeritzten

145

146

Namen *SVIIB* (= SUEB) lag in einem Brunnen nahe der Grundstücksgrenze im hinteren Bereich einer solchen Parzelle. Nach Auswertung des in die Gefäßmitte gestempelten Töpfernamens wurde der Terra Sigillata-Teller zwischen 110 und 140 n. Chr. in Chémery, Ostgallien, hergestellt. Durch die Vergesellschaftung mit weiteren, chronologisch gut einzuordnenden Funden ist die Verfüllung des Brunnens in der zweiten Hälfte des 2. Jahrhunderts anzunehmen. Die Namen SUEBA bzw. die geschlechtsunspezifische Abkürzung SUEB weisen ihre Träger möglicherweise als Germanen vom Stammesverband der Sueben aus, die, wie Tacitus und Cassius Dio berichten, im östlichen Germanien zu verorten sind. Germanisches Fundgut an Kastellplätzen am Obergermanisch-Raetischen Limes ist keine Seltenheit. Für die Siedlung am Salisberg sind noch keine Aussagen bezüglich germanischer Keramik möglich. Auffällig ist jedoch die vergleichsweise hohe Anzahl an germanischer Keramik

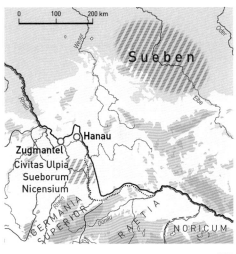

147

im gesamten Kastell- und Vicusareal des Zugmantels, ohne dass ein Verbreitungsschwerpunkt erkennbar ist. Chronologisch können die germanischen Funde vom Zugmantel hauptsächlich in das erste Drittel des 3. Jahrhunderts n. Chr. eingeordnet werden und sind nicht nur als Handelsware anzusehen, sondern lassen auf die Anwesenheit von germanischen Hilfstruppensoldaten oder Zivilisten schließen. Doch auch eine andere Deutung ist vorstellbar. Im rechtsrheinischen Gebiet südlich des Mains bis zur Neckargegend wurden im 1. Jahrhundert n. Chr. Germanen angesiedelt. Aus ihrem Siedlungsgebiet entwickelte sich unter Traian die *Civitas Ulpia Suebi Nicrensis* mit dem Hauptort *Lopodunum* (Ladenburg). Hauptsächlich Soldaten, jedoch auch Zivilisten dieser Civitas sind als *suebi nicrenses* im Römischen Reich mehrfach inschriftlich bekannt. Schlussendlich wäre interessant zu wissen, ob sich Sueba und Sueb[…] vom Zugmantel und vom Hanauer Salisberg ihren Namen selbst gaben, um fern der Heimat als (Neckar-)Sueben wahrgenommen zu werden, oder ob ihnen der Name als Spitzname von den anderen Bewohnern des Kastelldorfes gegeben wurde. Dies muss jedoch leider unbeantwortet bleiben.

Miriam Etti und Simon Sulk

Randscherbe einer Terra Sigillata-Schüssel Drag. 37; Hersteller: ATTILLUS (Trier 220–250 n. Chr.); Graffito: SVEBA. FO: Kastell Zugmantel, Vicusbereich; Inv.-Nr.: Z 5279. AO: Saalburg Magazin.

Bodenfragment eines Terra Sigillata-Tellers Drag. 18/31 R mit Hersteller-Stempel MEDDICUS (Chémery 110-140 n. Chr.); Graffito: SVIIB. FO: Hanau-Salisberg, Kr. Hanau; Inv.-Nr.: 79/1. AO: Hanauischer Geschichtsverein von 1844.

Lit
H. Jacobi, Die Ausgrabungen der Jahre 1925–1928. Kastell Zugmantel. Saalburg-Jahrb. 7, 1930, 35–78 u. ebd. Taf. XX,1.
M. Reuter/M. Scholz, Geritzt und Entziffert. Schriftzeugnisse der römischen Informationsgesellschaft. Schriften des Limesmuseums Aalen 57 (Esslingen am Neckar 2004) 40–41 Abb. 62.
D. Walter, Germanische Keramik zwischen Main und Taunuslimes. Untersuchungen zu rhein-wesergermanischen Gefäßen in römischen Siedlungen des Rhein-Main-Gebietes. Freiburger Beitr. Arch. und Gesch. des ersten Jahrtausends 3 (Rahden/Westf. 2000).
P. Jüngling, Eine Notgrabung im Bereich des römischen Vicus auf dem Salisberg bei Hanau-Kesselstadt. Hanauer Geschichtsbl. 28, 1982, 35–72.

Eine Fremde im Schweizer Jura

Der leider bereits 1852 ausgegrabene römische Gutshof (*villa rustica*) bei Liesberg befindet sich im Laufental, ca. 20 km südlich von Augst (*Augusta Raurica*), der römischen Koloniestadt in der unmittelbaren Nachbarschaft von Basel. Neben anderem Fundmaterial konnte bei den Grabungen auch ein offener Armreif aus massiver Bronze mit Tierkopfenden geborgen werden. Die Gestaltung des Reifs lässt einigen Aufwand erkennen. Beide Tierköpfe enden mit einem breiten Maul und weisen eingepunzte Kreisaugen sowie dreieckige Ohren auf. Hinter den beiden Köpfen ist der Reif jeweils bis zu einem Wulst durch eingekerbte Streifen bzw. Kreisaugen fellförmig gestaltet, der Rest des Armreifs ist bis auf kleine Beschädigungen glatt. Die dargestellten Tiere sind nicht eindeutig zu bestimmen. Ausgehend vom breiten Maul wären Wasservögel denkbar; den Ohren und der Fellstruktur nach könnte man sich auch ein Raubtier vorstellen.

Vergleichsstücke zum Liesberger Armreif sind weder aus dem weiteren Schweizer Jura noch sonst vom Gebiet der heutigen Schweiz bekannt. Parallelen finden sich einzig im Fundbestand der sogenannten „Heimstetter Gruppe", deren Siedlungsgebiet sich nach unserem Wissen

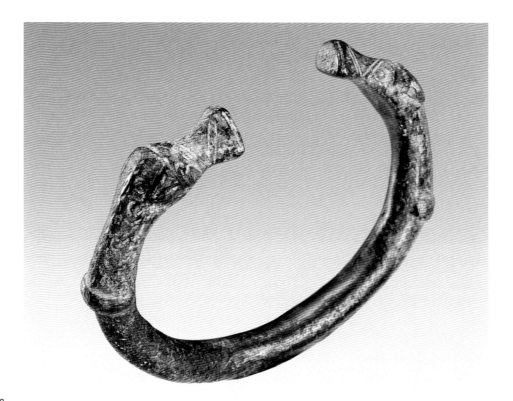

148

auf das bayerische Alpenvorland zwischen Bodensee und Münchner Schotterebene beschränkte. Charakteristisch für die Frauentracht dieser kleinen Volksgruppe sind – soweit dies anhand der Grabinventare nachweisbar ist – Halsringe, Armringe (häufig mit Tierköpfen), Gürtel mit Hakenverschluss und Zierbesatz aus kleinen Knöpfen, sowie mindestens drei Fibeln für das Gewand. Die Männertracht dieser Gruppe ist aufgrund der wenigen Belege nicht näher erfassbar.

149

Die „Heimstettener Gruppe", die als eine Besonderheit ihre Toten nicht verbrannte, lässt sich im bayerischen Voralpenland ab den 20er Jahren des 1. Jahrhunderts n. Chr. nachweisen. Die archäologischen Nachweise sind insgesamt eher spärlich. Neben einigen Gräbern kennen wir nur wenige und eher unspezifische Siedlungsreste. Auch die Herkunft der Bevölkerungsgruppe ist noch nicht geklärt: Während einige Forscher davon ausgehen, dass die „Heimstettener" aus dem alpinen Raum zugewandert seien, meinen andere, dass es sich um Elemente einer alteingesessenen Bevölkerung gehandelt habe. Sicher ist, dass die Gruppe bereits nach wenigen Generationen ihre kulturelle Eigenständigkeit aufgab und ab den 60er/70er Jahren n. Chr. in ihrem römischen Umfeld aufging.

Wie ist nun der Fund eines Armreifs aus dem bayerischen Alpenvorland in Liesberg mitten im Schweizer Jura zu deuten? Folgendes Szenario ist denkbar: Vielleicht gehörte er einer Frau der „Heimstettener Gruppe", die zur Zeit des Kaisers Tiberius oder Claudius einen Rauraker heiratete – also einen Angehörigen einer spätkeltischen Bevölkerungsgruppe, die im südlichen Oberrhein zwischen Vogesen, Schwarzwald und Jura wohnhaft war – und zu ihm in dessen Heimat in den Schweizer Jura zog.

Eckhard Deschler-Erb

LIT
R. Degen, Ein seltsamer Armring aus dem Jura. Helvetia Archaeologica 7, 1971, 68–73.
E. Keller, Die frühkaiserzeitlichen Körpergräber von Heimstetten bei München und die verwandten Funde aus Südbayern. Münchner Beiträge zur Vor- und Frühgeschichte 37 (München 1984).
St. Martin-Kilcher, Die Funde aus dem römischen Gutshof von Laufen-Müschhag (Bern 1980).
P. Reinecke, Skelettgräber der frühen Kaiserzeit in Rätien. Bayer. Vorgeschbl. 22, 1957, 36–59.
W. Zanier, Der Spätlatène- und römerzeitliche Brandopferplatz im Forggensee (Gde. Schwangau). Münchner Beiträge zur Vor- und Frühgeschichte 52 (München 1999).

Massiver Armreif mit Tierkopfenden, Bronze; innerer Dm. 6,4 x 4,7 cm. FO: Liesberg (Kanton Basel-Landschaft, CH) im Schweizer Jura; Herrenhaus einer *villa rustica*. AO: Historisches Museum Basel, Inv.-Nr.: 1917.895.

Gestempelte römische Tafelkeramik des LVCANVS

150

151

„Wanderungsbewe-
gungen" von speziali-
sierten Töpferhand-
werkern lassen sich
im ausgehenden 2.
und beginnenden 3.
Jahrhundert n. Chr.
besonders zwischen
den einzelnen weit
auseinander liegen-
den Terra Sigillata-Manufakturen nachvollziehen. Die Vielzahl der dort belegten Töpfernamen
gibt einen Einblick in die unterschiedlichen Nationalitäten. So arbeiteten in der von Rheinzabern
(*Tabernae*)/Germania Superior aus gegründeten Filiale von Schwabegg (*Rapis*)/Raetien mehrere
Töpferhandwerker aus Rheinzabern. Namentlich ist uns Lucanus bekannt, von dem der gleiche
Namenstempel aus beiden Töpfereien bezeugt ist. In Rheinzabern töpferte und signierte er ausschließlich unverzierte Becher und Teller, während er in Schwabegg sein Repertoire erweiterte
und neben der glatten Ware auch verzierte Schüsseln herzustellen begann. Demnach kann man
seine Signatur auf dem Dekorfeld und den Rändern der Bilderschüsseln sowie auf den Tellerböden
finden. Darüber hinaus verfügte er über einen Punzenschatz von 51 Bildstempeln, von denen
26 mit Rheinzabern in Verbindung zu bringen sind. Eine Arbeitsgemeinschaft bestand mit Severus, der auf denselben Reliefgefäßen signierte. Lucanus dürfte in Schwabegg wohl der Besitzer
oder zumindest der verantwortliche Töpfer einer Werkstatt (der sogenannten Werkstatt I) ge-

152

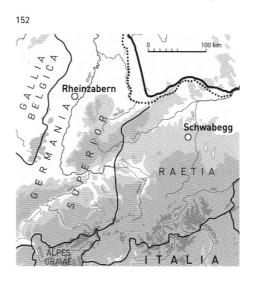

wesen sein. Seine Produkte fanden starken
regionalen Absatz und wurden nur vereinzelt in die östlichen Donauprovinzen expor-
tiert.

Silvia Radbauer

LIT
W. Czysz, Handwerksstrukturen im römischen Töpfer-
dorf von Schwabmünchen und in der Sigillata-Manu-
faktur bei Schwabegg. Trierer Hist. Forsch. 42, 2000,
55–88.
B. R. Hartley, Some Wandering Potters. In: J. Dore/K.
Green (Hrsg.), Roman Pottery Studies in Britain and
Beyond, BAR Suppl. 30 (Oxford 1977) 251–261.
R. Sölch, Die Terra Sigillata-Manufaktur von Schwab-
münchen-Schwabegg, Materialhefte zur Bayerischen
Vorgeschichte A 81 (Kallmünz 1999).

Ein hölzerner Brief aus dem *vicus Tasgetium*

Ob Magistraten, Soldaten, Händler oder einfache Reisende – wer länger im Imperium Romanum unterwegs oder gar dauerhaft in der Fremde war, pflegte Briefe zu schreiben. Die einen taten dies aus beruflichen Gründen, andere um während ihrer Abwesenheit mit Verwandten und Freunden in Kontakt zu

bleiben. Kleine Tafeln aus Tannenholz wurden zu diesem Zweck mit vertieften und mit Wachs ausgegossenen Schriftflächen versehen und zu zweien oder mehreren zusammengebunden. Die mit einem spitzen Griffel in das weiche Wachs geritzten Nachrichten waren so auf ihren Reisen zu den Empfängern vor Wind, Wetter und neugierigen Blicken geschützt. Auch dünnere Holzplättchen wurden im Briefverkehr verwendet. Sie wurden mit Tinte beschrieben und gefaltet versandt. Haben sich solche hölzernen Briefe dank förderlicher Bodenbedingungen bis heute erhalten, sind auf ihren Außenseiten oftmals Adressbeschriftungen zu entdecken. Eine der rund 60 im römischen *vicus Tasgetium* (Eschenz, CH) gefundenen Wachstafeln macht so auf ihrer Außenseite neben der üblichen Nennung von Absender und Empfänger auch eine Ortsangabe. Mit *Raurica* ist in diesem Falle mit einiger Sicherheit die rund 90 km westlich des *vicus Tasgetium* gelegene

154

römische Kolonie *Augusta Raurica* (Augst, CH) gemeint. Der Brief stammte demnach entweder aus der Kolonie am Rheinknie oder sollte aus dem *vicus* dorthin versandt werden. Die namentlich leider nicht genauer bekannten Korrespondierenden benutzten den Brief also, um trotz einer physischen Distanz von mehreren Tagesreisen in Kontakt zu bleiben.

Benjamin Hartmann

LIT
B. Hartmann, Die römischen Schreibtafeln (*tabulae ceratae*) aus Tasgetium/Eschenz. In: S. Benguerel u. a., TASGETIVM I. Das römische Eschenz (Frauenfeld 2011) 123–156.

Wachstafel, Weißtanne; Außentafel, vertiefte Innenseite, nicht vertiefte Außenseite, oben und unten gebrochen; B. 13,2 cm; H. 4,6 cm; T. 0,4 cm. Außenseite mit Aufschrift, 1,5–2 cm. FO: *vicus Tasgetium* (Eschenz, Kanton Thurgau, CH). AO: Amt für Archäologie Thurgau, Inv.-Nr.: 1997.015. 1027.1. Inschrift: ------ ?| C[...] Bar- | b(---) *Raurica* (Tab. Tasg. 1). 34–60 n. Chr.

Liebesgrüße aus Straßburg? –
Fragment eines Briefes mit Fundort Xanten

155

Fragment einer Wachs-
tafel, Weißtanne?;
B. 15,8 cm; H. 6,6 cm.
FO: Xanten, *Colonia
Ulpia Traiana*, aus dem
Umfeld des Hafentores,
Schnitt 76/18-77/15.
AO: LVR-Archäologi-
scher Park Xanten,
Fundnr.: C 16855m1.
Inschrift: *Grato Ânna
Argento(rate)*. Überset-
zung: „Dem Gratus hat
Anna (den Brief) aus
Straßburg (geschickt)".

Wachstafeln, die so genannten *tabulae ceratae,* waren rechteckige Holzplatten mit einem erhöhten Rand. Auf der vertieften Innenfläche war eine Wachsschicht aufgebracht, worauf man mit einem Schreibgriffel, dem *stilus,* Texte schreiben konnte. Eine Wachstafel bestand mindestens aus zwei Platten, manchmal aber auch aus ganz vielen Tafeln, die zusammengebunden waren und mittels einer Siegelschnur verschlossen werden konnten.

Bei diesem Fragment einer Wachstafel handelt es sich um eine der zwei Außentafeln. Auf der Außenseite ist eine Briefadresse eingeritzt. Empfänger ist ein gewisser Gratus, der von einer gewissen Anna diese Schreibtafel zugeschickt bekommen hat. Anna gibt in der Adresse an, dass sie sich zu diesem Zeitpunkt in Straßburg (*Argentorate*) aufgehalten hat.

Eine Post im heutigen Sinne gab es damals nicht. Briefe wurden Reisenden mitgeben, und diese übergaben sie dann am Ankunftsort dem Briefempfänger. Damit man wusste, wo sich der Absender aufhielt, wurde in manchen Fällen der Absendeort in der Adresse angegeben.

Ob es sich bei diesem Dokument einer „Fernbeziehung" etwa um einen Liebesbrief gehandelt hat, können wir heute nicht mehr feststellen, denn die Wachsschicht auf der Innenseite dieser Tafel ist nicht mehr erhalten, und damit ist auch der Text dieses Schreibens verloren gegangen.

Stephan Weiß-König

156

LIT
St. Weiß, Zwei Schreibtafeln aus dem Bereich der Colonia Ulpia Traiana/Xanten. In: Xantener Ber. 12 (Mainz 2002) 231–233.

Für immer fremd – Zwei gefesselte Barbaren aus Carnuntum

„…Mit aufgelösten Haaren wird auch Germania präsentiert, und sie sitzt trauernd zu Füßen des unbesiegten Feldherrn; mutig bietet sie den Nacken dem römischen Beil dar, trägt Ketten an der Hand, die vorher Waffen trug." Ovid, *Tristia* (4,2,43-46).

Die Römer bezeichneten alle Menschen, die keine griechisch-römische Bildung besaßen, als Barbaren. Ein Kuriosum, wenn man bedenkt, dass vor dem Aufstieg Roms die Römer selber von den Griechen βάρβαροι genannt wurden, da sie Latein sprachen. Das Wort bedeutet ursprünglich Stotterer: Es bezieht sich demnach auf die fremden Sprachen anderer Völker. Für den Schriftsteller Tacitus waren die Germanen Barbaren, weil sie beispielsweise durch ihre einfachen Wohnformen einen Gegensatz zur römischen Zivilisation bildeten.

Bei der Eroberung neuer Gebiete war es üblich, kriegsgefangene Barbaren in die Sklaverei zu verkaufen. Für diese „Beute" existiert eine festgesetzte Bildsprache, die sich wiederkehrender Motive bediente. Sowohl die antike Literatur als auch die Bildkunst sind von Topoi durchzogen, vorgeprägten Bildern, wie „die Barbaren" im Allgemeinen ausgesehen haben.

Die beiden in Carnuntum gefundenen Figürchen zeigen eindeutig Barbaren: So gilt das Knien und Hocken als Gestus barbarischer Unterwerfung. Zudem sind sie mit einem gedrehten Strick gefesselt und legen die Handflächen auf Kinnhöhe im Bittgestus aneinander. Das ungebändigte Haar und der animalische Gesichts-

ausdruck sind Bildformeln, die insbesondere für die Verkörperung der Gallier angewendet wurden.
Die unbärtige Bronzestatuette weist zwei Lochungen auf, die darauf hindeuten, dass die Figur als Schmuck eines Gerätes diente. Häufig finden vergleichbare Bildnisse im militärischen Bereich Verwendung, z. B. als Dekor von Pferdegeschirr. Zu der bärtigen Statuette findet sich ein Äquivalent in Köln, das der Bronze aus Carnuntum bis ins Detail gleicht. Die Figuren sind in derselben Werkstatt entstanden und wurden in der Antike offenbar weit verhandelt.

Gabriele Schmidhuber

157

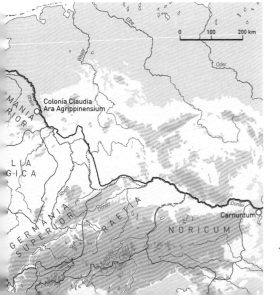

LIT
R. Fleischer, Die römischen Bronzen aus Österreich (Mainz 1967) 150 f. Nr. 202–203 Taf. 109.
F. Humer (Hrsg.), Marc Aurel und Carnuntum. Sonderausst. "100 Jahre Archäologisches Museum Carnuntinum". Kat. Carnuntum (St. Pölten 2004) 109 f. Nr. 19 u. 22.
K. R. Krier, Antike Germanenbilder (Wien 2004) 208 f. Kat. 275. 279, Taf. 35.

Zwei Figuren, Bronze; nackte, mit einem Strick gefesselte Barbaren; links: H. 4 cm. FO: Bad Deutsch-Altenburg. AO: Archäologisches Museum Carnuntinum, Inv.-Nr.: 12034. Rechts: H. 4,8 cm. FO: Carnuntum. AO: Archäologisches Museum Carnuntinum, Inv.-Nr.: 22600.

Bestattungen in Bauchlage aus Köln – „Fremde" in der *CCAA*?

Der nordwestliche Friedhof des römischen Köln um die heutige Kirche St. Gereon war offenbar nicht die beste Adresse, um sich bestatten zu lassen. Er wurde zwar schon seit dem Beginn des 1. Jahrhunderts n. Chr. genutzt, lag aber als einziger nicht an einer der Ausfallstraßen der Stadt und somit etwas abseits. Es verwundert daher nicht, dass sich gerade dort unter den mehr als 1600 Gräbern, die seit den 1920er Jahren dokumentiert wurden, überproportional viele „Sonderbestattungen" fanden. Darunter fallen alle diejenigen, die in irgendeiner Form vom üblichen Grabritus ihrer Zeit abweichen und die man deshalb gerne gesellschaftlichen Rand- und Sondergruppen wie Armen, Kranken, Verbrechern, Kriegsopfern oder in irgendeiner Form „Fremden" zuweisen möchte.

Zwischen September 2011 und April 2012 ergab sich nach längerer Zeit wieder die Gelegenheit zur Untersuchung größerer Ausschnitte dieses Gräberfeldes. Auf einer der Parzellen wurden dabei neben 14 Brandbestattungen 64 Körpergräber entdeckt. Fast alle Toten wurden auf dem Rücken liegend in Holzsärgen beerdigt, den Blick nach Osten gerichtet. Zusammen mit der nahezu völligen Abwesenheit von Grabbeigaben spricht dies für eine Datierung in das 4. Jahrhundert n. Chr. oder noch später.

Drei Körpergräber fallen allerdings in der Menge der „regulär" Bestatteten auf, denn die Toten liegen auf dem Bauch. Die Grabgruben wurden deutlich tiefer ausgehoben und sind willkürlich orientiert. Alle drei Gräber waren mit Gefäßbeigaben ausgestattet, die eine Datierung in die erste Hälfte des 2. Jahrhunderts n. Chr. erlauben. Diese „Sonderbestattungen" sind also mindestens 200 Jahre älter als die übrigen Körperbestattungen und lagen in einem zu dieser Zeit nur spärlich belegten Teil des Gräberfeldes.

Einen besonders auffälligen Gesamtbefund erbrachte Grab

159

138. Der Leichnam war auf dem Bauch liegend in einem Holzsarg bestattet worden, die Sohle der Grabgrube wies jedoch – absichtlich – ein starkes Gefälle auf. Dies hatte bereits kurz nach der Bestattung Folgen, denn der Körper rutschte innerhalb des Sarges nach vorne, womit sich die zusammengeschobene, gestauchte Lage des Skeletts erklärt. Trotzdem lag der Schädel am Ende immer noch gut einen Meter tiefer als die Füße. Neben dem Oberkörper lagen vier intakte Keramikgefäße. Im Bereich der Füße des Skeletts befand sich der Schädel eines etwa fünfzehnjährigen Pferdes, in der Beckengegend eine Keramikschale, gefüllt mit schwärzlich-humosem Sediment und Holzkohle.

Diese Anhäufung von Besonderheiten hat nur wenig mit den traditionell-römischen Bestat-

160

tungssitten gemein, ist aber gerade auf dem Gräberfeld um St. Gereon kein Einzelfall. Eine Körperbestattung war für sich genommen zu Beginn des 2. Jahrhunderts n. Chr. nichts Ungewöhnliches. Ein Skelett in Bauchlage in einer Grabgrube mit starkem Gefälle und beigegebenem Pferdekopf kann allerdings als Anhaltspunkt für die Anwesenheit nichtrömischer bzw. noch nicht romanisierter Bevölkerungsgruppen in der Stadt gewertet werden. Einige Personen wurden innerhalb eines begrenzten Zeitraumes nach einem einheitlichen, bewusst von der vorherrschenden Norm abweichenden Ritus begraben – und zwar in dieser Form ausschließlich auf dem Friedhof

nordwestlich der *Colonia Claudia Ara Agrippinensium (CCAA)*. Vielleicht weist die Kombination von Körperbestattung und Pferd auf eine gallische Herkunft des Bestatteten aus Grab 138 hin; weitere Untersuchungen zur Klärung dieser Frage laufen derzeit.

Martin Wieland

161

LIT
M. Riedel, Frühe römische Gräber in Köln. In: P. Fasold/Th. Fischer/H. von Hesberg/M. Witteyer (Hrsg.), Bestattungssitte und kulturelle Identität. Grabanlagen und Grabbeigaben der frühen römischen Kaiserzeit in Italien und den Nordwest-Provinzen. Xantener Ber. 7 (Köln 1998) 307–318.

Römische Tracht aus Südosteuropa im Rheinland –
Hinweis auf Migration?

162

Bei Ausgrabungen im *vicus Iuliacum*-Jülich wurde 2007 eine Fibel gefunden, die im gängigen Formenspektrum Niedergermaniens fehlt und sich von den aus dem Rheinland bekannten, deutlich kleineren Kniefibeln (Typ Jobst 13A) unterscheidet. Vielmehr deuten die Verzierungen auf der Kopfplatte und die Größe darauf hin, dass es sich um eine Fibel handelt, die hauptsächlich aus dem Gebiet der mittleren Donau bis an die Adria, d. h. in den römischen Provinzen Noricum und Pannonien bekannt ist.

Der geringe Wert und die Verbreitung der Fibel sprechen gegen einen Handel. Vermutlich gelangte sie an der Kleidung eines Reisenden oder eines Bewohners des *vicus Iuliacum* aus den Gebieten der heutigen Länder Österreich, Ungarn, Slowenien, Kroatien und Italien im 2. oder frühen 3. Jahrhundert n. Chr. in das Rheinland. Es ist von einem zufälligen Verlust auszugehen.

Ein vergleichbar unscheinbares Fundstück wurde 1991 im Bereich des Matronentempels in Xanten gefunden. Es handelt sich um einen kahnförmigen bronzenen Gürtelbeschlag. Parallelen hierzu fehlen im Rheinland – sind aber zahlreich aus den Provinzen Noricum und Pannonien bekannt. Sie sind Bestandteil der regionalen norisch-pannonischen Frauentracht, die über Funde aus Siedlungen und Grabinventaren sowie von Darstellungen auf Grabsteinen überliefert ist.

163

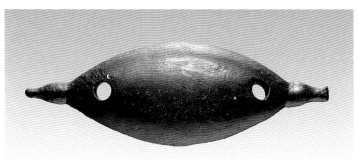

Die von den anderen Regionen durch besondere Fibeln und Kopfbedeckungen klar abzugrenzende Tracht kann innerhalb des Verbreitungsgebietes entlang der Donau noch detaillierter in einzelne Untergruppen differenziert werden. Generell sind die paarweise auf der Schulter getragenen sehr großen Fibeln sowie mit Bronzebeschlägen verzierte Gürtel als Erkennungsmerkmale zu

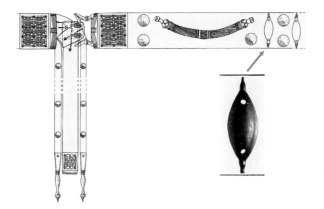

164

nennen. Zusätzliche Informationen erhält man über die detailreichen Darstellungen der Gewänder und vor allem der Kopfbedeckungen auf den Grabsteinen.

Diese regional spezifische und identitätsstiftende Tracht fehlt außerhalb der norisch-pannonischen Gebiete fast vollständig und ist im Rheinland folglich als direkter Hinweis auf die Anwesenheit einer Frau von dort zu werten, da der Handel solcher Objekte in eine Region ohne diese Trachtsitte ausgeschlossen werden kann.

Der Gürtelbeschlag wird in das 1. Jahrhundert n. Chr. datiert und stammt demnach aus der vorcoloniazeitlichen Phase Xantens, was einen funktionalen Zusammenhang mit dem Matronentempel ausschließt. Vielmehr ist der Fund im Kontext der Wohn- und Gewerbebebauung vor dem Tempelbau zu sehen. Er weist auf eine Bewohnerin Xantens aus dem norisch-pannonischen Raum hin, die vielleicht durch Heirat und/oder im Gefolge des römischen Militärs an den Niederrhein zog.

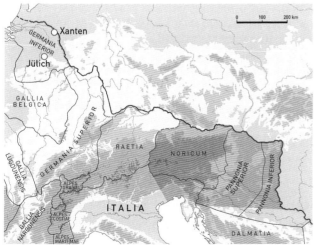

165

Peter Henrich

LIT

Th. Fischer, Eine Dame aus dem Ostalpenraum im römischen Xanten. Xantener Ber. 12 (Mainz 2002) 235–237.
P. Henrich/Th. Ibeling, Eine mitteldonauländische Fibel aus Jülich. Arch. Rheinland 2009, 115–116.
J. Garbsch, Die norisch-pannonische Frauentracht im 1. und 2. Jahrhundert. Münchener Beitr. Vor- u. Frühgesch. 11 (München 1965).
M. Buora, Fibule tipo Jobst 13b nel Friuli-Venezia Giulia. Quaderni Friulani di Archeologia 2, 1992, 117–124.
W. Jobst, Die römischen Fibeln aus Lauriacum. Forsch. Lauriacum 10 (Linz 1975).

Kniefibel mit rechteckiger Kopfplatte, längsgestelltem Nadelhalter und verjüngendem Fibelfuß, Bronze; Typ Jobst 13B der „Aquileia-Gruppe" mit nachträglich am Plattenrand modifizierter Kopfplatte; die Kopfplatte ist mit drei Reihen Kreisaugen und einer Linie aus Wolfszahnmuster versehen, die Rückseite des Nadelhalters ist ebenfalls mit Wolfzahnmuster verziert; L. 5,7 cm; B. Kopfplatte 4,35 cm. FO: Jülich. AO: Museum Zitadelle Jülich – Stadtgeschichtliches Museum, Inv.-Nr.: NW 2007-1031-128-010; 2./3. Jh. n. Chr.

Kahnförmiger Gürtelbeschlag, Bronze; der symmetrisch-spindelförmige Beschlag ist an den Schmalseiten gelocht und hat abgerundete, einfach profilierte Endknöpfe; L. 5,0 cm; B. 1,7 cm. FO: Xanten, *Colonia Ulpia Traiana*. AO: LVR-Archäologischer Park Xanten, Fund-Nr.: C 30020cu1; 1. Jh. n. Chr.

Die Weihung des Tychikos für Lenus Mars auf dem Martberg

Der Martberg, ein hoch über der mittleren Mosel gelegenes Plateau, war in spätkeltischer Zeit Sitz eines großen *oppidum* der *Treveri* mit umlaufender Befestigungsanlage und zentralörtlicher Funktion. Im Zentrum dieser stadtähnlichen Siedlung befand sich ein bedeutendes Heiligtum, das kontinuierlich von spätkeltischer bis in spätrömische Zeit aufgesucht wurde – noch Jahrhunderte nachdem die zugehörige Siedlung aufgegeben bzw. ins verkehrsgünstigere Tal nach Karden/*Cardena* verlegt worden war.

Anlass zur Erforschung des Martbergs war ein 1876 gefundenes Sandsteinkapitell mit zweisprachiger Inschrift in Griechisch und Latein, die – in Versen abgefasst – als sprachliches Meisterwerk gilt. Es handelt sich um ein Dankgeschenk an Lenus Mars, das ein Mann namens Tychikos nach seiner Genesung von einer schweren Krankheit hat aufstellen lassen (zitiert nach P. Dräger):

ΣΩΜΑΤΟΣ ΕΝ ΚΑΜΑΤΟΙΣ

ΜΟΓΕΡΟΙΣ ΨΥΧΗΣ ΤΕ ΠΟΝΟΙΣΙΝ

In des Körpers Leiden, den mühsamen, und der Seele Drangsalen

[COR]PORIS ADQVE ANIMI DIROS

SVFFERRE LABORES

Des Körpers und der Seele grausige Schmerzen (zu) ertragen

ΑΧΡΙ ΤΑΝΗΛΕΓΕΟΣ ΘΑΝΑ

ΤΟΥ ΤΥΧΙΚΟΣ ΠΟΤΕ ΚΑΜΝΩΝ

bis zum starkschmerzenden Tod einst leidend, <hat> Tychikos,

DVM NEQVEO MORTIS PRO

PE LIMINA SAEPE VAGANDO

während ich <das> nicht vermag, nah an des Todes(gottes) Schwellen oft schweifend,

ΕΥΞΑΜΕΝΟΣ ΛΗΝΩ ΠΡΟΦΥ

ΤΕΙΝ ΧΑΛΕΠ' ΑΛΤΕΑ ΝΟΥΣΩΝ

gebetet habend zu Lenos, (um) zu entfliehen den lästigen Schmerzen der Krankheiten,

SERVATVS TYCHICVS DIVINO

MARTIS AMORE

<weihe,> gerettet, <ich,> Tychicus, durch des Mars göttliche Liebe

ΑΡΗΙ ΚΡΑΤΕΡΩ ΔΩΡΟΝ

ΤΟΔΕ ΘΗΚΕ ΣΑΩΘΕΙΣ

Ares, dem mächtigen, eine Gabe, <und zwar> diese, aufgestellt – gesundet!

HOC MVNVS PARVOM PR[ ]

MAGNA DEDICO CVRA

dieses Geschenk <so> klein für große […] Sorge.

Neuere Grabungen im Heiligtum und der Siedlung erbrachten im Jahr 2002 drei Fragmente einer hohlen Halbkugel aus Sandstein. Auf einem Stück fanden sich innen eingeritzte Linien, die noch Farbspuren trugen. Die Neufunde entpuppten sich als Teile einer Sonnenuhr.

Kapitell, Sandstein; H. 12 cm, gesamt 26 cm; B. 36 bzw. 31 cm; Buchstabenhöhe 1,2–2 cm. FO: Martberg. AO: LVR-Landes-Museum Bonn, Inv.-Nr. 3659.

Sonnenuhr, 3 Fragmente, feiner graugrüner Sandstein, 45% vollständig (vom vollen Kreis); schüsselförmig mit 3,2 cm breitem kantigem Rand, außen mit dreifach getreppter Profilleiste; großes Stück mit Rillen auf der Innenseite (mit roten Farbresten), teilweise abgenutzt; Dm. 38,0 cm, D. min 1,1 cm, max. 4,0 cm. FO: Martberg. AO: Generaldirektion Kulturelles Erbe, Abteilung Landesarchäologie, Außenstelle Koblenz, Inv.-Nr.: 99.1/9.15.5.1.

Deren Datums- und Stundenlinien entsprechen mit ungewöhnlicher Präzision der Ortsbreite des Martbergs und lassen auf eine enorme astronomische Fachkenntnis schließen. Im Zuge dieser Untersuchungen stellte Karlheinz Schaldach fest, dass der Eisenstab in der runden Vertiefung des zylindrischen Aufsatzes über dem bekannten Kapitell der Gnomon (Zeiger) der neugefundenen Sonnenuhr ist und diese somit zu dem Altfund von 1876 gehört!

Der Sandstein der Sonnenuhr ist zwar etwas dunkler und grünlicher als der des Kapitells, allerdings erklärt sich dieser Farbunterschied durch die Lagerungsbedingungen; ein direkter Vergleich zeigte große Ähnlichkeiten in der Struktur beider Gesteine, sodass die Zusammengehörigkeit und ihre Herstellung aus einem Stück zweifelsfrei sind.

Schaldach vermutete aufgrund der technischen Perfektion einen Architekten als Konstrukteur der Sonnenuhr. Ob dieser allerdings gleichzeitig auch der Auftraggeber des Weihegeschenks war, bleibt ebenso unbekannt wie die mysteriöse Krankheit, von der Tychikos geheilt wurde. Dessen Herkunft ist im Osten des Imperiums zu vermuten, wo Griechisch die Verwaltungssprache war. Es könnte sich bei Tychikos um einen in Trier ansässigen Gelehrten oder Hauslehrer handeln oder aber um jemanden mit militärischem Hintergrund. So sind etwa im Kölner Raum viele Personen griechischen Namens bezeugt, was mit verstärkter Rekrutierung von Führungskräften aus den östlichen Reichsgebieten Anfang des 3. Jahrhunderts n. Chr. zusammenhängt. Tychikos war sicher auf dem Martberg ein Fremder, als er die ungewöhnliche Weihung in Auftrag gab oder anfertigte – die dort verehrte treverische (Stammes-?) Gottheit Lenus Mars war ihm aber offenbar wohlbekannt. Zugleich ist die Inschrift einer der wenigen konkreten Hinweise auf eine „Heilfunktion" des Heiligtums überhaupt.

Claudia Nickel

166 Vierseitig beschriebenes Kapitell vom Martberg aus der Grabung 1876.

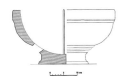

167 Fragmente der Sonnenuhr und Rekonstruktion aus der Grabung 2002.

LIT
CIL XIII 7661 = IG XIV 2562 = ILS 4569 = CLE 850 = HD060993; C. Nickel/M. Thoma/D. Wigg-Wolf, Martberg – Heiligtum und Oppidum der Treverer. Band 1: Der Kultbezirk. Die Grabungen 1994–2004. Ber. Arch. Mittelrhein u. Mosel 14 (Koblenz 2008); P. Dräger, Homer und Lukrez an der Mosel oder: Die Furcht vor dem Dativ? Eine griechisch-lateinische Weihinschrift an den keltischen Gott Lenus Mars. Göttinger Forum Altertumswissensch. 7, 2004, 185–201; K. Schaldach, Eine Sonnenuhr und ihr Postament: zwei Funde vom römischen Heiligtum auf dem Martberg (Lkr. Cochem-Zell). Arch. Korrespondenzbl. 42, 2012, 543–553.

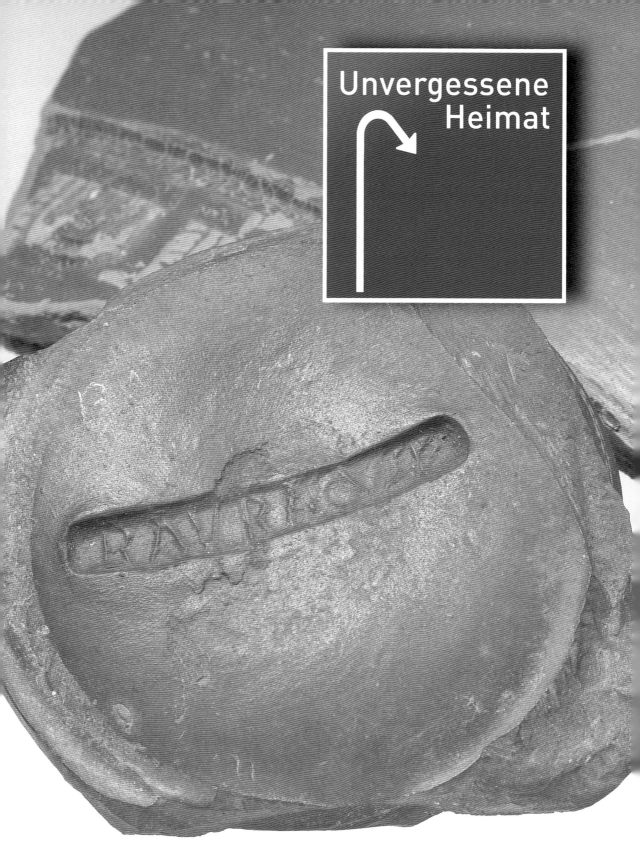

Unvergessene
Heimat

Gestempelte römische Tafelkeramik des RAVRACVS

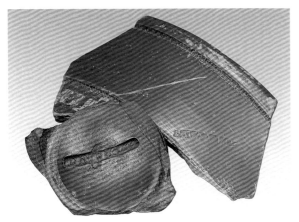

169

Ein indirekter epigraphischer Hinweis für die Einwanderung ins östliche Raetien liegt bei dem Personennamen Rauracus vor. Dieser Name ist als Stempel in der raetischen Terra Sigillata-Manufaktur von Westerndorf in Südbayern auf insgesamt 16 Gefäßen, die nicht mehr in den Verkauf kamen, belegt. Rauracus, der Rauraker, verweist auf den keltischen Stamm der Rauraker (lat. *Raurici*, *Rauraci*), die ursprünglich das Gebiet des südlichen Oberrheins be-

Bodenscherbe eines Bechers Drag. 33 mit Stempel „RAVRACVS F", Keramik (Terra Sigillata); BDm. 4,1 cm; überfeuerter Fehlbrand, Provenienz Westerndorf; Streitberg 1973, Abb. 5/36. FO: Westerndorf St. Peter. AO: Archäologische Staatssammlung München, Inv.-Nr.: AS 1961,1001. Ende 2./ Anfang 3. Jh. n. Chr.

Randscherbe einer Reliefschüssel Drag. 37 des Comitialis mit Randstempel RAVRACVS F, Keramik (Terra Sigillata); RDm. 20 cm; unterfeuerter Fehlbrand, Provenienz Westerndorf; Eierstab Kellner 1981 E2. FO: Westerndorf St. Peter. AO: Archäologische Staatssammlung München, Inv.-Nr.: AS 1979,1753. Ende 2./ Anfang 3. Jh. n. Chr.

siedelten und erst im letzten Jahrzehnt des 1. Jahrhunderts v. Chr. nach *Augusta Raurica* (das heutige Augst, CH) übersiedelten. Der in der Töpferei von Westerndorf belegte Rauracus könnte daher aus *Augusta Raurica* in der Germania Superior stammen und aus beruflichen Gründen nach Westerndorf übergesiedelt sein. Rauracus produzierte hier vorwiegend Teller und Becher, die er auch mit seinem Namen RAVRACVS F(ecit), „Rauracus hat es gemacht", signierte. Außerdem formte er die Reliefschüsseln des Großproduzenten Comitialis aus, wobei er die Ränder andrehte und sie manchmal mit seinem Namen versah. Bislang konnten an den Gefäßen aus Westerndorf drei unterschiedliche Stempeltypen des Rauracus festgestellt werden, die einen sehr ähnlichen Schriftduktus aufweisen. In diesem Zusammenhang bleibt die Frage offen, ob ein einziger oder mehrere Töpfer dahinter stehen. Die Produktionszeit des Rauracus lässt sich nicht näher als vom Ende des 2. bis ins 3. Jahrhundert n. Chr. eingrenzen. Seine Produkte wurden im Donauraum weit gehandelt – so ist zum Beispiel ein Gefäß in Budapest (*Aquincum*) in der Pannonia Inferior belegt.

Silvia Radbauer

170

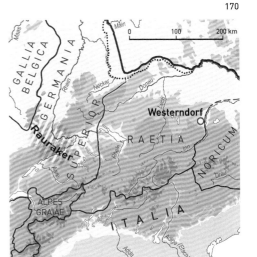

LIT
D. Gabler/A. Márton/E. Gauthier, La circulation des sigillées en Pannonie d'après les estampilles sur sigillées lisses de Gaule, de Germanie et de la Région danubienne. Rev. Arch. Est 58, 2009, 205–324.
H.-J. Kellner, Zur Sigillata-Töpferei von Westerndorf I. Bayer. Vorgeschbl. 26, 1961, 165–203.
G. Streitberg, Namenstempel und Stempelmarken Westerndorfer Sigillatatöpfer. Bayer. Vorgeschbl. 38, 1973, 132–153.

Heimweh nach dem Legionslager

171

Dieses Schreibtäfelchen wurde im Schutthügel des Legionslagers *Vindonissa* (Windisch) gefunden. Auf seiner Innenseite blieben die bis in das weiche Holz eingetieften Schriftzeichen erhalten. Durch die Löcher in der unteren Kante des Holztäfelchens und entlang der Rille auf der Rückseite verlief eine Schnur, mit welcher weitere Tafeln befestigt worden waren. Der Brief war also ursprünglich mehrseitig.

Die abschließende Grußformel zeigt, dass es sich um das Ende eines Briefes handelt. Der Absender des Schreibens ist ein beurlaubter Soldat. Er erkundigt sich bei seinem Kameraden nach Neuigkeiten aus dem Legionslager. Dabei interessiert ihn freilich besonders seine Kohorte – also jene Untereinheit der Legion, welcher er selbst angehörte.

172

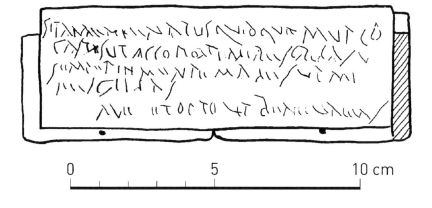

Die starke Bindung des Soldaten zum Lager, der Legion und seinen Waffengefährten erklärt sich gewiss durch die lange Dienstdauer im römischen Militär; für ein Vierteljahrhundert ist ihm das Lager ein Zuhause. Während dieser Zeit gründeten nicht wenige Soldaten eigene Familien, welche in unmittelbarer Nähe des Lagers in einem zivilen Lagerdorf (*vicus/canabae*

legionis) lebten – dies ungeachtet des offiziellen Heiratsverbotes für Soldaten während ihres aktiven Dienstes. Ein straff strukturierter Tagesablauf, das Zusammenleben in der Zelt- oder Barackengemeinschaft (*contubernium*) und die gemeinsame lateinische Sprache verbanden die Männer ungeachtet ihrer Herkunft. Prägend war auch die Identifikation mit ihrer Legion und ihrer Kohorte.

Urlaub stand den Legionären vermutlich einmal im Jahr zu, konnte aber bei Dienstvergehen gestrichen werden. Da die Soldaten aus den unterschiedlichsten Teilen des Imperiums stammten, ist anzunehmen, dass

173

nicht wenige den Urlaub nutzten, um zurück in die Heimat zu ihren Angehörigen zu reisen. Bei Fundgegenständen aus fernen Provinzen, welche in Legionslagern gefunden werden, dürfte es sich zum Teil auch um Souvenirs aus der Heimat handeln.

Interessant am vorliegenden Brief bleibt, dass dem Soldaten offensichtlich nebst seiner eigentlichen Herkunft über die Jahre das Lager zur zweiten Heimat wurde.

Annina Wyss Schildknecht

LIT

M. A. Speidel, Die römischen Schreibtafeln von Vindonissa. Veröff. Ges. Pro Vindonissa 12 (Brugg 1996) 178 f. Nr. 40.

M. Hartmann/M. A. Speidel, Die Hilfstruppen des Windischer Heeresverbandes: zur Besatzungsgeschichte von Vindonissa im 1. Jahrhundert n. Chr. Jahresber. Ges. Pro Vindonissa 1991, 31 Nr. 29.

Schreibtafel, Holz; B. 13,5 cm; H. 4,5 cm. FO: Windisch (Kanton Aargau, CH). AO: Vindonissa-Museum, Brugg (CH), Inv.-Nr. 43:194. Inschrift: ... *si tandem feriatus, quidquam vaco | castris. Ut a{c} cohorte mi rescribas, u[t] semper in mentem (h)abes, ut mi | rescribas.| Ave, et opto | ut bene valeas.*
Übersetzung: „....endlich beurlaubt, bin ich vom Lagerleben in jeder Hinsicht befreit. Schreibe mir doch bitte von der Kohorte, wie du (überhaupt) stets daran denken sollst, mir zu schreiben. Lebe wohl und ich wünsche, es möge dir gut gehen". 30–70 n. Chr.

174

Weitmundiger Topf mit
einziehender Mündung,
ausbiegendem, innen
leicht gekehlten Rand
und dreieckig verdick-
ter Lippe (Var. Norische
Ware), tongrundige
Keramik; RDm.
22,4 cm; H. 19,4 cm;
BDm. 13,2 cm. Im
Schulterbereich umlau-
fende Leiste und vor
dem Brand eingeritzes
Graffito ACISIVS; auf
dem inneren Rand 5
parallele Linien. – Der
Topf wurde als Urne in
einem Brandschüt-
tungsgrab verwendet,
das übrige Grabinven-
tar umfasse ein Eisen-
nagelfragment und
weitere Gefäßkeramik.
FO: Oberpeiching,
Grab 156. AO: Archäo-
logisches Museum
Donauwörth, Fundnr.:
149182–149188.
Ende 1./1. Hälfte
2. Jh. n. Chr.

Ein geheimnisvoller Topf –
Die Acisius-Urne aus Oberpeiching

Bei dem einfachen Topf aus dem römischen Gräberfeld von Oberpeiching handelt es sich um eine charakteristische Gefäßform der sogenannten norischen Ware, die in der römischen Provinz Noricum und im westlichen Pannonien benutzt wurde. Derartiges Geschirr für den täglichen Gebrauch wurde üblicherweise in lokalen Töpfereien für den Bedarf vor Ort produziert und gelangte nicht in den überregionalen Handel. Umso erstaunlicher mutet der Topf in einem römischen Gräberfeld des bayerischen Alpenvorlandes an, weit westlich seines eigentlichen Verbreitungsraumes. Er diente hier als Urne in einem bescheiden ausgestatteten Grab.

Vor dem Brennen des Gefäßes war das Graffito ACISIVS in den Ton geritzt worden – ein Name, der im 1. Jahrhundert n. Chr. für Herstellerstempel sowohl auf Reibschalen als auch auf sogenannten helvetischen Terra Sigillata-Imitationen belegt ist. Wer war nun aber der auf diesem norischen Topf genannte Acisius: Ein norisch-pannonischer Töpfer, der seine Erzeugnisse signierte, oder aber ein Mann aus Raetien – vielleicht Soldat einer raetischen Hilfstruppeneinheit –, der im östlichen Donauraum verstarb und dessen Asche in dieser Urne zur Bestattung nach Oberpeiching überführt wurde?

Ob nun der Topf im norisch-pannonischen Gebiet direkt als Urne erworben wurde, um die Asche eines gewissen Acisius in dessen raetische Heimat zu transportieren, oder ob er als Haushaltsgeschirr mit seinem lebenden Besitzer nach Oberpeiching gelangt war, und dann als Urne zweitverwendet wurde: Fest steht, dass die darin bestattete Person Kontakte in die östlichen Donauprovinzen besaß.

Maike Sieler

LIT
M. Carroll, Dead soldiers on the move. Transporting bodies and commemorating men at home and abroad. Limes XX. Roman Frontier Studies (Madrid 2009) 823–831.
W. Czysz, Der Tod im Topf. Ausgrabungen im römischen
Gräberfeld von Oberpeiching bei Rain am Lech. (Friedberg 1999).
B. Seeberger, Das römische Gräberfeld von Oberpeiching. Diss. Univ. München (in Bearb.).

175

Syrische Kaufleute am Niederrhein?

In Krefeld-Gellep, dem antiken Gelduba, wurden drei außergewöhnliche Graffiti mit aramäischen Schriftzeichen gefunden. Zwar waren die Graffiti, wie in römischen Militärlagern üblich, auf Terra Sigillata (roter Glanztonkeramik) angebracht, jedoch in einem Fall an einer ungewöhnlichen Stelle, nämlich auf dem Kopf stehend unter dem Rand auf der Außenseite, und in wenigstens zwei Fällen auf ungewöhnlichen Gefäßformen, nämlich einer Bilderschüssel und einer Reibschale. Soldateninschriften sind dagegen in der Regel auf den Unterseiten glatter Teller und Tassen zu finden. Nach der Lesung von Andreas Luther scheint in allen drei Fällen der gleiche Name genannt zu sein, wenngleich die Stücke unterschiedlich alt sind und von verschiedenen Stellen stammen. Gemeinsam ist ihnen nur, dass sie außerhalb der Mauern des Kastells gefunden wurden. Die Namensgleichheit muss indes nicht allzu viel besagen, denn der Name Barsemias war anscheinend im alten Syrien außerordentlich verbreitet. Auch steht der Name in einem Fall, der ältesten Scherbe aus der Zeit um 100 n. Chr., an erster Stelle, auf der zweiten jedoch an zweiter Stelle, sodass er sich hier nicht unmittelbar auf die ritzende Person bezieht, sondern auf deren Vater, wie dies bei Namensangaben im Orient allgemein üblich war.

Andreas Luther konnte zudem herausarbeiten, dass die Herkunft der Schreiber weiter einzugrenzen ist: Die spezielle Schreibweise scheint für eine bestimmte Landschaft in Nordsyrien, nämlich Osrhoene, kennzeichnend gewesen zu sein. Handelte es sich bei den Schreibern vielleicht um Händler, die regelmäßig bestimmte Waren, darunter vielleicht auch blonde Sklaven, an der germanischen Grenze eingekauft haben?

Christoph Reichmann

LIT

A. Luther, Osrhoener am Niederrhein. Drei altsyrische Graffiti aus Krefeld-Gellep (und andere frühe altsyrische Schriftzeugnisse). In: Marburger Beitr. Ant. Handelsgesch. 27, 2009, 11–30.
H. P. Roschinski, Eine Gefäßscherbe mit aramäischen Namen aus Krefeld-Gellep. In: Epigr. Stud. 13, 1983, 79–86.

177

Drei Keramikfragmente mit aramäischen Graffiti:

Reliefschüssel Drag. 37, Terra Sigillata; B. 6,1 cm; H. 5,8 cm. FO: Krefeld-Gellep. AO: LVR-LandesMuseum Bonn; Inv.-Nr.: D 1292. Inschrift: *BARSMY* | *BRLH'*. Übersetzung: „Barsemias, (Sohn des) Barlaha". 2. Jh. n. Chr.

Reibschale Drag. 45, Terra Sigillata; RDm. 26,5 cm; BDm. 11,0 cm. FO: Krefeld-Gellep. AO: Museum Burg Linn, Krefeld; Inv.-Nr.: 4048,1. Inschrift: *BR...N* | *BARSMY*. Übersetzung: „B...., (Sohn des) Barsemias". Mitte 3. Jh. n. Chr.

Gefäßboden (Teller Drag. 18/31?), Terra Sigillata; BDm. 9,2 cm. FO: Krefeld-Gellep. AO: Museum Burg Linn, Krefeld; Inv.-Nr.: G 1 I/22 Inschrift: *BARSM[Y']*. Übersetzung: „Barsemias ...". 2. Jh. n. Chr.

Ein Helvetier unter Spaniern

Durch Tapferkeit wollte er sich hervortun und der Nachwelt in Erinnerung bleiben. Diesbezüglich erwies sich der Grabstein des Kavalleristen Rufus als gute Investition. Unter einem Muschelgewölbe, einem Symbol sich ständig erneuernden Lebens, zeigt das Relief den Reiter in Kampfpose: im gestreckten Galopp reitet er dem Feind entgegen, in der Rechten die Lanze zum Stoß ansetzend, mit der schildbewehrten Linken die Zügel entschlossen führend. Die Proportionen sind dem Steinmetzen allerdings misslungen: Auch wenn bekannt ist, dass römische Militärpferde meist kleiner waren als heutige Reitpferde, ist das Pferd hier eindeutig zu klein geraten. Aber es kam ja auf den Reiter an:

Rufus Coutus/vati f(ilius) natio(ne) (H)elvetius / eques ala(e) (H)ispanae / sti(pendiorum) XIIX an(n)o(rum) XXXVI / her(es) p(osuit) h(ic) s(itus) e(st)

„Rufus, Sohn des Coutusvatus, von Geburt Helvetier, (einfacher) Reiter des hispanischen Reiterregiments, an Dienstjahren 18, an Lebensjahren 36. Der Erbe hat den Grabstein setzen lassen. Hier liegt er begraben.“

178

179

Rufus trug bereits einen geläufigen lateinischen Namen, sein Vater hingegen noch einen keltischen. Rekruten barbarischer Herkunft mit – für Lateiner – unaussprechlichen Namen wurden aus Gründen der Dienstpraxis bisweilen mit einem lateinischen „Allerweltsnamen" umbenannt. Manchmal übersetzte man die Bedeutung des fremdsprachlichen Namens oder benannte den Mann nach faktischen oder erwünschten Eigenschaften. Rufus („Rotschopf") könnte auf die Haarfarbe anspielen. Die Erwähnung der gebürtigen Herkunft – hier als Helvetier – war auf den Denkmälern von Hilfstruppensoldaten der frühen Kaiserzeit üblich. Das lag in beiderseitigem Interesse, denn aus der Perspektive der römischen Machthaber zeigte dies die „internationale" Verankerung ihrer Herrschaft, umgekehrt aber blieb dem Individuum Raum zur Darstellung seiner Identität. Im Falle des Rufus könnte die Nennung seiner helvetischen Heimat aber noch einen besonderen Grund gehabt haben: Er diente in einer Einheit, die ihrem Namen nach ursprünglich für das Einsatzgebiet Hispanien und vermutlich hauptsächlich aus Bewohnern der Iberischen Halbinsel ausgehoben worden war. Möglicherweise bestand die Truppe zu seiner Zeit noch weitgehend aus Hispaniern. Das Denkmal belegt, dass sich die Rekrutierungspraxis pragmatisch den Bedürfnissen und Möglichkeiten des Einsatzgebietes anpasste. Das galt auch für Einheiten, die ein Ethnikon im Namen führten; es ist umstritten, ob die hier genannte *ala Hispana* mit der zur gleichen Zeit in Inschriften aus Trier, Mainz und Worms bezeugten *ala I Hispanorum* identisch ist oder nicht. In flavischer Zeit wurde die Truppe in den Donauraum verlegt.

Der Disproportion der Reiterdarstellung entspricht die Nonchalance, mit der die an sich sorgfältig ausgearbeiteten Buchstaben über den Rahmen der Inschrift hinaus eingemeißelt wurden. Sie zeigen, dass die lateinische Sprache wohl noch nicht Allgemeingut war, denn es wurde ohne Rücksicht auf optische Hindernisse ausgeschrieben, was man später selbstverständlich abgekürzt: Der Rang als einfacher Reiter, *eq(ues)*, der Truppenname *Hisp(aniae* bzw. *-anorum)*, ja selbst die Stammeszugehörigkeit *Helv(etius)*. Umgekehrt sind die erbrechtlich relevanten Formeln schon juristisch gekonnt abgekürzt. Den Ausdruck kriegerischer Kühnheit im Reliefbild ergänzt der Subtext der Inschrift also um eine andere Qualität des Verstorbenen, nämlich Lateinkenntnis, Bildung und damit vorbildliche Integrationsbereitschaft in die römische Gesellschaft. Äußerlich vermittelt dies auch die Gesamtansicht des Grabsteins, dessen Architekturrahmen einen damals modernen Grabbau hellenistischer Prägung en miniature wiedergibt.

Markus Scholz

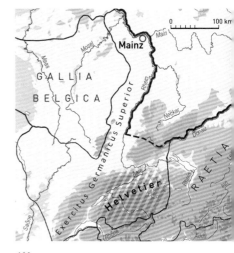

180

Grabstein des Reitersoldaten Rufus, Kalkstein; H. 146 cm; B. 60 cm; T. 23 cm. FO: Mainz, im Jahr 1731 („vor dem Gauthore", dem römischen Friedhof von Zahlbach zuzuordnen). AO: Reiss-Engelhorn-Museen Mannheim (seit 1766), Inv.-Nr.: Haug 41; Zeit des Kaisers Tiberius (14–31 n. Chr.).

LIT
CIL XIII 7026; W. Boppert, Militärische Grabdenkmäler aus Mainz und Umgebung. CSIR Deutschland II 5 (Mainz 1992) 126–128 Nr. 27.
J. E. H. Spaul, Ala². The auxiliary cavalry units of the prediocletianic imperial Roman army (Andover 1994) 144–146 Nr. 49 (danach identisch mit der *ala I Hispanorum*).

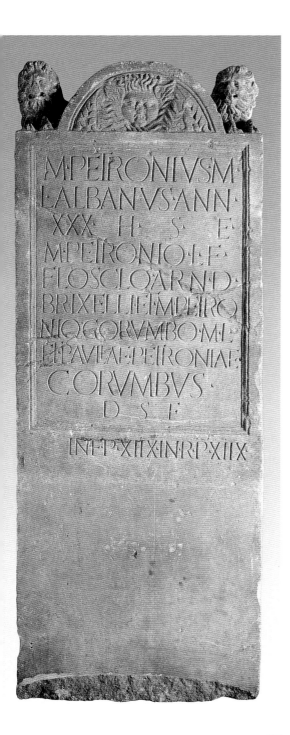

Ein italischer Unternehmer am Rhein –
M. Petronius Flosclus

Während der Regierungszeit des Kaisers Augustus wurden starke römische Truppenverbände an Niederrhein und Lippe stationiert. Zusätzlich entwickelten sich größere zivile Niederlassungen wie das *oppidum Ubiorum* (Köln). In den Jahren um Christi Geburt stieg die Einwohnerzahl in der niederrheinischen Region schlagartig und die wirtschaftliche Entwicklung kam schnell in Gang. Dies begünstigte wiederum die Zuwanderung von Personengruppen, die an dem ökonomischen Boom teilhaben wollten. Unter ihnen befand sich auch M. Petronius Flosclus. Sein vollständiger Name und seine Herkunft sind auf einem Grabstein überliefert, der im 1. Jahrhundert n. Chr. für seinen mit 30 Jahren verstorbenen Freigelassen Albanus aufgestellt wurde.

M(arcus) Petronius M(arci) / l(ibertus) Albanus ann(orum) / XXX h(ic) s(itus) e(st) / M(arco) Petronio L(uci) f(ilio) / Flosclo Arn(iensi tribu) d(omo) / Brixelli et M(arco) Petro/nio Corumbo M(arci) l(iberto) / et Paullae Petroniae / Corumbus / d(e) s(uo) f(ecit) / In f(ronte) p(edes) XIIX in r(etro) p(edes) XIIX

„Marcus Petronius Albanus, Freigelassener des Marcus, 30 Jahre alt, liegt hier begraben. (Für sich), Marcus Petronius Corumbus, Freigelassener des Marcus, und für (den Patron) Marcus Petronius Flosclus, Sohn des Lucius, eingeschrieben in die Tribus Arniensis, aus der Stadt Brixellum, und für Paulla Petronia hat Corumbus (den Gedenkstein) auf eigene Kosten aufstellen lassen.
(Das Grabareal ist) 18 Fuß breit und 18 Fuß tief."

Als der *libertus* Albanus in Köln starb, lebte dessen Patron M. Petronius Flosclus noch. Die *tria nomina* weisen Flosclus als römischen Bürger aus. Wie uns der Grabstein durch den Zusatz *d(omo) Brixelli* wissen lässt, hatte Flosclus offensichtlich seine oberitalische Heimat – die am Ufer des Po gelegene römische Stadt Brixellum (heute Brescello) – verlassen, um schließlich in Köln zu leben. Die Grabinschrift schweigt leider darüber, welchen Beruf Flosclus ausübte. Dieser lässt sich aber mit Hilfe einiger an Rhein und Lippe gefundener Sigillata-Teller und Terra Nigra-Schalen erschließen. Wie die Beispiele aus den Römerlagern Haltern und Anreppen zeigen, tragen sie auf der

181

Innenseite einen Töpferstempel mit der Buchstabengruppe „P.FLOS.". Nach Gegenüberstellung verschiedener Lesarten spricht vieles dafür, dass diese Initialen den auf dem Grabstein

182   **183**

Grabstein des M. Petronius Albanus, Kalkstein; H.: 204 cm; B.: 81 cm; T.: 15 cm. FO: Köln, Bonner Straße/Ecke Brühler Straße, auf der sogenannten Arnoldshöhe. AO: LVR-LandesMuseum Bonn, Inv.-Nr.: 3114/45; 1. Hälfte 1. Jh. n. Chr.

Zwei Terra Sigillata-Teller des M. Petronius Flosclus, Keramik; Kreisstempel P.FLOS. FO: Delbrück-Anreppen. AO: LWL-Archäologie für Westfalen, Münster, Inv.-Nr.: An 90.064/a7; An 95.157/a2.

Terra Nigra-Schale des M. Petronius Flosclus, Keramik ; Kreisstempel P.FLOS. FO: Haltern am See. AO: LWL-Römermuseum Haltern, Inv.-Nr.: Ha 56 Gr. 276.

überlieferten M. Petronius Flosclus nennen. Flosclus war demnach italischer Geschäftsmann, der sich mit seiner *familia* in Köln, dem neu gegründeten Zentralort der Ubier, niederließ, um hier unternehmerisch tätig zu werden. In diesem Rahmen ließ Flosclus das oben genannte Speisegeschirr herstellen und zwar – nach Aussage chemischer Analysen – in einer Töpferei in Haltern, aber auch in Köln selbst. Von Haltern aus ging eine größere Lieferung an Teller und Schalen in das Römerlager Delbrück-Anreppen. Tiberius hatte dort im Jahr 4 n. Chr. im Rahmen seines Feldzuges nach Germanien ein 23 ha großes Versorgungslager erbauen lassen, das Platz für etwa 5000 Soldaten bot. Spätestens 9 n. Chr. wurde das Militärlager aufgegeben. Flosclus muss also schon im Jahr 4 n. Chr. im niederrheinisch-germanischen Raum tätig gewesen sein.

Dass Flosclus eigenhändig töpferte, ist unwahrscheinlich. Vielmehr wird er, wie die Qualität seiner Keramikprodukte zeigt, erfahrene Töpfer für bestimmte Aufträge am jeweiligen Produktionsort beschäftigt haben. Die Produktion von Terra Sigillata dürfte für M. Petronius Flosclus nur eine Sparte gewesen sein, mit der er geschäftlich an der Heeresversorgung beteiligt war. In welchem Umfang er auch an der in Halterner Töpfereien durchgeführten Serienfabrikation sonstiger Gebrauchskeramik beteiligt war, lässt sich leider weder mit archäologischen noch mit naturwissenschaftlichen Methoden feststellen. Auch ob Flosclus persönlich in Haltern weilte, wissen wir nicht. Es könnte aber durchaus sein, dass er unmittelbar vor Ort mit Verantwortlichen des Militärs verhandelte und schließlich den Zuschlag für einen größeren Produktionsauftrag bekam.

Bettina Tremmel

LIT
A. Kakoschke, M. Petronius Flosclus – Ein italischer Unternehmer aus dem römischen Köln? Münstersche Beitr. ant. Handelsgesch. 25, 2006, 1–10.
B. Tremmel, Feinkeramik des M. Petronius Flosclus aus dem spätaugusteischen Militärlager Anreppen. In: B. Liesen (Hrsg.), Terra Sigillata in den germanischen Provinzen. Koll. Xanten, 13.-14. November 2008. Xantener Ber. 20 (Mainz 2011) 33–43.
S. Biegert/S. von Schnurbein, Neue Untersuchungen zum Sigillatastempel P.FLOS. In B. Liesen/U. Brandl (Hrsg.), Römische Keramik – Herstellung und Handel. Xantener Ber. 13 (Mainz 2003) 1–5.

Fragment eines Militärdiploms aus dem Jahr 98 n. Chr.

Fragment eines Militär-
diploms, Bronze;
H. 12,85 cm; B. 9,8 cm;
D. 1–1,5 mm.
FO: Elst-Lijnden (NL);
AO: Museum Het Valk-
hof, Nijmegen (NL),
Inv.-Nr.: 1992.1.1.

Das Militärdiplom bestand ursprünglich aus zwei Tafeln, die vermutlich 16,6 cm x 15,6 cm groß und an einer der Längsseiten durch Ringe verbunden waren. Auf den beiden Innenseiten war ein Text eingraviert, der einem in Rom herausgegebenen kaiserlichen Erlass wiedergibt. Das Dokument beglaubigt, dass einem ehemaligen Soldaten der Hilfstruppen das Bürgerrecht verliehen wurde sowie das Recht auf eine gesetzlich anerkannte Ehe. Die zwei aufeinander gelegten Tafeln waren versiegelt. Die Urkunde war auf der Außenseite der zweiten Tafel von sieben Zeugen beglaubigt. Vorne auf der ersten Tafel war der Text wiederholt, so dass trotz der Versiegelung das Dokument jederzeit gelesen werden konnte.

Erhalten blieb der größte Teil der ersten Tafel. Mit Ausnahme einiger Namen kann der Text fast vollständig ergänzt werden. Das Diplom ist auf den 20. Februar des Jahres 98 n. Chr. datiert. Der regierende Kaiser, Traian, hatte erst kurz zuvor als Nachfolger des am 27. Januar gestorbenen Nerva den Thron bestiegen. Zu dieser Zeit hielt sich Traian in Köln auf. Spätestens bis zum Sommer blieb er am Niederrhein, wo er als oberster Feldherr das Oberkommando über die Truppen inne hatte.

Empfänger der vom Kaiser erteilten Privilegien war ein Soldat aus dem Stamm der Bataver. Sein Name und die Namen seiner Frau und seiner zwei Töchter sind leider nicht erhalten geblieben. Die Bataver lebten im niederländischen Flussgebiet zwischen Rhein und Maas und stellten viele

185

186

Hilfstruppeneinheiten für die römische Armee. Im ersten Jahrhundert wurden diese vor allem in Britannien eingesetzt, später in den römischen Provinzen entlang der Donaugrenze.

Das Diplomfragment wurde 1988 in der Nähe von Elst auf einem schon in vorrömischer Zeit bewohnten Gelände mitten im batavischen Gebiet gefunden. Der Besitzer des Diploms ist anscheinend nach seiner Entlassung in das Dorf seiner Geburt zurückgekehrt. Seine Reitereinheit, die *ala Batavorum*, stand im Jahre 98 n. Chr. in der eigenen Provinz Niedergermanien, wo sie vermutlich schon vor 89 n. Chr. stationiert war. Mit mindestens 25 Dienstjahren muss der Soldat spätestens im Jahr 73 n. Chr. rekrutiert worden sein. In der dazwischenliegenden Zeit kann die Einheit auch einen Standort außerhalb der eigenen Provinz bezogen haben.

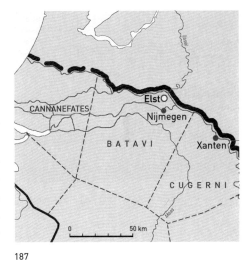

187

Louis Swinkels

LIT
J. K. Haalebos, Traian und die Hilfstruppen am Niederrhein. Ein Militärdiplom des Jahres 98 n. Chr. Saalburg-Jahrb. 50, 2000, 31–72.

Übersetzung (gekürzt):
„Imperator Caesar Nerva Traianus, Sohn des vergöttlichten Nerva, Augustus, der Germanensieger, Oberpriester, mit der Gewalt eines Volkstribunen ausgestattet und Konsul zum zweiten Mal, hat den Reitern und Fußsoldaten, die in den sechs (?) Reiter- und 25 (?) Infanterieeinheiten dienen, welche die folgende Namen tragen:
[es folgen die Namen von wenigstens 6 Reiter- (alae) und 25 Infanterieabteilungen (cohortes)],
und in Niedergermanien unter dem Imperator Traianus Augustus stehen, nach 25 oder mehr Dienstjahren und ebenfalls den ehrenvoll Entlassenen am Ende der Dienstzeit und den Flottensoldaten, die unter ihrem Präfekten Lucius Calpurnius Sabinus gleichfalls ihm, Traianus, unterstehen und 26 oder mehr Jahre gedient haben und deren Namen unten aufgeführt sind, das Bürgerrecht erteilt, und zwar ihnen selbst, ihren Kindern und Nachkommen, und außerdem das Recht zu einer (gesetzlich anerkannten) Ehe mit den Frauen, die sie in dem Moment hatten, als ihnen das Bürgerrecht erteilt wurde, oder mit jenen, die sie später heiraten, wenn es zur Zeit Ledige geben würde, aber mit der Beschränkung auf je eine Frau, am 20. Februar, als Kaiser Traianus Augustus, der Germanensieger und Sextus Julius Frontinus zum zweiten Mal das Konsulamt innehaben, dem in der Ersten Reiterabteilung der Bataver unter dem Befehl des [---] Rufus, Sohn des Titus, aus der tribus Voltinia, gedient habenden ehemaligen, ehrenvoll entlassenen Reiter [---], Sohn des Gaverus, einem Bataver und [---], Tochter des [Pere]grinus, seiner Frau, einer Batäverin, und [---]a, seiner Tochter, und [---] seiner Tochter.
Überprüft und beglaubigt nach der bronzenen Tafel, die in Rom an der Mauer hinter dem Tempel des vergöttlichten Augustus beim Minervatempel angebracht ist."

Überall
zu Hause

In fremder Erde bestattet

Mit der schmerzvollen Erkenntnis, dass die Bestattung nicht in der Heimat stattfinden konnte, endet die Inschrift auf dem Grabstein eines der höchsten Repräsentanten des römischen Staates, der in Niedergermanien verstarb und auch beerdigt wurde. Der unbekannte Offizier gehörte dem Ritterstand an, der nach den Senatoren zweithöchsten Gesellschaftsschicht. Damit zählte er zu den Führungskräften des Reiches und hatte verschiedene Stationen in unterschiedlichen Teilen des Imperium Romanum wohl noch vor sich.

[....]n[...] / [...]eli[...] / Praef(ectus) coh(ortis) II (secundae) / quem genui(t) / terra / Mauretania / p(eregrina ?) obruit / terra

„... Kommandeur der 2. Kohorte; ihn hat mauretanische Erde geboren, fremde Erde bedeckt ihn nun."

Seine ritterliche Karriere begann der aus Mauretanien (heute Marokko und Algerien) stammende Römer vermutlich eben mit dem Kommando über die in der Inschrift genannte Auxiliareinheit. Ihre Identifizierung mit der *cohors II civium Romanorum equitata pia fidelis* wird nicht von allen Forschern geteilt. Diese durch Reiterei verstärkte, etwa 500 Mann umfassende Infanterieeinheit ist für Niedergermanien seit ihrer Aufstellung unter Kaiser Vespasian (69–79 n. Chr.) bis ins 3. Jahrhundert n. Chr. gut bezeugt. Ihr Standort wurde schon länger zwischen Nijmegen und Xanten vermutet. Aufgrund der jüngsten Entdeckung eines neuen Kastells bei Bedburg-Hau ist zu erwägen, dass die betreffende *cohors II* in Till-Steincheshof stationiert war und ihr plötzlich verstorbener Befehlshaber auf einem Gräberfeld an den Ausfallstraßen des Militärlagers bestattet wurde. Eine Rückkehr in die Heimat war ihm jedenfalls nicht vergönnt.

Dirk Schmitz

189

LIT
CIL XIII 8699
G. Alföldy, Die Hilfstruppen der römischen Provinz Germania inferior. Epigr. Stud. 6 (Düsseldorf 1968) 54 f.
J. K. Haalebos, Traian und die Hilfstruppen am Niederrhein. Saalburg Jahrb. 50, 2000, 51.
M. Brüggler/M. Drechsler, Das neue Auxiliarlager Till-Steincheshof, Bedburg-Hau, Kreis Kleve. In: P. Henrich, Der Limes vom Niederrhein bis an die Donau. Beitr. Welterbe Limes 6 (Stuttgart 2012) 29–37.

188

Grabstein eines mauretanischen Ritters, Kalkstein; H. 0,97 cm; B. 0,57 cm; T. 0,31 cm. FO: bei Bedburg-Hau, Kreis Kleve. AO: LVR-LandesMuseum Bonn, Inv.-Nr.: U 100.

Schriftsteller und Präfekt – Plinius der Ältere und die Reiterei am niedergermanischen Limes

Zaumzeugbeschläge, versilberte Bronze. FO: Xanten, *Vetera castra* (?). AO: British Museum, Inv.-Nr.: GR 1854.0717.1/12/31a.c.d. f.j.l.m/55 und 1868.0220.1; runder Beschlag mit punzierter Inschrift PLINIO PRAEF(ECTO) EQ(UI-TUM), Dm. 10,5 cm, Inv.-Nr.: GR 1854.0717.53; um 50 n. Chr.

Plinius der Ältere, der im 1. Jahrhundert n. Chr. lebte, ist wegen seiner vielbändigen Naturge-schichte, der *naturalis historia*, bis heute bekannt. Er starb während des Ausbruchs des Vesuvs im Jahr 79 n. Chr., der Pompeji unter sich begrub. Als Befehlshaber der Misenischen Flotte, die im Golf von Neapel stationiert war, lief er mit einem Schiff aus, um den Bedrohten zu Hilfe zu eilen. Dieser Versuch endete tragisch mit seinem Tod. Berühmt ist der Brief seines Neffen Plinius des Jüngeren an den Schriftsteller Tacitus, der die Ereignisse dieses schicksalhaften Tages plastisch beschreibt.

Doch nicht nur die literarischen Quellen geben uns einen Einblick in das Leben des Plinius, sondern auch ein eindrucksvoller archäologischer Fund weist auf ihn und seine Laufbahn im Dienst mehrerer Kaiser hin, die ihn in weit entfernte Regionen des römischen Reiches führte. In Xanten, in der ehemaligen römischen Provinz Germania Inferior, wurde bereits im 19. Jahr-hundert ein sensationeller Fund von nicht weniger als 73 bronzenen, mit Silberblech kaschierten Teilen vom Zaumzeug eines Pferdes gemacht.

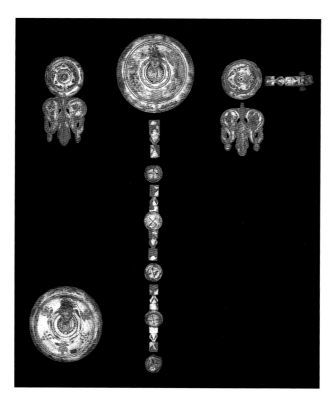

190

Zu festlichen Anlässen und Paraden wurden die Pferde der römischen Reiterei oft reich geschmückt. Darstel-lungen auf römischen Grab-steinen zeigen, wie die unter-schiedlichsten Beschläge am Zaumzeug befestigt werden konnten: Runde und recht-eckige Scheiben, halbmond-förmige Lunula-Anhänger und Phalerae waren an Rie-men geheftet, die um die Brust und das Hinterteil des Pferdes gezogen wurden. Auch der typisch römische Hörnchensattel war mit Be-schlägen versehen.

Von vielen Orten des Römi-schen Reiches, vor allem aus den Militärlagern, sind solche Beschläge und Phalerae bekannt geworden. Ein zusammenhängendes Ensemble wie das aus Xanten ist jedoch eine Ausnahme. Zu ihm gehören fünf Phalerae, die sich von den übrigen Stücken deutlich unterscheiden: An die Stelle des sonst flachen, ornamental verzierten Mittelstücks sind hier Portraitköpfe getreten, die im Relief aus dem Silber getrieben wurden. Bei dem Dargestellten mit kurzem Haar und gerade geschnittenem Stirnhaar muss es sich um eine bedeutende Persönlichkeit, vielleicht ein Mitglied des Kaiserhauses, gehandelt haben, auch wenn bis heute nicht geklärt werden konnte, um wen genau. Hierdurch wird der zeremonielle Charakter des Schmucks unterstrichen – für eine Schlacht legte man dem Pferd diesen filigranen Schmuck sicher nicht an.

Eine dieser runden Portraitscheiben hebt sich von den übrigen ab. Sie trägt zwei punzierte Inschriften, die eine Geschichte ihrer Besitzer erzählen. Gut zu erkennen ist im Halbbogen oberhalb des Portraits PLINIO PRAEF(ECTO) EQ(ITUM), was auf keinen anderen verweist als auf Plinius den Älteren. Denn von ihm wissen wir, dass er am Ende der Vierziger oder in den Fünfziger Jahren des 1. Jahrhunderts n. Chr. in Niedergermanien Kommandeur (*praefectus*) einer Reitereinheit (*ala*) war. Auf der Rückseite wird CAPITON(I) MARIAN(I) genannt. Auf einem weiteren sicher zugehörigen Anhänger ist zudem VERECUND(I) erwähnt. Der Eigentümer des Zaumzeugs war demnach Capito Marianus, der zur Ala des Plinius gehörte. Vielleicht zu einem späteren Zeitpunkt ging Alles in den Besitz des Verecundus über, der nun seinerseits eine Punzierung anbrachte. Wahrscheinlich diente der prachtvolle Schmuck als Zeichen der Zugehörigkeit zur Truppe des Plinius. Er demonstriert zugleich, wie selbstverständlich es für einen Angehörigen des senatorischen Standes war, seine Heimat zu verlassen, um während seiner Karriere (*cursus honorum*) immer wieder neue Ämter in Rom und in den Provinzen auszuüben und so im Dienste des Kaisers aufzusteigen.

Charlotte Schreiter

191

192

LIT
CIL XIII 10026.2
W.-D. Heilmeyer, Titus vor Jerusalem. Mitt. DAI Rom 82, 1975, 299–314, hier 304–312.
I. Jenkins, A Group of Silvered-Bronze Horse-Trappings from Xanten (Castra Vetera). Britannia 16, 1985, 141–164.
B. Spies/N. MacGregor (Hrsg.), Schätze der Weltkulturen. The British Museum. Ausstellungskat. Bonn (London 2012) 177 Kat. Nr. 178.

Der Centurio Petronius Fortunatus – Langgedient und weitgereist

Die Karriere des Centurio Petronius Fortunatus gehört zu den imposantesten innerhalb der römischen Armee. Nachdem er um 172–175 n. Chr. in die im heutigen Bulgarien stationierte *legio I Italica* eingetreten war und sich innerhalb kurzer Zeit bis zum Centurionat (Hauptmannsgrad) hochgedient hatte, wurde er noch insgesamt zwölf Mal versetzt und kam auf diese Weise weiter im Römischen Reich herum als die meisten seiner Zeitgenossen. Nach etwa 50 Dienstjahren ließ er sich um 218/220 n. Chr. als Veteran in *Cillium* (Kasserine) nieder, wo auf den Überresten seines Grabmales bis heute die Stationen seiner Laufbahn nachzulesen sind:

[...Petronius Fortunatus...] / militavit annis IV in leg(ione) I Ita[lica] / librar(ius) tesser(arius) optio signif[er] / [> (centurio)] factus ex suffragio leg(ionis) eiu[sdem] / militavit > (centurio) leg(ionis) I Ital(icae) > (centurio) leg(ionis) VII[...] / > (centurio) leg(ionis) I Min(erviae) > (centurio) leg(ionis) [... > (centurio)] leg(ionis) II[...] / > (centurio) leg(ionis) III Aug(ustae) > (centurio) leg(ionis) II[I] Gall(icae) > (centurio) leg(ionis) XXX U[l]p(iae) / > (centurio) leg(ionis) VI Vic(tricis) > (centurio) leg(ionis) III Cyr(enaicae) > (centurio) leg(ionis) XV Apol(linaris) / > (centurio) leg(ionis) II Par(thicae) > (centurio) leg(ionis) I Adiutricis /

193

consecutus ob virtutem in / expeditionem Parthicam / coronam muralem vallarem / torques et phaleras agit in / diem operis perfecti annos LXXX / sibi et / Claudiae Marciae Capitolinae / koniugi karissimae quae agit / in diem operis perfect[i] / annos LXV e[t] / M(arco) Petronio Fortunato filio / militavit ann(os) VI > (centurio) leg(ionis) X[X]II Primig(eniae) / > (centurio) leg(ionis) II Aug(ustae) vixit ann(os) XXXV / cui Fortunatus et Marcia parentes / karissimo memoriam fecerunt

„[Dem Gedächtnis des Petronius Fortunatus...]. Er diente vier Jahre in der *legio I Italica* als *librarius*, *tesserarius*, *optio* und *signifer*. Auf Vorschlag seiner Legion wurde er zum *centurio* befördert. Er diente als *centurio* in der *legio I Italica*, der *legio VII* [oder *VIII*] [...], der *legio I Minervia*, der *legio* [...], der *legio II* [oder *III*] [...], der *legio III Augusta*, der *legio III Gallica*, der *legio XXX Ulpia*, der *legio VI Victrix*, der *legio III Cyrenaica*, der *legio XV Apollinaris*, der *legio II Parthica* und der *legio I Adiutrix*. Er wurde für seine Tapferkeit im parthischen Feldzug mit der *corona muralis*, der *corona vallaris*, *torques* und *phalerae* ausgezeichnet. Er war, als dieses Monument vollendet wurde, 80 Jahre alt. (Er ließ es errichten für) sich und Claudia Marcia Capitolina, seine teuerste Ehefrau, die, als dieses Monument vollendet wurde, 65 Jahre alt war, sowie für Marcus Petronius Fortunatus, seinen Sohn, der als *centurio* sechs Jahre in der *legio XXII Primigenia* und der *legio II Augusta* diente und mit 35 Jahren verstarb. Die Eltern Fortunatus und Marcia haben dies ihrem teuersten (Sohn) zur Erinnerung gemacht."

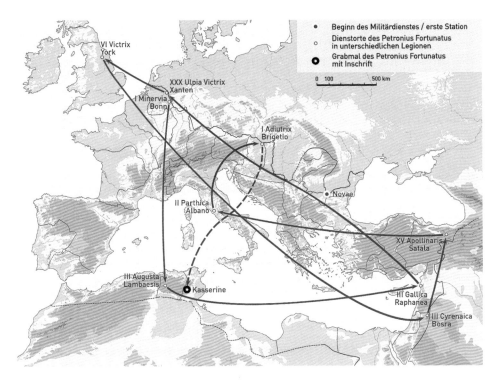

194

Der Werdegang des Petronius Fortunatus steht beispielhaft für die hohe Mobilität römischer Centurionen; normalerweise bildeten allerdings auf dieser Stufe der Rangordnung vier bis sechs Versetzungen die Obergrenze und auch die ungewöhnlich hohe Zahl der Dienstjahre ist auffällig. Dies alles spricht dafür, dass Fortunatus auf einem bestimmten Sektor besonders qualifiziert war und als Spezialist jeweils für eine begrenzte Zeit zu einer Legion geschickt wurde. Die militärischen Auszeichnungen deuten darauf hin, dass seine Stärken weniger im Bereich der Verwaltung, sondern eher auf der praktischen Seite des Kriegshandwerks lagen.

Wo auch immer Fortunatus im Römischen Reich gerade Dienst tat, war er als römischer Bürger überall zu Hause – die Legion war wohl die einzige Form von „Heimat", die eine solch wechselvolle Laufbahn zuließ.

Martin Wieland

LIT
Jean-Marie Lassère, Biographie d'un centurion (CIL VIII, 217–218). Ant. Afr. 27, 1991, 53–68.
Gabriele Wesch-Klein, Soziale Aspekte des römischen Heerwesens in der Kaiserzeit. HABES 28 (Stuttgart 1998) 28–30.

Grabmonument des Petronius Fortunatus, Kalkstein; H. (erhalten) ca. 4,50 m; B. 2,17 m. FO: Kasserine/Tunesien. Erhalten sind die Reste zweier Seiten des ursprünglich quadratischen Bauwerkes, das erst zwischen 1833 und 1860 auf seinen heutigen Bestand reduziert wurde. Auf der Schauseite des Hauptgeschosses, welches rundum durch zwölf korinthische Pilaster gegliedert war, befindet sich die hier wiedergegebene Inschrift; es folgen die ersten sieben Hexameter eines Grabgedichtes; errichtet um 230 n. Chr.

Reaktionen
auf
Fremdes

Eine einheimische Siedlung im Hinterland der *Colonia Ulpia Traiana* (Xanten)

Vor der Abgrabung einer Kiesgrube konnte in Weeze-Vorselaer erstmals eine ländliche Siedlung im Hinterland des römischen Xanten untersucht werden. An dieser lässt sich ablesen, wie die einheimische Bevölkerung auf den Zuzug von Menschen aus anderen Gebieten reagierte.

Im Norden der Siedlung fanden sich mehrere Hausgrundrisse der vorrömischen Eisenzeit. Unmittelbar südlich davon wurden die frühesten römischen Spuren, die um die Zeitenwende zu datieren sind, aufgedeckt: Drei sich ablösende Grundrisse von zweischiffigen Wohnstallhäusern sowie ein Grubenhaus, daneben einige Speicherbauten und Gruben. Unter den Funden ist hand-

195 Römisches und einheimisches Fundmaterial aus den Grabungen in Weeze-Vorselaer. Frühes 1. Jh. n. Chr.

Ausgrabung in Weeze-
Vorselaer, Kreis Kleve;
Ni 2007/0049, Ni 2007/
0115, Ni 2009/0063;
zwischen 2007 und
2010 wurden die Fund-
plätze III, IV und V, zu-
vor über archäologische
Prospektion umrissen,
durch die Außenstelle
Xanten des LVR-Amtes
für Bodendenkmalpfle-
ge im Rheinland auf
einer Fläche von ca.
5 ha untersucht. Sied-
lungsspuren erstreck-
ten sich über eine
Länge von 800 m in
NW-SO-Richtung.

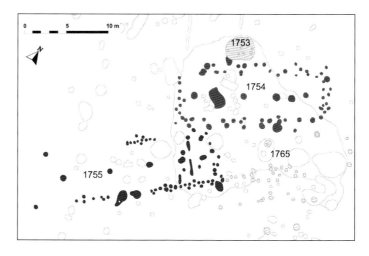

196 Grundrisse dreier
sich überlagernder
Wohnstallhäuser der
Zeitenwende und eines
Grubenhauses (Nr. 1765,
1755, 1754).

aufgebaute, d. h. nicht auf der Drehscheibe hergestellte Keramik besonders stark vertreten. Sie steht in eisenzeitlicher Tradition, hat aber auch Anklänge an germanische Keramik, wie sie östlich des Rheins vorkommt. Hinzu kamen römische Importe, Keramikgefäße italischer Herkunft und Amphoren aus dem Mittelmeerraum sowie Schuhnägel von römischen Schuhen. In dieser Zeit der Germanienoffensiven unter Kaiser Augustus im 2. Jahrzehnt des 1. Jahrhunderts v. Chr., als die römischen Militärlager bei Xanten und entlang der Lippe errichtet wurden, lange vor der Gründung der Colonia, hatten die Einwohner von Vorselaer bereits Zugang zu römischen Produkten.

Etwa in der Mitte des 1. Jahrhunderts n. Chr. wurden diese Häuser aufgegeben und unweit südlich ein neuer Platz erschlossen, der nun von kleinen Gräben umgeben wurde. Weiterhin handelt es sich um zweischiffige, nun aber deutlich größere Wohnstallhäuser. Das Fundmaterial ist stark von römischen Importen geprägt, doch handaufgebaute Keramik ist nach wie vor deutlich präsent. Noch weiter südlich schließt sich ab dem Ende des 1. Jahrhunderts n. Chr. weitere Bebauung an, bestehend aus kleineren Holzpfostenbauten und einem Grubenhaus. Aufgegeben

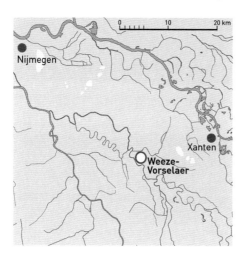

wurde die Siedlung um die Mitte des 3. Jahrhunderts n. Chr. Es ist zu vermuten, dass sie in unmittelbare Nähe verlagert wurde, da Einzelfunde aus den nachfolgenden Zeitabschnitten durchaus vertreten sind.

Die ländliche Siedlung in Weeze-Vorselaer stand in vorrömisch-eisenzeitlicher Tradition und behielt diese Prägung auch in römischer Zeit weiter bei. Es handelte sich um eine Siedlung mit jeweils wohl nur einem oder zwei gleichzeitig bestehenden Höfen. Auffällig ist, dass anders als etwa im Hinterland von Köln, die Konfrontation mit der römischen Kultur zumindest auf die Hausbau- und Wirtschafts-

197

weise offenbar keinen Einfluss hatte. Andere Elemente römischer Kultur wurden hingegen von Anfang an übernommen, insbesondere Objekte des täglichen Gebrauchs stammen nun aus provinzialrömischen Werkstätten. Zwar handelt es sich bei Weeze-Vorselaer um die bislang einzige großflächig ergrabene ländliche Siedlung der Römerzeit am Unteren Niederrhein, vergleichbare Plätze in den benachbarten Niederlanden zeigen aber ein ähnliches Bild.

Marion Brüggler

198 Rekonstruktion eines germanischen Wohnstallhauses, Ende 1. Jh. v. Chr.

LIT
M. Brüggler, Weeze-Vorselaer: Eine einheimisch-römische Hofanlage im Umland von Xanten. In: V. Rupp/H. Birley (Hrsg.), Landleben im römischen Deutschland (Stuttgart 2012) 63–64.
M. Brüggler, Vorselaer Fundplatz V: eine eisenzeitliche bis frührömische Siedlung. Arch. Rheinland 2010, 97–99.

Auch Germanen waren unterwegs!

In der ersten Hälfte des 1. Jahrhunderts n. Chr. treten am linken Niederrhein Gräber mit Misch-inventaren aus römischen und germanischen Funden auf. Letztere lassen sich durch handauf-gebaute Keramik, Waffen, Eisengeräte und Schmuckteile erkennen. Sie bezeugen die Anwesenheit eingewanderter oder angesiedelter Germanen aus dem Gebiet östlich des Rheins, insbesondere des elbgermanischen Raums. Manchmal können hierin militärische Gruppen erkannt werden, die wohl für das römische Heer Dienste ausübten.

Das bislang größte bekannte Gräberfeld im Hinterland des Rheins mit rund 500 Gräbern liegt in Tönisvorst-Vorst, Kr. Viersen. In den frühesten Gräbern fanden sich mehrere Objekte elb-germanischer Herkunft wie eine Haarnadel, Fibeln, Waffen und Trinkhörner. Dank der anthro-pologischen Bestimmungen ist die Entwicklung der zugehörigen, bislang nicht lokalisierten Siedlung nachvollziehbar: Anfangs (ca. 30–60 n. Chr.) existierte eine Gemeinschaft von etwa 20–30 Personen (drei bis fünf Haushalte); hier fehlen alte Individuen, was auf eine Siedlungs-neugründung hin-deutet. Bis zum Be-ginn des 2. Jahrhun-derts wuchs sie auf nahezu 200 Perso-nen (etwa 32 Haus-halte) an, danach nahm die Bevölke-rungszahl ab. Im 3. Jahrhundert n. Chr. sind nur wenige Be-stattungen vorhan-den. Diese Daten mit den Funden be-legen, dass um 30 n. Chr. Germanen aus dem Elbgebiet west-lich des Rheins eine Siedlung gründeten; diese zog bald Men-schen aus Nordgal-lien an, sodass sich ei-ne dorfähnliche Sied-lung entwickelte.

199

200

Bereits im Jahr 1888 wurde in Voerde-Mehrum, Kr. Wesel, am östlichen Rheinufer das reiche Grab eines germanischen Soldaten gefunden. Früher glaubte man, das Grab läge westlich des römischen Rheins; unlängst ergaben jedoch geologische Untersuchungen, dass es östlich des Rheins gelegen haben muss; dennoch wies es eine starke römische Beeinflussung auf. Das Grab enthielt teure römische Produkte, u. a. drei verzierte Bronzeeimer aus Kampanien, ein bronzenes Fläschchen und zwei Terra Sigillata-Platten (Abb. 199). Hinzu kamen typisch germanische Produkte: Ein Bronzeeimer, die Imitation eines römischen Schwertes, eine Lanzenspitze und zwei Schilde sowie Trinkhornreste. Denkbar ist eine Deutung des Toten als Anführer einer Aufklärungseinheit, der sich nach dem Ende seiner Dienstzeit im römischen Heer auf der östlichen Seite des Flusses niederließ und um 40 n. Chr. dort begraben wurde. Seit der Auffindung dieses Grabes wurden 20 weitere Gräber geborgen, die alle ins 1. Jahrhundert n. Chr. datieren. Einige der Brandbestatteten wurden in römischen, andere in einheimischen Keramikgefäßen niedergelegt. 2008 wurden Teile der zugehörigen Siedlung gefunden, die von etwa 40 bis 150 n. Chr. bestanden hat.

In Uedem-Keppeln, Kr. Kleve, wurden 92 Brandgräber ausgegraben, die insgesamt auf eine nur wenig romanisierte Bevölkerung schließen lassen. Die Friedhofsbelegung ähnelt derjenigen in Vorst, fängt aber erst um 70 n. Chr. an und weist auf eine bäuerliche Siedlung, der etwa vier bis sechs Haushalte angehörten.

Am Niederrhein sind demnach über wenige Gruppen germanischer Objekte Menschen mit Migrationshintergrund zu fassen; sie stammen aus dem nordostdeutschen Raum und kamen etwa zwischen 30 und 70 n. Chr. an den Niederrhein. Ob diese Migration von der römischen Verwaltung aktiv gefördert wurde, kann nur vermutet werden. Ab dem Ende des 1. Jahrhunderts n. Chr. rekrutierten die Legionen verstärkt Soldaten aus der einheimischen Bevölkerung, so dass diese Besiedlungspolitik allmählich zu einer Wiederbelebung des Niederrheins nach der weitgehenden Entvölkerung durch Caesar im Jahr 53 v. Chr. führte. Eine Romanisierung des ländlichen Raumes fand hier kaum statt.

Clive Bridger

Grab eines germanischen Kriegers; Objekte: Vasenförmiger Endbeschlag eines Trinkhorns, Bronze; kleine Flasche, Bronze; drei Eimer in Situlaform mit Attaschen, Bronze (Kopien); Östlandeimer, Bronze; Scheidenbeschläge, Bronze; zwei Riemenbeschläge von der Schwertaufhängung, Bronze; Schildfessel, Bronze; Schildbuckel, verzinnte Bronze; Trinkhornbeschlag, Bronze; zwei rechteckige Platten (Gürtelbeschläge?), Bronze; mehrere Fragmente von Beschlägen, Bronze u. Eisen; Dolch, Eisen; zwei Teller Drag. 18, Ton; Leinengewebe. FO: Voerde-Mehrum, Kreis Wesel. AO: LVR-Archäologischer Park Xanten, Inv.-Nr.: LVR-LandesMuseum Bonn 5577–5579 (Kopien). 5580. 5587–5592. 5594–5597. 5599. 5601. 5602. 5604; um 40 n. Chr.

LIT
H. v. Petrikovits/R. Stampfuß, Das germanische Brandgräberfeld Keppeln, Kr. Kleve. Quellenschr. westdt. Vor- u. Frühgesch. 3 (Leipzig 1940; ND Duisburg-Hamborn 1971).
M. Gechter/J. Kunow, Der frühkaiserzeitliche Grabfund von Mehrum. Bonner Jahrb. 183, 1983, 449–468.
C. Bridger, Das römerzeitliche Gräberfeld ‚An Hinkes Weißhof', Tönisvorst-Vorst, Kreis Viersen. Rhein. Ausgr. 40 (Köln 1996).
C. Brand, Auswertung der Funde aus der germanisch-römischen Siedlung von Mehrum. Arch. Rheinland 2009, 67–69.

ANHANG

Leihgeber

Augst	Römermuseum Augst
Avenches	AVENTICVM. Site et Musée Romains Avenches
Bad Deutsch-Altenburg	Amt der Niederösterreichischen Landesregierung, Abteilung Kunst und Kultur, Archäologischer Park Carnuntum
Bad Homburg	Saalburgmuseum, Römerkastell Saalburg
Basel	Historisches Museum Basel
Bonn	LVR-LandesMuseum Bonn
Brugg	Kantonsarchäologie Aargau/Vindonissa-Museum
Donauwörth	Archäologisches Museum der Stadt Donauwörth
Frauenfeld	Amt für Archäologie des Kantons Thurgau
Haltern	LWL-Römermuseum
Jülich	Museum Zitadelle Jülich
Köln	Römisch-Germanisches Museum der Stadt Köln
Konstanz	Archäologisches Landesmuseum Baden-Württemberg
Krefeld	Museum Burg Linn
Leiden	Rijksmuseum van Oudheden
London	British Museum
Mannheim	Reiss-Engelhorn-Museen
München	Archäologische Staatssammlung
Münster	LWL-Archäologie für Westfalen
Nijmegen	Museum Het Valkhof
Regensburg	Historisches Museum Regensburg
Worms	Museum der Stadt Worms im Andreasstift
Zürich	Schweizerisches Nationalmuseum

Autorinnen und Autoren

Dr. Gerhard Bauchhenß, Wilkensstraße 28, D-53913 Swisttal; odendorf@googlemail.com

Thomas Becker M.A., hessenARCHÄOLOGIE am Landesamt für Denkmalpflege Hessen, Schloß Biebrich/Ostflügel, D-65203 Wiesbaden; t.becker@hessen-archaeologie.de

Prof. em. Dr. Ludwig R. Berger, Missionsstraße 24, CH-4055 Basel; Ludwig.Berger@unibas.ch

Dr. Clive Bridger, LVR-Amt für Bodendenkmalpflege im Rheinland, Außenstelle Xanten, Augustusring 3, D-46509 Xanten; Clive.Bridger-Kraus@lvr.de

Dr. Marion Brüggler, LVR-Amt für Bodendenkmalpflege im Rheinland, Außenstelle Xanten, Augustusring 3, D-46509 Xanten; Marion.Brueggler@lvr.de

Prof. Dr. Dr. Dr. h.c. Manfred Clauss, Hossenberg, D-53773 Hennef; email@manfredclauss.de

Gabriele Stephanie Dafft M.A., LVR-Institut für Landeskunde und Regionalgeschichte, Endenicher Straße 133, D-53115 Bonn; GabrieleStephanie.Dafft@lvr.de

PD Dr. Eckhard Deschler-Erb, Universität Zürich, Abteilung Ur- und Frühgeschichte, Karl-Schmid-Str. 4, CH-8006 Zürich; Eckhard.Deschler-Erb@uzh.ch

Miriam Etti M.A., Deutsche Limeskommission, Saalburg 1, Saalburg Römerkastell, D-61350 Bad Homburg v.d.H., Etti.M@saalburgmuseum.de

Prof. Dr. Klaus Geus, Freie Universität Berlin, Fachbereich Geschichts- und Kulturwissenschaften, Friedrich-Meinecke-Institut (WE1), Koserstraße 20, 14195 Berlin; Klaus.Geus@fu-berlin.de

Benjamin Hartmann M.A., Historisches Seminar der Universität Zürich, Karl Schmid-Straße 4, CH-8006 Zürich; Benjamin.Hartmann@hist.uzh.ch

Dr. Peter Henrich, Deutsche Limeskommission, Saalburg 1, Saalburg Römerkastell, D-61350 Bad Homburg v.d.H., Henrich.P@saalburgmuseum.de

Dr. Patrick Jung, Stiftung Ruhr Museum, Fritz-Schupp-Allee, D-45141 Essen; Patrick.Jung@ruhrmuseum.de

Dr. Martin Kemkes, Archäologisches Landesmuseum Baden-Württemberg, Referat Zweigmuseen, Außenstelle Rastatt, Lützowerstraße 10, D-76437 Rastatt; kemkes@rastatt.alm-bw.de

Dr. Anna Kieburg, Mombacher Straße 73a, D-55122 Mainz; A.Kieburg@web.de

Dr. Claudia Klages, Münzkabinett, LVR-LandesMuseum Bonn, Bachstr. 5–9, D-53115 Bonn; Claudia.Klages@lvr.de

Dr. Holger Komnick, Universität zu Köln, Archäologisches Institut, Albertus-Magnus-Platz, D-50923 Köln; hkomnick@uni-koeln.de

Petra Michaela Krebs, LVR-Amt für Bodendenkmalpflege im Rheinland, Endenicher Str. 133, D-53115 Bonn; Petra.Krebs@lvr.de

Dr. Bernd Liesen, LVR-Archäologischer Park Xanten, Trajanstraße 4, D-46509 Xanten; Bernd.Liesen@lvr.de

Dr. Claudia Nickel, Römisch-Germanisches Zentralmuseum Mainz, Ernst-Ludwig-Platz 2, D-55116 Mainz; Nickel@rgzm.de

Mag. Silvia Radbauer, Institut für Klassische Archäologie der Universität Wien, Franz Klein-Gasse 1, A-1190 Wien; Silvia.Radbauer@univie.ac.at

Dr. Christoph Reichmann, Museum Burg Linn, Rheinbabenstraße 85, D-47809 Krefeld; ch.reichmann@krefeld.de

Romina Schiavone M.A., Feldbergstraße 71, D-61389 Schmitten; Romina.Schiavone@gmx.net

Dr. Florian Schimmer, Österreichisches Archäologisches Institut, Franz Klein-Gasse 1, A-1190 Wien; Florian.Schimmer@oeai.at

Dr. Oliver Schipp, Johannes Gutenberg-Universität Mainz, IGS Mainz-Bretzenheim, Heinz-Böckler-Straße 2, D-55128 Mainz-Bretzenheim; Schipp@uni-mainz.de

Dr. Gabriele Schmidhuber, LVR-Archäologischer Park Xanten, Trajanstraße 4, D-46509 Xanten; Gabriele.Schmidhuber@lvr.de

Dr. Dirk Schmitz, LVR-Archäologischer Park Xanten, Trajanstraße 4, D-46509 Xanten; Dirk.M.Schmitz@lvr.de

Dr. Markus Scholz, Römisch-Germanisches Zentralmuseum Mainz, Ernst-Ludwig-Platz 2, D-55116 Mainz; Markus.Scholz@rgzm.de

PD Dr. Charlotte Schreiter, LVR-Archäologischer Park Xanten, Trajanstraße 4, D-46509 Xanten; Charlotte.Schreiter@lvr.de

Prof. Dr. L. Schumacher, Johannes Gutenberg-Universität Mainz, Historisches Seminar, D-55099 Mainz; lschumac@uni-mainz.de

Dr. Maike Sieler, LVR-Archäologischer Park Xanten, Trajanstraße 4, D-46509 Xanten; Maike.Sieler@lvr.de

Dr. Bernd Steidl, Archäologische Staatssammlung, Lerchenfeldstraße 2, D-80538 München; Bernd.Steidl@extern.lrz-muenchen.de

Simon Sulk M.A., Deutsche Limeskommission, Saalburg 1, Saalburg Römerkastell, D-61350 Bad Homburg v.d.H.; Sulk.S@saalburgmuseum.de

Dr. Louis Swinkels, Museum Het Valkhof, Postbus 1474, NL-6501 BL Nijmegen; L.Swinkels@museumhetvalkhof.nl

Dr. Bettina Tremmel, LWL-Archäologie für Westfalen, Provinzialrömische Archäologie, An den Speichern 7, D-48157 Münster; Bettina.Tremmel@lwl.org

Dr. Cornelius Ulbert, Carl-Schurz-Straße 14, 50321 Brühl; Ulbert@t-online.de

Dr. Stephan Weiß-König, Museum Het Valkhof, Postbus 1474, NL-6501 BL Nijmegen; S.Weiss-Koenig@museumhetvalkhof.nl

Martin Wieland M.A., Römisch-Germanisches Museum der Stadt Köln, Roncalliplatz 4, D-50667 Köln; mawieland@aol.com

Annina Wyss Schildknecht M.A., Institut für archäologische Wissenschaften, Abt. Archäologie der römischen Provinzen, Bernastrasse 15a, CH-3006 Bern; Annina.Schildknecht@gmx.ch

Abbildungsnachweis

Kartengrundlage: ©FRE-Projekt Culture 2000, Deutsche Limeskommission

© Römisch-Germanisches Museum / Rheinisches Bildarchiv Köln
2, 22, 50, 63 (Inv. Nr. 37,18), 99 (Inv.-Nr. 62,274)

© LVR-Archäologischer Park Xanten
3, 38, 55, 76, 86, 114–116, 121–123, 135, 155, 163, 198

Bildbearbeitungen: Horst Stelter, LVR-Archäologischer Park Xanten
4, 16, 36, 44, 46, 49, 52, 56, 62, 64, 65, 77, 80, 106, 108, 110, 113, 117, 124, 126, 128, 129, 132, 134, 136, 139, 141, 144, 147, 149, 152, 154, 156, 158, 161, 165, 168, 170, 173, 175, 177, 180, 184, 187, 189, 194, 197, 200

© LVR-Amt für Bodendenkmalpflege im Rheinland
5 (Foto: Th. Becker), 12 (Foto: W. Sengstock), 118 (Foto: P. M. Krebs), 120 (Foto: M. Thuns)

A. Thünker DGPh für LVR-Archäologischer Park Xanten
10, 25, 78, 94, 199

© Archäologische Staatssammlung München
27 (Inv.-Nr. 3719, Foto: S. Friedrich), 82, 95 (Inv.-Nr. 3719 a u. b, Foto: S. Friedrich), 133 (Kopie), 150, 151, 169

© The Trustees of the British Museum
33, 39, 190, 191

© LVR-LandesMuseum Bonn
34, 35, 61, 67 (Inv.-Nr. 3962), 68 (Inv.-Nr. 24354), 119, 125, 166, 181, 188

St. Arendt, LVR-Zentrum für Medien und Bildung
38, 47, 55, 105, 107, 109, 112, 114–116, 127, 130, 133, 135, 140, 142, 145, 146, 148, 150, 151, 153, 155, 157, 159, 162, 163, 169, 171, 174, 176, 178, 179, 182, 183, 195

© Rijksmuseum van Oudheden, Leiden, NL
53, 54, 112

© GDKE_Ursula Rudischer (Landesmuseum Mainz)
60, 66, 74

J. Vogel, LVR-LandesMuseum Bonn
119, 121–123, 125, 166, 181, 188

1 Musée Gallo-Romaine Lyon. Foto: D. Schmitz; 3 Lebensbild: Christoph Heuer nach B. Steidl, Welterbe Limes. Roms Grenze am Main. Ausst. Kataloge Arch. Staatsslg. München 36 (München 2008) 47 Abb. 33 (Chr. Haußner); 4 Nach Th. Becker; 6 Generaldirektion kulturelles Erbe, Direktion Landesarchäo-

logie, Amt Koblenz, C. A. Jost; 7 hessenArchäologie am Landesamt für Denkmalpflege Hessen, O. Braasch; 8 Clemens-Sels-Museum, Neuss; 9 Römisches Museum der Stadt Augsburg; Inv.-Nr. 1017; 11 Landesamt für Denkmalpflege im Regierungspräsidium Stuttgart. Foto: R. Gensheimer; 13 Nordfries der Igeler Säule bei Trier. Foto: ©Rheinisches Landesmuseum Trier, Th. Zühmer; 14 Claude Lorrain (1646). Eremitage, St. Petersburg / akg-images; 15 bpk | The Trustees of the British Museum; 16 Nach M. Heil, Für das Imperium und die Karriere – Senatoren auf Dienstreise. Antike Welt, H. 3, 2012, 20 Abb. 20; 17 Foto: A. Kieburg; 18 bpk | RMN – Grand Palais | Jean Pierre Lagiewski; 19 Sockel (West-seite) der Igeler Säule bei Trier. Foto: ©Rheinisches Landesmuseum Trier, Th. Zühmer; 20 Foto: J. Th. Bakker; 21 Staatliche Museen zu Berlin - Antikensammlung Inv.-Nr. SK 804. Foto: Johannes Laurentius; 23 AVENTICVM – Site et Musée romains d'Avenches; 24 Nach O. Schipp; 26 Rom, Musei Vaticani, Museo Gregoriano. Foto: http://arachne.uni-koeln.de/item/objekt/21631; 28 akg-images / De Agostini Picture Library; 29 Gießener Universitätsbibliothek, Papyrus Giessensis 40; 30 Rom, Museo Vaticano (CIL VI 3492 = ILS 2288); nach M. Reuter, Legio XXX Ulpia Victrix. Ihre Geschichte, ihre Soldaten, ihre Denkmäler. Xantener Ber. 23 (Mainz 2012) 170 f. Nr. 149 (private Vorlage); 31 British Museum London (Original). Foto (Kopie): RGZM Mainz, V. Iserhardt; 32 Ankara, Roman Baths Museum; Abb. nach J. Bennet, The Legio XXX Ulpia Victrix Pia Fidelis and Severus' expeditiones Asiana and Mesopo-tamena. Arch. Korrbl. 38, 2008, 544 Abb. 1. Zeichnung: B. Claasz Coockson; 36 Nach J. Heinrichs, Römische Perfidie und germanischer Edelmut? Zur Umsiedlung protocugernischer Gruppen in den Raum Xanten 8 v. Chr. In: Th. Grünewald (Hrsg.), Germania inferior. Besiedlung, Gesellschaft und Wirtschaft an der Grenze der römisch-germanischen Welt. RGA² Ergänzungsbd. 28 (Berlin, New York 2001) 67 Karte 4; 37, 40 K. Lehmann-Hartleben, Die Trajanssäule: ein römisches Kunstwerk zu Beginn der Spät-antike (Berlin 1926); 41 Museum Regensburg, Inv.-Nr. 1977,128. Foto: Museen der Stadt Regensburg, M. Peischl; 42 Foto: M. Sieler; 43 akg-images / De Agostini Picture Library; 44 Hessisches Landesmu-seum Darmstadt. © EDH / D. Franckowiak; 45 © Museum Schloss Fechenbach, Dieburg. Foto: Gelfort; 46 Nach W. Eck, Die römischen Provinzen – Herrschaft und Verwaltungspraxis in der frühen Kaiserzeit. In: 2000 Jahre Varusschlacht. Imperium. Ausst.-Kat. Haltern (Stuttgart 2009) 143 Abb. 2; 47 LWL-Rö-mermuseum Haltern; 48 Fotos: H. Zabehlicky; 49 Arheološki muzej Split, Fc 1094. Nach: M. Stern, Early Glass of the Ancient World, 1600 B.C.–A.D. 50 (London – New York 1994) 82 Abb. 154; 50 Foto: A. Adam; 51 © Collection of The Corning Museum of Glass, Corning, New York; 52, 56 Nach Th. Schmidts, Akteure und Organisation der Handelsschifffahrt in den nordwestlichen Provinzen des Römischen Reiches. Monogr. RGZM 97 (Mainz 2011) 99 Abb. 47 u. 6 Abb. 2; 57 Nach J.-P. Bost u. a., L'Épave Cabrera II (Majorque). Échanges commerciaux et circuits monétaires au milieu du III ème siècle après Jésus-Christ (Paris 1992) Taf. 1A; 58 akg-images / Erich Lessing; 59 Musée Archéologique de Dijon. Foto: François Perrodin; 62 Nach J. Roger, AE 1946, 229; 64 Nach E. Espérandieu, Recueil gé-néral des bas-reliefs, statues et bustes de la Gaule Romaine V (Paris 1913) 226 f. Nr. 4034; 65 Nach IGR III 38; 69 Foto: Dr. Busso Peus Nachf., Frankfurt a. M.; 70 bpk | Antikensammlung der Staatlichen Museen zu Berlin, Inv.-Nr. SK 342 | Jürgen Liepe; 71 Traianssäule, Szene 39. Foto: Neg. DAI-Rom 89.760; *www.arachne.uni-koeln.de/item/relief/30014039*; 72 akg-images; 73 Marcussäule: Massaker an Barbaren; aus: C. Caprino (u. a.), La Colonna di Marco Aurelio (Rom 1955) Abb. 15; 74 Umzeichnung: ORL B 30 (1912) 1 Abb. 1; 75 Constantius II. RIC VIII 102 (348–350 n. Chr.). Münzkabinett der Staatlichen Museen zu Berlin, Objektnummer 18201301. Foto: Lutz-Jürgen Lübke; 76 Lebensbild: Christoph Heuer nach I. Huld-Zetsche, Mithras in Frankfurt-Heddernheim (Frankfurt 1986) 29 Abb. 14; 77 Nach M. Clauss, Mithras. Kult und Mysterium (Darmstadt 2012) 185–189; 79 Museum Ptuj, Slowenien. Foto: O. Harl (www.ubi-erat-lupa.org); 80 Nach A. v. Harnack, Die Mission und Ausbreitung des Christentums in den ersten drei Jahrhunderten (Leipzig ⁴1924) Blatt I; 81 akg-images / De Agostini Picture Library; 83 Landesmuseum Württemberg, Stuttgart. Foto: P. Frankenstein, H. Zwietasch; 84 Münzkabinett der Staatlichen Museen zu Berlin, Objektnummer 18202629. Foto: Reinhard Saczewski; 85 Nach G. Pic-cottini, Die kultischen und mythologischen Reliefs des Stadtgebietes von Virunum. CSIR Österreich 2,4

(Wien 1984) 75 Taf. 36,399; 87 d_proffer [CC-BY-2.0 (http://creativecommons.org/licenses/by/2.0)], via Wikimedia Commons; 88 Museo Nazionale Romano, Rom; nach: H. Bender, Römischer Reiseverkehr. Cursus publicus und Privatreisen. Schr. Limesmus. Aalen 20 (Stuttgart 1979) 61 Abb. 29; 89 Národní muzeum Prag; nach: K. S. Painter, Roman flasks with scenes of Baiae and Puteoli. Journal Glass Stud. 17, 1975, 63; 90 akg-images / Alfons Rath; 91 akg-images / Suzanne Held; 92 akg-images; 93 Papyrology Collection, Graduate Library, University of Michigan (P.Mich.inv. 1367 recto = P.Mich. III 214); 94 Kopie. Original: Musée Gallo-Romaine Lyon, Inv.-Nr. AD 234; 96 Universitätsbibliothek Leipzig, P.Lips. inv. 410 u. P.Lips. inv. 1258; 97 Universitätsbibliothek Gießen, SB 6304 = P.B.U.G. Inv. 566; 98 Tyne and Wear Museums, Newcastle Inv.-Nr. T 765a. Foto: Bridgeman Art Library; 99 Foto/Montage: B. Liesen; 100 Foto: LVR / Peter Miranski, Köln; 101 Foto: Christoph Hoffmann, Köln; 102 Gabriele Dafft, LVR-Institut für Landeskunde und Regionalgeschichte; 103, 104 Gestaltung: bleydesign, Ute Bley, Köln. Foto: LVR / Peter Miranski, Köln; 105 Kantonsarchäologie Aargau, Vindonissa Museum, CH-5200 Brugg; 107 Vorne: AVENTICVM – Site et Musée romains d'Avenches; hinten (Kopie): Schweizerisches Nationalmuseum Zürich A-58893; 108 Nach L. Berger; 109 Schweizerisches Nationalmuseum Zürich A-19407 (Kopie); 111 Foto: S. Gairhos, Augsburg; 117 Nach H. Komnick; 124 Nach C. Klages, LVR-LandesMuseum Bonn; 127 Archäologisches Landesmuseum Baden-Württemberg (Kopie); 130 Kantonsarchäologie Aargau, Vindonissa Museum, CH-5200 Brugg; 131 Römermuseum Augusta Raurica, Kanton Basel-Landschaft (CH); 132 Nach L. Berger; 137, 138 Museum der Stadt Worms im Andreasstift. Foto: C. Weissert; 140 Archäologisches Landesmuseum Baden-Württemberg; 142 Kantonsarchäologie Aargau, Vindonissa Museum, CH-5200 Brugg; 143 Umzeichnung: M. A. Speidel, Die römischen Schreibtafeln aus Vindonissa. Veröff. Ges. Pro Vindonissa 12 (Bern 1994) 196; 145 Römerkastell Saalburg – Archäologischer Park; 146 Hanauischer Geschichtsverein von 1844; 147 Nach S. Sulk; 148 Historisches Museum Basel; 153 Amt für Archäologie Thurgau (CH); 157 Land Niederösterreich – Archäologischer Park Carnuntum, Bad Deutsch-Altenburg; 159 Römisch-Germanisches Museum der Stadt Köln; 160 Foto: Martin Wieland; 162 Museum Zitadelle Jülich – Stadtgeschichtliches Museum; 164 Nach J. Garbsch, Die norisch-pannonische Frauentracht im 1. und 2. Jahrhundert. Münchener Beitr. Vor- u. Frühgesch. 11 (München 1965) 111 Abb. 58; 165 Nach P. Henrich/Th. Ibeling, Eine mitteldonauländische Fibel aus Jülich. Arch. Rheinland 2009, 116 Abb. 139; 167 Fragmente: Generaldirektion Kulturelles Erbe, Abt. Landesarchäologie, Außenstelle Koblenz; Rekonstruktion: K. Schaldach; 171 Kantonsarchäologie Aargau, Vindonissa Museum, CH-5200 Brugg; 172 Umzeichnung: M. A. Speidel, Die römischen Schreibtafeln aus Vindonissa. Veröff. Ges. Pro Vindonissa 12 (Bern 1994) 178; 174 Museen der Stadt Donauwörth; 176 Museum Burg Linn und LVR-LandesMuseum Bonn; 178, 179 Reiss-Engelhorn-Museen Mannheim; 182, 183 LWL-Römermuseum Haltern; 185, 186 Museum Het Valkhof, Nijmegen; 187 Nach: T. Derks, Beelden en zelfbeelden van Bataven: de epigrafische bronnen. In: De Bataven. Verhalen van een verdwenen volk (Amsterdam, Nijmegen 2004) 42 Abb. 3.2; 192 Römisch-Germanisches Museum der Stadt Köln, Inv.-Nr.: 91 (Bildausschnitt unten). Foto: http://arachne.uni-koeln.de/item/objekt/94077; 193 Kesserine, Tunesien. Foto: Aida-Abir Sehli; 194 Nach M. Wieland; 196 H. Berkel, M. Brüggler, LVR-Amt für Bodendenkmalpflege im Rheinland; 198 Lebensbild: Christoph Heuer, Essen

Abkürzungsverzeichnis

Nachschlagewerke

AE: L'Année Épigraphique (Paris 1888 ff.).

BMC Crete: W. Wroth, Catalogue of Greek Coins in the British Museum: Crete and the Aegean Islands, London 1886 (Reprint Bologna 1963)
BMC Galatia: W. Wroth, Catalogue of Greek Coins in the British Museum: Galatia, Cappadocia and Syroa, London 1899 (Reprint Bologna 1964)
BMC Ptolemies: R. S. Poole, Catalogue of Greek Coins in the British Museum: The Ptolemies, kings of Egypt, London 1883 (Reprint Bologna 1963)

CIL: Corpus Inscriptionum Latinarum
CIMRM: M. J. Vermaseren, Corpus Inscriptionum et Monumentorum Religionis Mithriacae (Den Haag 1956–1960).
CSIR: Corpus Signorum Imperii Romani

Espérandieu I: E. Espérandieu, Recueil général des bas-reliefs, statues et bustes de la Germanie Romaine (Paris, Brüssel 1931).

FgrHist: F. Jacoby, Die Fragmente der griechischen Historiker (Berlin 1923 ff.).

Gaebler, Makedonia II: H. Gaebler, Die antiken Münzen Nord-Griechenlands. Band 3: Makedonia und Paionia, II. Abteilung (Berlin 1935).

IGUR: L. Moretti, Inscriptiones Graecae urbis Romae (Rom 1968 ff.).
IGR: R. Cagnat, Inscriptiones Graecae ad res Romanas pertinentes (Paris 1906 ff.).
ILS: H. Dessau, Inscriptiones Latinae Selectae (Berlin 1891-1916, Nachdruck Berlin 1962).

Newell, Western Seleucid mints: E. T. Newell, The coinage of the western Seleucid mints (New York 1941).

PIR: Prosopographia Imperii Romani

RGA: Reallexikon der Germanischen Altertumskunde
RIC: H. Mattingly/E. A. Sydenham u. a., The Roman Imperial Coinage. Volume 2: Vespasian to Hadrian (London 1926).
RIB: The Roman Inscriptions of Britain (Oxford 1965 ff.).
RMD: M. Roxan, Roman Military Diplomas 1954–1977 (London 1978). [Nr. 1–78]
M. Roxan, Roman Military Diplomas 1978–1984 (London 1985). [Nr. 79–135]
M. Roxan, Roman Military Diplomas 1985–1993 (London 1994). [Nr. 136–201]
M. Roxan/P. Holder, Roman Military Diplomas IV (London 2003). [Nr. 202–322]
P. Holder, Roman Military Diplomas V (London 2006). [Nr. 323–476]

Schönert, Perinthos: E. Schönert, Griechisches Münzwerk: Die Münzprägung von Perinthos (Berlin 1965).
SNG Aulock: Sylloge Nummorum Graecorum. Deutschland, Sammlung von Aulock, H. 14: Galatien, Kappadokien, Kaiserzeitliche Kistophoren, Posthume Lysimachus und Alexander-Tetradrachmen, Incerti (Berlin 1967).

TAM: Tituli Asiae Minoris

Allgemeine Abkürzungen

B.	Breite
BDm.	Bodendurchmesser
Dm.	Durchmesser
Fundnr.	Fundnummer
RDm.	Randdurchmesser
H.	Höhe
Inv.-Nr.	Inventarnummer
L.	Länge
Rs.	Rückseite
T.	Tiefe